Becca Fitzpatrick

Becca Fitzpatrick vit aux États-Unis dans le Colorado. Après ses études, elle s'est rapidement consacrée à l'écriture, sans se douter que son premier roman *hush, hush* serait un tel phénomène d'édition. Lue dans plus de vingt pays, sa saga, opposant anges déchus et néphilims, compte déjà trois volumes et est publiée en France aux éditions du Masque. Après *hush, hush*, *Crescendo* raconte la suite des aventures de Nora, une mortelle amoureuse d'un ange...

**Retrouvez l'actualité de l'auteur sur son site :
www.beccafitzpatrick.com**

CRESCENDO

BECCA FITZPATRICK

CRESCENDO

Traduit de l'anglais (États-Unis)
par Marie Cambolieu

ÉDITIONS DU MASQUE

Titre de l'édition originale :
CRESCENDO

© 2010 by Becca Fitzpatrick.
© 2011, éditions du Masque,
un département des éditions Jean-Claude Lattès,
pour la traduction française.
ISBN : 978-2-266-22221-1

*À Jenn Martin et Rebecca Sutton,
mes « super-lecteurs ».*

*Merci aussi à T. J. Fritsche,
qui a trouvé le nom d'Écanus.*

PROLOGUE

Coldwater, Maine, États-Unis.
Quatorze mois plus tôt.

Dos à la fenêtre, Harrison Grey ne voyait pas les branches décharnées du pommier s'agiter contre les carreaux. Les volets de l'ancienne ferme, balayée par des rafales hurlantes, avaient claqué toute la nuit. Incapable de poursuivre sa lecture, il corna sa page. Le calendrier indiquait le mois de mars, mais Harrison n'était pas dupe : le printemps était encore loin. Après une pareille tempête, il n'aurait pas été surpris de trouver la campagne blanchie par le givre. Pour mieux couvrir le mugissement du vent, il saisit la télécommande de la stéréo et augmenta le volume sur *Ombra mai fu*, de Bononcini. Il jeta une bûche dans la cheminée et se demanda pour la énième fois s'il aurait acheté la maison en sachant ce qu'il en coûtait pour chauffer cette petite pièce, sans parler des huit autres.

Le son strident du téléphone retentit.

Harrison pensa tout d'abord qu'il s'agissait de la meilleure amie de sa fille, qui avait la désagréable manie d'appeler à toute heure les veilles de remise de devoir.

Un souffle rauque, haletant, résonna à l'autre bout de la ligne, puis le silence fut rompu.

— Nous devons nous voir. Dans combien de temps peux-tu être là ?

Comme un spectre surgi de son passé, cette voix glaça Harrison. Il ne l'avait plus entendue depuis des années et cet appel inattendu ne présageait rien de bon. Il présageait même le pire.

Figé, il réalisa que le combiné glissait dans sa main moite.

— Une heure, répondit-il d'une voix blanche.

Il raccrocha lentement, ferma les yeux et se plongea à contrecœur dans les méandres du passé. À une certaine époque, quinze ans plus tôt, il avait redouté la sonnerie du téléphone, les secondes interminables avant d'identifier son interlocuteur. Avec les années, paisibles et routinières, il avait acquis la conviction d'avoir mis son passé à distance. Il était devenu un homme sans histoires, avec une famille fantastique. Un homme qui n'avait rien à craindre.

Dans la cuisine, Harrison remplit un verre d'eau et le vida d'un trait. Dehors, la nuit était tombée. Il aperçut son reflet livide sur la vitre. Il hocha la tête, comme pour se persuader que tout irait bien. Mais son regard le trahissait.

La gorge nouée, il desserra sa cravate avant de remplir son verre une seconde fois. Il avala difficilement, pris de nausée. Il rinça le verre, le reposa sur l'égouttoir et, après une brève hésitation, saisit ses clés de voiture.

Harrison s'arrêta près du trottoir et éteignit les phares. Assis dans le noir, il expirait un souffle glacé tout en observant les immeubles de brique délabrés qui s'alignaient dans cette rue mal famée de Portland. Il n'y avait plus mis les pieds depuis une éternité – quinze ans, pour être précis – et sa mémoire lui faisait défaut. S'était-il trompé d'adresse ? Il ouvrit la boîte à gants et en tira un morceau de papier jauni. 1565 Monroe. Il s'apprêtait à sortir du véhicule, mais le silence de mort qui régnait aux alentours le retint. Il passa la main sous son siège et saisit un Smith & Wesson chargé, qu'il glissa derrière son dos, sous sa ceinture. Il ne s'était plus entraîné au tir depuis la fac, et n'avait jamais rien visé d'autre qu'une cible en carton. Pourrait-il en dire autant dans une heure ? Cette pensée l'obsédait. L'écho de ses pas résonna sur le trottoir désert, mais il ignora ce rythme lancinant et guetta les ombres projetées par la lune blafarde. Il releva le col de son imperméable tandis qu'il longeait des cours grillagées, encombrées de déchets. Au-dessus d'elles, les silhouettes des pavillons se dressaient, curieusement inanimées. Par deux fois, il eut l'impression d'être épié, mais ne vit personne.

Au numéro 1565 de Monroe Street, il ouvrit le portail et fit le tour de la maison. Il ne frappa qu'une fois. Quelqu'un passa furtivement derrière les vieux rideaux et la porte s'entrouvrit.

— C'est moi, souffla Harrison à voix basse.

Le battant pivota, laissant juste assez d'espace pour lui permettre d'entrer.

— Tu as été suivi ?

— Non.

— Elle a des ennuis.

— Quel genre d'ennuis ? demanda Harrison, le souffle court.

— Elle va bientôt avoir seize ans. Il va la poursuivre. Il faut que tu l'emmènes loin d'ici. Quelque part où il ne pourra pas la retrouver.

— Je ne saisis pas…, balbutia Harrison en secouant la tête.

Son interlocuteur le toisa d'un air menaçant.

11

— Lorsque nous avons conclu notre accord, je t'avais prévenu que certaines choses t'échapperaient. Seize ans est un âge maudit dans… dans mon monde. Tu n'as pas besoin d'en savoir davantage, acheva-t-il d'un ton brusque.

Les deux hommes échangèrent un long regard, puis, enfin, Harrison acquiesça.

— Tu devras effacer toutes les traces. Où que tu ailles, tu devras repartir de zéro. Personne ne doit soupçonner que tu viens du Maine. Personne ! Car il n'abandonnera jamais. Tu m'as bien compris ?

— Oui.

Sa femme en ferait-elle autant ? Et Nora ?

Harrison s'habituait à l'obscurité et il remarqua, avec une stupéfaction mêlée de curiosité, que l'homme qui se tenait devant lui n'avait pas pris une ride depuis leur dernière rencontre. D'ailleurs, il n'avait pas changé depuis l'université, où ils partageaient une chambre et étaient devenus amis. Était-ce le manque de luminosité ? Rien d'autre ne pouvait l'expliquer. Une chose, cependant, était différente : une cicatrice à la naissance du cou qu'il ne lui connaissait pas. En l'examinant plus attentivement, il frémit. Il s'agissait d'une marque de brûlure, épaisse et rosâtre, à peine plus large qu'une pièce de monnaie. Elle avait la forme d'un poing serré. Horrifié, Harrison comprit que son ami avait été marqué au fer. Comme du bétail.

Sentant la surprise d'Harrison, le regard de l'homme se fit plus dur et plus méfiant.

— Des gens cherchent à me faire disparaître, poursuivit-il. Ils veulent me briser, me déshumaniser. J'ai formé une société secrète, avec un ami de confiance. Nous intronisons de plus en plus de membres.

Il s'interrompit, visiblement réticent à en dire davantage.

— Nous avons conçu l'organisation pour nous protéger, et je lui ai juré allégeance. Tu me connais bien, tu sais que j'irai jusqu'au bout pour servir mes intérêts. Et mon avenir, ajouta-t-il d'un air absent.

— Ils t'ont marqué, souffla Harrison, cachant mal le dégoût qui s'emparait de lui.

Son ami le toisa sans répondre. Enfin, Harrison hocha la tête, signifiant qu'il comprenait sa décision, même s'il ne pouvait l'accepter. Mieux valait qu'il en sache le moins possible. Il le lui avait assez répété.

— Puis-je faire autre chose pour toi ?

— Contente-toi de la protéger.

Harrison repoussa ses lunettes sur son nez et, maladroitement, bredouilla :

— Je devrais peut-être te dire qu'elle va bien, qu'elle est devenue une charmante jeune fille. Nous l'avons appelée Nor...

— Ne me rappelle pas son prénom ! J'ai tout fait pour l'oublier, pour effacer de ma mémoire la moindre trace de son existence et ne rien révéler à ce salaud.

Il se détourna et Harrison comprit que leur entrevue était terminée. Il hésita quelques instants. Trop de questions lui brûlaient les lèvres, mais il était inutile d'insister. Réprimant sa curiosité pour cet univers occulte, que sa fille n'avait rien fait pour mériter, il sortit.

Il avait parcouru quelques dizaines de mètres à peine lorsqu'un coup de feu déchira le silence de la nuit. Instinctivement, il se jeta à terre et se retourna. Son ami ! Une deuxième détonation retentit et, sans même réfléchir, il se précipita vers la maison qu'il venait de quitter. Il passa le portail et coupa par le jardin. Arrivé à l'angle de la bâtisse, il perçut une discussion animée. Il s'immobilisa, ruisselant de sueur malgré le froid, dans la cour enveloppée par les ténèbres. Il se faufila le long du mur, prenant garde à ne pas trébucher sur les pierres.

— Je te laisse une dernière chance, déclara une voix calme et veloutée qu'Harrison ne connaissait pas.

— Va au diable.

Un troisième coup de feu. L'ami d'Harrison hurla de douleur.

— Où est-elle ? vociféra l'intrus.

Le cœur battant, Harrison sut qu'il lui fallait agir vite. D'une seconde à l'autre, il serait trop tard. Il saisit le revolver glissé dans sa ceinture. Il l'agrippa à deux mains et s'approcha de la porte entrebâillée, en direction de l'agresseur aux cheveux bruns qui lui tournait le dos. Par-dessus son épaule, Harrison aperçut son ami. Lorsque celui-ci croisa son regard, il se décomposa.

Va-t'en !

Sa voix résonna, claire et forte, et Harrison crut un instant qu'il avait crié. Mais l'assaillant ne se retournait pas, ce qui signifiait qu'il avait communiqué par la pensée.

Non… Harrison secoua la tête en silence. Sa loyauté l'emportait sur toutes ses incertitudes. Cet homme à terre avait partagé les moments les plus heureux de son existence. Il lui avait présenté sa femme. Il n'avait pas l'intention de l'abandonner aux mains d'un tueur.

Harrison pressa la détente et entendit le fracas assourdissant de la détonation, attendant que l'intrus s'effondre sur le sol. Il tira une deuxième fois. Puis une troisième.

Le jeune homme brun pivota lentement et, pour la première fois de sa vie, Harrison eut véritablement peur. Peur de l'homme qui se tenait devant lui, l'arme au poing. Peur de la mort. Peur de ce qu'il adviendrait de sa famille.

L'impact incandescent des balles l'atteignit avec une force terrible, comme si son corps volait en éclats. Il tomba à genoux. Sa vue se brouilla et le visage de son épouse lui apparut, avec celui de sa fille. Il entrouvrit la bouche, leurs noms sur le bout des lèvres, cherchant un moyen de leur dire combien il les aimait avant qu'il ne soit trop tard.

Le jeune homme l'avait empoigné et le traîna dans la ruelle derrière la maison. Tandis qu'il luttait vainement pour se redresser, Harrison sentit qu'il perdait connaissance. Il ne pouvait abandonner sa fille. Qui la protégerait ? L'homme brun la retrouverait et, si son ami n'avait pas menti, il la tuerait.

— Qui êtes-vous ? souffla Harrison.

Chaque mot lui brûlait la poitrine. Il s'accrocha à l'idée qu'il lui restait un peu de temps. Peut-être pourrait-il avertir Nora depuis l'autre monde, un monde qui se refermait sur lui, telle une nuée de plumes noires comme l'encre.

Le jeune homme observa Harrison quelques instants, avant qu'un imperceptible sourire ne traverse son visage insondable.

— Tu as tort, dit-il. Il est définitivement trop tard.

Harrison le dévisagea, surpris que le tueur ait pu deviner ses pensées. Il se demanda soudain combien de fois il avait anticipé les derniers espoirs de ses victimes, debout devant eux. Plus d'une, sans doute.

Comme pour prouver son expérience, le garçon brandit son arme et visa sans la moindre hésitation. Face au canon du revolver, Harrison eut une ultime vision. Une étincelle, comme un éclair, au moment de la détonation.

1.

Plage de Delphic, Maine, États-Unis.
Aujourd'hui.

Les mains sur mes hanches, Patch se tenait debout derrière moi, parfaitement détendu : un mètre quatre-vingt-cinq, une carrure imposante – même sous son tee-shirt trop large –, des cheveux et des yeux d'un noir à faire pâlir les ténèbres, un sourire de voyou qui promettait les ennuis. Mais au fond, les ennuis n'avaient-ils pas parfois du bon ?

Au-dessus de nous, un feu d'artifice embrasait la nuit et retombait en pluie d'étincelles sur l'océan. La clameur de la foule montait au gré des fusées. Le mois de juin touchait à sa fin, le Maine sautait à pieds joints dans l'été, célébrant la perspective de deux mois de plage, de soleil, et de touristes dépensiers. Quant à moi, je célébrais la perspective de deux mois de plage, de soleil et de Patch. J'avais limité mes cours d'été à la chimie, bien décidée à laisser Patch disposer du reste de mon temps libre.

Les artificiers tiraient les fusées depuis les docks, deux cents mètres plus loin, et je sentais chaque explosion résonner dans le sable, sous mes pieds. Au bas de la dune, les vagues se brisaient sur le rivage et la musique du parc

17

battait son plein. L'air était imprégné des odeurs de barbe à papa, de pop-corn et de barbecue. Soudain, je me rendis compte que je n'avais rien avalé depuis le déjeuner.

— Je vais m'acheter un cheeseburger, dis-je à Patch. Tu veux quelque chose ?

— J'ai bien peur que ça ne figure pas sur le menu...

— Faut-il y voir un sous-entendu ? demandai-je avec un sourire.

— Pas encore, répliqua-t-il en déposant un baiser sur mes cheveux. Je vais chercher ce cheeseburger. Profite du bouquet final.

Je le retins en glissant mon doigt dans le passant de sa ceinture.

— Merci, mais je préfère commander moi-même. J'aurais mauvaise conscience.

» Depuis combien de temps la fille du stand de hamburgers ne te fait plus payer ? repris-je devant son air surpris.

— Un moment.

— Mmmh, mieux vaut que tu restes là, sinon j'aurai des remords toute la soirée.

Patch sortit son portefeuille et en tira un billet de vingt.

— Laisse-lui un bon pourboire.

À mon tour, je haussai les sourcils.

— Tu te rattrapes pour toutes les fois où tu as mangé à l'œil ?

— La dernière fois que j'ai voulu payer, elle m'a poursuivi pour remettre l'argent dans ma poche. Je préférerais éviter un nouveau pelotage.

Connaissant Patch, c'était probablement vrai.

Je suivis la file qui s'était formée devant le snack et s'allongeait jusqu'à l'entrée du carrousel. Il faudrait que je patiente au moins quinze minutes rien que pour commander. Delphic devait être le seul endroit aux États-Unis où l'on ne trouvait qu'une seule buvette pour toute une plage.

Après de longues minutes à jeter des regards désabusés aux passants, j'aperçus Marcie Millar dans la queue. Deux personnes nous séparaient. Je supportais Marcie depuis l'enfance. Au collège, elle avait décidé de montrer à tout le monde mes sous-vêtements et misait sur le comique de répétition en volant mon soutien-gorge dans mon casier, en cours de gym, pour l'accrocher au tableau d'information. Parfois, mue par une créativité soudaine, elle s'en servait comme chemin de table à la cantine et remplissait mes bonnets A de crème anglaise et d'une cerise : la grande classe. Marcie portait des jupes deux tailles trop petites et dix centimètres trop courtes. Elle avait des cheveux blond vénitien et sa silhouette de cure-dent la rendait quasi invisible de profil. Il semblait que dans notre guerre perpétuelle, Marcie me battait à plates coutures. Je croisai son regard et compris que je ne pourrais éviter un minimum de politesse.

— Salut.

— Salut, répondit-elle, à peine aimable.

Marcie à Delphic Beach… cherchez l'erreur. Son père, concessionnaire Toyota de Coldwater, possédait une maison dans les beaux quartiers et les Millar se vantaient d'être les seuls citoyens de notre bonne ville à faire partie du prestigieux club nautique de Harraseeket. Ce soir, ses parents assistaient probablement à une régate en dégustant des petits-fours.

En comparaison, Delphic passait pour une station balnéaire miteuse où l'idée d'un club nautique aurait paru comique. Le vieux snack faisait office de restaurant, où le choix se limitait à moutarde et ketchup. Les jours fastes, ils proposaient des frites. Quant aux attractions, elles se résumaient à des manèges basiques qui diffusaient une musique datée et assourdissante. Après la fermeture, le parking devenait un lieu notoire de trafics en tous genres. Bref, l'endroit où M. et Mme Millar n'auraient guère aimé voir traîner leur fille.

— Est-ce qu'on pourrait avancer un peu plus lentement, s'il vous plaît, aboya Marcie en direction des clients devant elle. On meurt de faim, dans le fond.

— Il n'y a qu'une personne derrière le comptoir, expliquai-je.

— Et alors ? Ils devraient embaucher. C'est la loi de l'offre et de la demande.

Vu ses notes, elle aurait pu se garder de dispenser des cours d'économie.

Dix minutes plus tard, j'avais suffisamment avancé pour apercevoir un flacon jaune où était inscrit le mot « Moutarde » au feutre noir. Derrière moi, Marcie soufflait ostensiblement et ne tenait plus en place.

— J'ai les crocs avec un C majuscule, gémit-elle.

Le client devant moi paya et prit sa commande.

— Un cheeseburger et un Coca, s'il vous plaît, demandai-je à la vendeuse.

Tandis qu'elle préparait mon sandwich, je me retournai vers Marcie.

— Alors, tu es venue avec qui ?

Je me moquais de la réponse, car Marcie et moi n'avions pas du tout les mêmes fréquentations, mais mon sens de la courtoisie l'emportait sur ma réticence. Marcie m'avait épargnée durant quelques semaines et les quinze dernières minutes s'étaient déroulées sans incident. Était-ce le début d'une trêve ? Faisons table rase, pensai-je.

Elle bâilla, comme si le fait de me répondre l'ennuyait davantage que l'attente.

— Désolée, siffla-t-elle, je ne suis pas d'humeur à bavarder. J'ai l'impression d'attendre depuis des heures, tout ça parce que cette pauvre fille est incapable de faire griller deux steaks en même temps.

Tout en déballant des pains à hamburger, la jeune femme baissa la tête, mais je savais qu'elle l'avait entendue. Elle devait haïr ce job et crachait sans doute sur les sandwichs à la moindre occasion. J'aurais même parié qu'il lui arrivait de pleurer le soir sur le parking.

— Ça n'ennuie pas ton père que tu fréquentes Delphic Beach ? lui demandai-je en plissant légèrement les yeux. La famille Millar a pourtant une réputation à tenir, non ? Surtout depuis que tes parents ont été admis au club nautique.

— Et ton père, ça ne le gêne pas ? répliqua Marcie avec froideur. Ah, mais attends, j'oubliais : il est mort.

D'abord, je ressentis un choc. Ensuite vint l'indignation. Devant une telle méchanceté, la colère me nouait la gorge.

— Eh bien, quoi ? poursuivit-elle avec un haussement d'épaules. Il est mort, c'est un fait. Tu préfères faire semblant ?

— Qu'est-ce que j'ai bien pu te faire ?

— Tu existes.

Je ne trouvai rien à répondre, sidérée par son manque de tact. J'attrapai mon cheeseburger et mon Coca sur le présentoir, où je laissai le billet de vingt dollars. Je comptais rejoindre Patch, mais cette altercation devait rester entre Marcie et moi. Il remarquerait tout de suite que quelque chose n'allait pas, et je n'avais pas l'intention de le mêler à cette histoire. Tâchant de retrouver mon calme, j'aperçus un banc non loin du snack et m'y installai aussi dignement que possible. Pas question que Marcie me gâche la soirée. Je l'imaginais m'observer de loin et savourer son triomphe. Je mordis dans le cheeseburger, que je trouvai écœurant. J'étais obsédée par l'idée de cette viande, de cet animal mort. De mon père, mort lui aussi.

Je jetai le sandwich dans la poubelle la plus proche, la gorge serrée. Je ramenai mes bras contre ma poitrine et me mis à courir en direction des toilettes, situées près du parking, priant pour avoir le temps de m'enfermer avant de fondre en larmes. Mais là encore, une file s'était formée. Je me glissai jusqu'à l'un des lavabos et observai mon reflet dans le miroir sale. Sous le néon blafard, mon regard semblait rougi et terne. Tandis que je tamponnais mes paupières à l'aide d'un mouchoir humide, je songeai à Marcie. Qu'avais-je bien pu lui faire de si cruel pour mériter pareil acharnement ?

Je respirai profondément, redressai les épaules et visualisai un grand mur, derrière lequel je plaçai Marcie. Après tout, je me fichais pas mal de ce qu'elle pensait. Je ne l'aimais pas. Son opinion m'indifférait. Ce n'était qu'une petite peste grossière et égocentrique. Elle ne me connaissait pas et ne savait rien de mon père. Je perdais mon temps en l'écoutant cracher son venin.

Passe à autre chose, me répétai-je.

J'attendis de retrouver un visage plus serein pour quitter les toilettes. Je fendis ensuite la foule, tout en cherchant Patch des yeux. Je l'aperçus au jeu de massacre, Rixon à ses côtés, sans doute à parier sur sa maladresse. Rixon était un déchu ainsi que le plus vieil ami de Patch, presque un frère. Peu liant, Patch n'accordait pas facilement sa confiance. Mais s'il y avait une personne pour qui il n'avait aucun secret, c'était bien Rixon.

Patch était lui aussi un ange déchu. Mais deux mois plus tôt, en me sauvant la vie, il avait pu retrouver ses ailes et devenir mon ange gardien. En théorie, il en avait fini avec le côté obscur, mais j'avais la nette impression qu'il restait plus attaché à Rixon et au monde des déchus. Patch ne l'aurait jamais avoué, mais il semblait regretter la décision des archanges. Après tout, il n'avait jamais voulu être un gardien. Ce qu'il souhaitait vraiment, c'était avoir une apparence humaine.

La sonnerie de mon portable me tira de mes pensées. Le numéro de Vee, ma meilleure amie, s'affichait, mais je ne décrochai pas. C'était la deuxième fois aujourd'hui… Il fallait absolument que je la voie demain. En revanche, Patch et moi ne devions pas nous revoir avant le lendemain soir. J'avais décidé de profiter de chaque minute passée avec lui.

Je l'observai tandis qu'il visait les six quilles alignées. Je frémis lorsque son tee-shirt remonta, découvrant légèrement son dos. Patch était tout en muscles fins et bien dessinés. Sur sa peau parfaitement lisse, ses anciennes cicatrices avaient disparu, remplacées par de nouvelles ailes que ni moi ni aucun autre humain ne pouvions voir.

— Cinq billets que tu n'arrives pas à le refaire, lançai-je en le rejoignant.

Patch se retourna et sourit.

— Ça n'est pas ton argent que je veux, mon ange.

— Dites, les enfants, restons corrects, s'il vous plaît, intervint Rixon.

— Tu fais tomber les trois dernières quilles ? dis-je d'un air de défi.

— Qu'est-ce qu'on met en jeu ?

— Vous pourriez attendre d'être seuls ? gémit Rixon.

Avec un sourire amusé, Patch se cambra, la balle serrée contre sa poitrine. Il relâcha son épaule droite et envoya le projectile aussi fort qu'il le put. Avec un craquement sourd, les trois quilles volèrent dans les airs.

— Ça sent les ennuis, ma jolie ! me cria Rixon par-dessus les exclamations des badauds qui félicitaient Patch.

Appuyé contre le stand, celui-ci me lança un regard impatient, les sourcils levés. Passe à la caisse, pensait-il.

— C'était un coup de chance, rétorquai-je.

— Oui, je crois que ça sera mon soir de chance.

— Choisis un lot, aboya le vieux forain tout en ramassant les quilles éparpillées.

— L'ours mauve, répondit Patch, avant de s'emparer d'une affreuse peluche aux poils synthétiques et de me la tendre.

— Ça alors ! m'exclamai-je en pressant une main sur mon cœur. C'est pour moi ? Vraiment ?

— Je sais que tu as un faible pour le rebut. Au supermarché, tu prends toujours les boîtes de conserve les plus cabossées.

Il passa son doigt dans la ceinture de mon jean et m'attira contre lui.

— Filons d'ici.

— Aurais-tu des projets ? demandai-je d'un air détaché, fondant intérieurement, car je savais exactement ce qu'il avait en tête.

— Chez toi.

— Impossible : ma mère est là. Mais on pourrait aller chez toi.

Après deux mois, j'ignorais encore où il habitait. Ça n'était pourtant pas faute d'avoir essayé. Deux semaines m'auraient paru être un délai raisonnable, d'autant qu'il vivait seul. À force, ça devenait vexant. Ma curiosité était plus forte que ma bonne volonté et les moindres détails de son intimité m'échappaient. De quelle couleur étaient ses murs ? Possédait-il un ouvre-boîtes électrique ? Quelle marque de savon utilisait-il ? Ses draps étaient-ils en coton ou en soie ?

— Laisse-moi deviner. Tu vis dans un bunker souterrain ?

— Mon ange…

— Quel est le problème ? La vaisselle empilée dans l'évier ? Les sous-vêtements sales qui traînent par terre ? Nous serions quand même plus tranquilles que chez moi.

— Peut-être, mais c'est non.

— Rixon est déjà venu chez toi ?

— Rixon est un proche.

— Et pas moi ?

Il parut hésitant.

— C'est trop risqué.

— Quoi ? Si je viens chez toi, tu devras me tuer ensuite, c'est ça ?

Il me prit dans ses bras et m'embrassa sur le front.

— Presque. Tu as la permission de quelle heure, ce soir ?

— Dix heures. Les cours d'été commencent demain.

Et puis, ma mère faisait de son mieux pour m'éloigner de Patch. Avec Vee, elle m'aurait certainement laissé jusqu'à dix heures trente. Sa méfiance était compréhensible : j'avais moi-même eu des doutes par le passé, mais j'aurais aimé qu'elle relâche sa surveillance de temps à autre.

Comme aujourd'hui, par exemple. Et puis, il ne pouvait rien m'arriver, puisque mon ange gardien ne me lâchait pas d'une semelle.

— Il est temps d'y aller, annonça Patch en consultant sa montre.

À dix heures quatre très exactement, il fit demi-tour devant notre ancienne ferme et s'arrêta à la hauteur de la boîte aux lettres. Il coupa le contact et éteignit les phares. Nous demeurâmes quelques instants sans parler, plongés dans les ténèbres au milieu de la campagne.

— Tu es bien silencieuse, mon ange, dit-il enfin.

— Ah ? J'étais simplement perdue dans mes pensées.

Un sourire à peine perceptible se dessina sur ses lèvres.

— Menteuse. Qu'est-ce qui ne va pas ?

— Tu es fort.

— Très, ajouta-t-il, amusé.

— J'ai croisé Marcie Millar au snack.

Dire que j'avais résolu de garder tout cela pour moi ! À l'évidence, toute cette histoire me perturbait encore. Et si je n'en parlais pas à Patch, à qui pourrais-je me confier ? Au début, notre relation se résumait surtout à des baisers volés dans la voiture, devant la voiture, sous les gradins, et sur la table de la cuisine. On pouvait aussi noter quelques mains baladeuses, des cheveux ébouriffés et autres traces de rouge à lèvres. Depuis, les choses avaient évolué. Sur un plan émotionnel, je me sentais en phase avec lui. Son amitié m'importait davantage que cent connaissances insignifiantes.

La disparition de mon père avait laissé un vide si béant que j'avais bien cru m'y perdre complètement. Le vide n'avait pas disparu, mais la douleur semblait s'atténuer. J'avais soudain cessé de vivre figée dans le passé : tout ce que je désirais se concrétisait dans mon présent. Et cela, je le devais à Patch.

— Elle a eu la délicatesse de me rappeler la mort de mon père, poursuivis-je.

— Tu veux que j'aille lui dire deux mots ?

— C'est une réplique du *Parrain*, ça, non ?

— D'où est partie cette guerre entre vous ?

— Justement ! Je n'en ai aucune idée. Avant, c'était à qui chiperait la dernière mousse au chocolat à la cantine, rien de plus. Et puis un matin, au collège, Marcie s'est amusée à inscrire « TRAÎNÉE » avec une bombe de peinture sur mon casier. Elle n'a même pas cherché à s'en cacher : toute l'école l'a vue faire.

— Elle a pété les plombs comme ça ? Sans raison ?

— Sans raison.

Du moins, je n'en voyais aucune.

Il fit glisser une mèche de cheveux derrière mon oreille.

— Et alors, qui gagne ?

— Marcie, de peu.

— Tu peux l'avoir, championne, ajouta-t-il, joueur.

— Et puis pourquoi « traînée » ? À l'époque, je n'avais jamais embrassé un garçon. C'était son casier à elle qu'il aurait fallu taguer.

— On dirait bien que tu fais un blocage, mon ange.

Ses doigts, comme une décharge électrique sur ma peau, s'insinuèrent sous la bretelle de mon débardeur.

— Je parie que je peux te distraire.

Au loin, j'aperçus de la lumière dans la maison, mais aucun signe de ma mère. Je tablai donc sur quelques minutes de sursis. Je détachai ma ceinture et me penchai par-dessus l'accoudoir, cherchant ses lèvres dans le noir. Je savourai le goût du sel laissé par les embruns sur sa peau. Même rasée, sa joue râpeuse chatouillait mon menton. Il promena sa bouche sur ma gorge et, lorsque sa langue effleura mon cou, mon cœur se mit à cogner sourdement.

Son baiser s'attarda sur mon épaule dénudée. Il repoussa la bretelle et remonta le long de mon bras. À cet instant, je voulais le sentir aussi près de moi que possible, ne jamais le lâcher. J'avais besoin de lui maintenant, demain et chaque jour qui suivrait. J'avais besoin de lui comme jamais encore je n'avais eu besoin de quelqu'un.

J'enjambai l'accoudoir et m'assis sur ses genoux. Glissant mes mains sur sa poitrine, je l'attirai contre moi. Ses bras m'emprisonnèrent et je me lovai contre lui.

Prise dans l'instant, je fis courir mes mains sous son tee-shirt, songeant seulement à la chaleur de son corps qui se propageait sur mes doigts. Alors que j'effleurais le point où se rejoignaient ses anciennes cicatrices, une lumière, d'abord lointaine, sembla éclater dans ma tête. L'obscurité la plus parfaite fut brusquement percée par une lueur aveuglante, pareille à un phénomène cosmique observé à plusieurs années-lumière. Mon esprit, comme absorbé par le sien, fut projeté au cœur d'une nuée de ses souvenirs, lorsque soudain, il prit ma main et l'attira plus bas, loin de la jonction entre ses ailes et son dos. Aussitôt, tout se remit brutalement en place.

— Bien essayé, murmura-t-il.

— Si tu pouvais voir mon passé rien qu'en touchant mon dos, tu aurais sans doute du mal à résister à la tentation.

— J'ai suffisamment de mal à me retenir comme ça.

J'éclatai de rire, mais repris immédiatement un air sérieux. En dépit de tous mes efforts, j'étais incapable de me rappeler ma vie sans Patch. Le soir, immobile dans mon lit, je me remémorais avec une précision limpide le timbre grave de son rire, le coin de sa lèvre droite légèrement retroussé lorsqu'il souriait, ses mains chaudes, douces et veloutées sur ma peau. Mais il me fallait lutter pour retrouver les souvenirs des seize années qui avaient précédé. Peut-être ne souffraient-ils pas la comparaison. Ou peut-être n'en restait-il rien de bon.

— Ne m'abandonne jamais, dis-je, passant mon doigt dans son col pour l'attirer vers moi.

— Tu es à moi, mon ange, souffla-t-il tandis que je penchais la tête en arrière pour lui offrir mon cou. Tu m'auras pour toujours.

— Prouve-le, demandai-je d'un ton solennel.

Il m'observa quelques instants avant de détacher la fine chaîne en argent qui ne le quittait jamais. J'ignorais d'où lui venait cette chaîne, ou ce qu'elle représentait pour lui, mais il semblait y tenir. Il n'avait pas d'autres bijoux et la portait sous son tee-shirt, à même la peau. Je ne l'avais jamais vu l'enlever.

Il l'accrocha autour de mon cou. Le métal était encore tiédi par le contact de sa peau.

— On me l'a donnée lorsque j'étais un archange, expliqua-t-il. Pour m'aider à discerner la vérité du mensonge.

Je l'effleurai lentement, émerveillée.

— Ça marche toujours ?

— Plus pour moi, en tout cas.

Il glissa ses doigts dans les miens et les approcha de ses lèvres.

Je retirai alors un petit anneau de cuivre de mon majeur gauche, et le lui tendis. Un cœur était gravé à l'intérieur. Patch l'examina.

— Mon père me l'a offert une semaine avant sa mort.

Patch leva les yeux vers moi.

— Je ne peux pas accepter.

— C'est ce que j'ai de plus cher. Prends-la, insistai-je en refermant sa main sur la bague.

— Nora, je ne peux pas accepter, répéta-t-il d'un ton hésitant.

— Promets-moi de la garder. Promets-moi que rien ne nous séparera jamais.

Je soutins son regard pour l'empêcher de détourner les yeux.

— Je ne veux pas vivre sans toi. Je veux que tout ça dure toujours.

Ses yeux, sombres comme l'ardoise, semblaient obscurcis par des milliers de secrets. Il baissa les yeux vers l'anneau, le faisant lentement tourner entre le pouce et l'index.

— Promets de ne jamais cesser de m'aimer, murmurai-je.

Il acquiesça d'un geste à peine perceptible.

J'agrippai son col et lui rendis un baiser fougueux, scellant notre serment mutuel. Je pressai ma main contre la sienne, la bague entre nos paumes. Quoi que je fasse, j'avais la sensation de ne jamais être assez proche de lui. Rien n'était jamais assez. L'anneau s'enfonça plus profondément dans ma chair et entailla ma peau. Une promesse de sang.

Lorsque je crus que mes poumons allaient éclater, je me reculai et appuyai mon front contre le sien. Les yeux fermés, le souffle court, je murmurai :

— Je t'aime. Plus que je le devrais, d'ailleurs.

J'attendis sa réponse, mais je sentis son étreinte, soudain plus protectrice, se resserrer. Il se tourna vers les bois, de l'autre côté de la route.

— Que se passe-t-il ? demandai-je.

— J'ai entendu quelque chose.

— Oui, moi qui disais que je t'aimais, insistai-je d'un air amusé en promenant mon index sur ses lèvres.

Mais loin de sourire, il demeurait figé, les yeux rivés vers les bosquets dont les branches s'agitaient lentement, faisant danser des ombres sur le sol.

— Qu'est-ce que c'est ? Un coyote ?

— C'est bizarre…

Inquiète, je me glissai sur le siège passager.

— Tu commences à me faire peur. C'est un ours ?

Nous n'en avions plus vu depuis des années, mais notre ferme se trouvait en périphérie de la ville. Or après l'hibernation, les ours avaient l'habitude de se rapprocher des centres pour chercher leur nourriture.

— Allume les phares et klaxonne, suggérai-je.

Je fixai le bois, guettant le moindre mouvement. Le cœur battant, je me remémorai le jour où mes parents et moi avions vu, depuis la fenêtre du salon, un ours se ruer sur la voiture.

Derrière moi, la véranda de la maison s'illumina. Nul besoin de me retourner pour savoir que ma mère trépignait sur le pas de la porte.

— Qu'est-ce que c'est ? demandai-je à nouveau. Ma mère est sur le point de sortir. Elle ne risque rien, au moins ?

Il remit le moteur en route et enclencha une vitesse.

— Vas-y, souffla-t-il. J'ai quelque chose à faire.

— Comment ça ? Mais qu'est-ce qui te prend, à la fin ?

— Nora ! cria ma mère agacée, en dévalant les marches du perron.

Arrivée à hauteur du 4 × 4, elle me fit signe de baisser la vitre.

— Patch ? insistai-je.

— Je t'appelle plus tard.

Ma mère ouvrit la portière d'un geste sec.

— Patch, lança-t-elle froidement.

— Blythe, répondit-il d'un air absent.

— Tu as quatre minutes de retard, me dit-elle.

— J'avais quatre minutes d'avance hier.

— Le report des minutes ne marche pas avec moi. Tu rentres. Tout de suite !

J'aurais préféré attendre une réponse de Patch, mais je n'avais plus le choix.

— Appelle-moi, lui soufflai-je.

Il hocha la tête, mais à ses yeux perdus dans le vague, je sus qu'il était préoccupé. Dès que j'eus refermé la portière, le 4 × 4 démarra en trombe. Décidément, ses sorties de scène ne manquaient jamais de piment.

— Quand je te donne une heure, je veux que tu t'y tiennes, reprit ma mère.

— Maman : quatre minutes, répliquai-je, cherchant à lui montrer qu'elle en faisait peut-être un peu trop.

Elle me servit son regard noir de mère indignée.

— Ton père a été tué l'an dernier et il y a à peine deux mois, tu as bien failli avoir de sérieux ennuis, toi aussi. Je crois que je suis en droit de me montrer inquiète.

Elle regagna la maison d'un pas raide, les bras serrés contre sa poitrine.

D'accord, j'étais une sale gamine égoïste. Message reçu.

Je scrutai le bosquet, de l'autre côté de la route. J'attendis qu'un frisson d'angoisse confirme mes soupçons, mais rien ne bougea. Une légère brise estivale caressa les arbres portant le chant des grillons. Sous le rayon de lune argentée, le bois paraissait calme et paisible.

Patch n'avait absolument rien aperçu dans ce bois. Il s'était détourné à cause de ces trois mots énormes, stupides, que je n'avais pas pu réprimer. Quelle mouche m'avait piquée ? Ou plutôt, quelle mouche l'avait piqué, lui ? Avait-il pris ses jambes à son cou pour éviter de me répondre ? J'en étais presque certaine. Et voilà pourquoi je m'étais retrouvée là, plantée comme une idiote, à regarder son 4 × 4 s'éloigner.

2.

Depuis onze secondes exactement, j'avais la tête sous l'oreiller et tentais vainement d'ignorer la voix nasillarde de Chuck Delaney qui donnait l'état du trafic de Portland à la radio. J'essayais aussi de faire taire ma conscience qui m'ordonnait de me lever, de m'habiller avant de le regretter. Mais mon démon intérieur l'emporta. Je m'accrochai à mon rêve, ou plutôt au protagoniste de mon rêve, avec ses cheveux noirs ondulés et son irrésistible sourire. Nous étions assis face à face sur la selle de sa moto. Nos genoux se touchaient. J'agrippais sa chemise et l'attirais vers moi pour l'embrasser.

Dans mon rêve, Patch pouvait ressentir mes baisers. Sur un plan émotionnel, bien sûr, mais surtout physique. Dans mon rêve, il était plus humain que céleste. Les anges ne peuvent éprouver aucune sensation, je le savais bien, mais je voulais qu'il sente la douceur de ses lèvres contre les miennes et mes doigts entre ses mèches brunes. J'avais besoin qu'il prenne conscience de cette attraction magnétique, irrépressible et délicieuse, qui rapprochait le moindre atome de son corps du mien.

Exactement comme moi.

Patch passa son index sur la chaîne en argent autour de mon cou et un frisson de plaisir me parcourut.

— Je t'aime, murmura-t-il.

Je posai mes mains contre sa poitrine et approchai mon visage du sien. Je t'aime encore davantage, soufflai-je en effleurant sa bouche.

Mais les paroles, figées, refusèrent de sortir.

Patch attendit ma réponse et son sourire disparut.

J'essayai une fois de plus : je t'aime. Mais j'étais incapable de parler.

Il parut soudain nerveux et répéta :

— Je t'aime, Nora.

Éperdue, je hochai la tête, mais il s'était déjà détourné. Il se leva et partit sans même jeter un regard en arrière.

— Je t'aime ! criai-je après lui. Je t'aime, tu dois me croire !

Comme des sables mouvants, ma gorge engloutissait les mots que je cherchais en vain à prononcer.

Patch fut happé par la foule. En un instant, la nuit était tombée et son tee-shirt noir se confondit avec les vêtements sombres des milliers de passants. Je me mis à courir pour le rattraper, mais lorsque j'agrippai son bras, quelqu'un d'autre se retourna. Une fille. Dans l'obscurité, j'avais du mal à distinguer ses traits, mais sa beauté était évidente.

— J'aime Patch, déclara-t-elle tandis qu'un sourire se dessinait sur ses lèvres vermeilles. Et je n'ai pas peur de le dire.

— Je le lui ai dit ! répliquai-je furieusement. Je le lui ai dit hier soir.

Je la bousculai, scrutant la foule dense, et aperçus la casquette bleue que Patch portait toujours. Je me faufilai jusqu'à lui et tendis la main pour saisir la sienne.

Il se retourna, mais il se changea en cette même créature divine.

— Tu arrives trop tard, siffla-t-elle. J'aime Patch, à présent.

« À présent, voyons les prévisions météo avec Angie », brailla la voix de Chuck Delaney.

Au mot « météo », j'ouvris les yeux et demeurai quelques instants immobile, tâchant de retrouver mes esprits et d'oublier ce rêve.

Le bulletin météo était généralement donné vingt minutes avant l'heure pile, ce qui signifiait… Les cours d'été ! Je m'étais rendormie !

Je repoussai les draps pour me ruer vers la penderie, où je ramassai le jean abandonné la veille et passai un gilet mauve sur un tee-shirt blanc. Je tentai ensuite de joindre Patch. Trois sonneries plus tard, je tombai sur le répondeur.

— Rappelle-moi ! lançai-je après une hésitation.

Essayait-il de m'éviter après ma révélation embarrassante ? J'avais décidé d'oublier tout cela jusqu'à ce que les choses se tassent et de prétendre que rien n'était arrivé. Mais après ce cauchemar, je doutais de pouvoir occulter la situation aussi facilement. Pour l'instant, je ne pouvais rien y faire. Patch ne m'avait pas proposé de m'accompagner en cours, ce matin-là ?

Je passai un bandeau dans mes cheveux, saisis mon sac à dos au passage et sortis précipitamment.

Je poussai un cri d'exaspération en apercevant notre allée déserte. Ma mère avait vendu ma vieille Fiat Spider pour payer les trois factures d'électricité en retard et remplir le frigo jusqu'à la fin du mois. Elle avait aussi dû se séparer de Dorothea, notre femme de ménage qui me tenait lieu de nounou, pour faire des économies. Priant pour qu'une circonstance fortuite me tire de ce mauvais pas, je me remis à courir le long de la route. On dit souvent que notre petite ferme du XVIIIe, perdue dans la campagne du Maine, est « pittoresque », mais je vous assure qu'il n'y a rien de pittoresque à piquer un sprint sur deux kilomètres pour rejoindre le centre-ville. À moins bien sûr que « pittoresque » soit synonyme de courants d'air, de gouffre financier et d'inversion météorologique qui nous amène le brouillard de la côte.

À l'angle des rues Hawthorne et Beech, je croisai enfin des signes de vie : le trafic matinal s'intensifiait. Je levai le pouce d'une main tout en attrapant un chewing-gum à la menthe de l'autre, pour compenser mon brossage de dents furtif.

Un 4 × 4 Toyota me dépassa et s'arrêta sur le bas-côté. Lorsque la vitre du passager s'abaissa, je vis que Marcie Millar était au volant.

— Problème de voiture ? demanda-t-elle.

Un problème d'absence de voiture, à vrai dire. Mais plutôt mourir que d'avouer ça à Marcie.

— Alors, s'impatienta-t-elle, tu montes, oui ou non ?

Quelle guigne ! De toutes les voitures sur cette fichue route, il avait fallu que je tombe sur Marcie Millar. Avais-je envie d'accepter ? Non. Étais-je encore furieuse après ses remarques déplacées ? Oui. Comptais-je lui pardonner ? Certainement pas. Je songeai à l'envoyer promener, mais notre professeur de chimie ne plaisantait pas avec les retardataires. D'après la rumeur, il aimait presque autant distribuer les heures de colle que la classification périodique des éléments.

— Merci, répondis-je à contrecœur. J'étais en route pour le lycée.

— La grosse n'a pas pu t'accompagner ?

La main sur la poignée, je me figeai. Vee et moi avions depuis longtemps cessé de corriger les gens incapables de faire la différence entre « pulpeux » et

« gros », mais ce genre de bêtise nous agaçait toujours. Quant à appeler Vee à la rescousse, c'était impossible. Elle devait assister à une réunion des futurs rédacteurs du webzine tôt dans la matinée, au lycée.

— À la réflexion, je crois que je préfère marcher, répliquai-je en refermant la portière.

— Tu es vexée parce que je l'ai traitée d'obèse ? s'exclama-t-elle en feignant la surprise. Eh bien, quoi ? C'est vrai. J'ai l'impression d'avoir à me censurer chaque fois que j'ouvre la bouche, avec toi. D'abord ton père, maintenant ta copine. Et la liberté d'expression, alors ?

L'espace d'une seconde, je regrettai amèrement ma Fiat. Non seulement j'aurais pu me rendre seule jusqu'au lycée, mais j'aurais aussi eu un moyen d'écraser Marcie. Après tout, le parking de l'école était un véritable cauchemar à la fin des cours et un accident était si vite arrivé…

Mais puisque j'étais incapable de réduire Marcie en trophée de pare-chocs, j'optai pour le plan B :

— Tu sais, si mon père possédait un garage Toyota, j'aurais au moins fait un geste pour la planète en lui demandant un hybride.

— Mais ton père n'a pas de garage Toyota.

— En effet. Mon père est mort.

— C'est toi qui l'as dit, pas moi, répliqua-t-elle avec un haussement d'épaules.

— À partir de maintenant, je pense qu'il vaudrait mieux qu'on s'évite.

— Comme tu voudras, répondit-elle en observant ses ongles manucurés.

— Parfait.

— J'essayais seulement d'être sympa, et regarde où ça me mène, siffla-t-elle.

— Sympa ? Tu viens de traiter Vee d'obèse.

— Je t'ai aussi proposé de t'emmener, cracha-t-elle avant de redémarrer en trombe dans un nuage de poussière.

Je n'aurais pas cru pouvoir la haïr davantage, mais preuve était faite que rien n'est impossible.

Le lycée de Coldwater datait de la fin du XIXᵉ siècle. L'architecture, mélange d'inspirations gothiques et victoriennes, ressemblait plus à une cathédrale qu'à un établissement scolaire. Les fenêtres étaient étroites, en ogives et fermées par des vitraux. Plusieurs types de pierres se mêlaient, mais le gris dominait. L'été, le lierre courait sur les murs et conférait à l'école un certain charme qui rappelait la Nouvelle-Angleterre. Mais l'hiver, sans ses feuilles, il semblait étrangler le bâtiment entre ses doigts crochus.

Je trottinais dans le couloir, à la recherche de ma salle, lorsque la sonnerie de mon portable retentit dans ma poche.

— Maman ? répondis-je sans ralentir. Je peux te rappeler plus...

— Tu ne devineras jamais qui j'ai croisé hier soir ! Lynn Parnell. Tu te souviens d'elle ? C'est la mère de Scott.

Je jetai un coup d'œil à l'horloge de mon téléphone. J'avais évité la catastrophe grâce à une automobiliste en route pour son cours de kickboxing, mais je n'étais guère en avance : il restait moins de deux minutes avant la sonnerie.

— Maman ? Le cours va commencer. Je peux te joindre à l'heure du déjeuner ?

— Scott et toi, vous étiez les meilleurs amis du monde...

Ce nom m'évoquait vaguement quelque chose.

— Maman, j'avais cinq ans. C'était lui qui mouillait toujours son pantalon ?

— J'ai pris un verre avec Lynn, hier soir. Elle vient enfin de divorcer et va revenir s'installer à Coldwater avec Scott.

— Génial. Écoute, je te rappelle…

— Je les ai invités à dîner ce soir.

En passant devant le bureau de la principale, je vis l'aiguille de la pendule tanguer dangereusement entre 7 h 59 et 8 h 00. Ne t'avise pas de sonner avant l'heure, pensai-je.

— Ce soir, ça va être difficile. Patch et moi avons…

— Ne sois pas ridicule ! coupa-t-elle. Scott et toi êtes de vieux amis. Tu l'as connu bien avant Patch.

— Attends, dis-je, la mémoire soudain plus claire, c'est lui qui essayait de me faire avaler des cloportes !

— Et toi, tu ne l'as jamais forcé à jouer aux Barbie, peut-être ?

— Il y a une légère différence.

— Ce soir, sept heures, conclut ma mère, coupant court à toute discussion.

Je me ruai dans la salle quelques secondes seulement avant la sonnerie et me juchai sur un tabouret au premier rang, devant une paillasse en ardoise. Je croisai les doigts pour que mon voisin de table soit meilleur que moi en sciences. Ce qui, vu mon niveau, ne serait guère difficile. Mon esprit, plus romanesque que cartésien, avait la fâcheuse tendance à se fier davantage à l'instinct qu'à la logique. Entre la chimie et moi, les choses ne partaient pas du bon pied.

Marcie Millar fit son entrée dans la salle. Elle portait un jean, des talons hauts et un top en soie Banana Republic sur lequel je lorgnais depuis des semaines, attendant patiemment les soldes pour qu'il soit enfin à portée de ma bourse. Je rayais mentalement la blouse de ma liste d'achats lorsque Marcie s'installa à côté de moi.

— Qu'est-ce qui est arrivé à tes cheveux ? siffla-t-elle avec un sourire en coin. Plus de produit lissant ? Manque de patience ? Ou bien les cinq kilomètres de course à pied ont eu raison de ta tignasse ?

— Je croyais qu'on devait s'éviter, répliquai-je avec un regard appuyé entre nos tabourets.

À l'évidence, les quarante centimètres qui nous séparaient n'étaient pas suffisants.

— J'ai quelque chose à te demander.

Je poussai un soupir, essayant de me calmer. J'aurais dû m'en douter !

— Écoute-moi bien, Marcie. Tu sais comme moi que ce cours est extrêmement difficile. Et je préfère te prévenir : je suis nulle en sciences. Si je me suis inscrite, c'est pour avoir des facilités le semestre prochain. Alors n'imagine pas que t'asseoir ici te garantira une bonne note.

— Tu crois que je m'installe à côté de toi pour soigner mon bulletin ? coupa-t-elle avec un geste impatient. J'ai besoin d'autre chose. J'ai trouvé du boulot, la semaine dernière.

Du boulot ? Marcie ?

Ma surprise dut paraître évidente, car elle poursuivit avec un sourire narquois :

— Je m'occupe des dossiers, au secrétariat du lycée. L'un des commerciaux de mon père est le mari de la secrétaire. C'est toujours pratique d'avoir des relations. Ce qui n'est sans doute pas ton cas.

M. Millar était un homme influent à Coldwater. C'était un généreux donateur des divers clubs sportifs et je doutais qu'un seul entraîneur soit nommé en ville sans son aval, mais tout ça devenait ridicule.

— De temps à autre, un dossier s'ouvre sous mon nez et je ne peux pas m'empêcher de voir certaines choses.

Ben voyons...

— Je sais par exemple que tu ne t'es pas remise de la mort de ton père. Que tu as consulté le psychologue du lycée. D'ailleurs, je sais presque tout sur tout le monde. Sauf sur Patch. La semaine dernière, j'ai réalisé que son dossier était vide. Pourquoi ? Qu'est-ce qu'il cache ?

— En quoi ça t'intéresse ?

— Il rôdait devant chez moi hier soir, sous la fenêtre de ma chambre.

— Patch rôdait devant chez toi ? répétai-je, incrédule.

— Tu connais beaucoup de mecs canon qui s'habillent tout en noir et conduisent un 4 × 4 ?

— Tu lui as parlé ? demandai-je en fronçant les sourcils.

— Quand il s'est aperçu que je l'avais vu, il a filé. D'après toi, je devrais avertir la police ? C'est un comportement habituel, chez lui ? Je sais qu'il est tordu, mais jusqu'à quel point, exactement ?

Sous le choc, je préférai ne pas lui répondre. Patch ? Chez Marcie ? Il s'était donc rendu là-bas après m'avoir raccompagnée. Après qu'il eut détalé quand je lui avais dit que je l'aimais.

— Tant pis, conclut Marcie. Je trouverai un autre moyen. L'administration, par exemple. Je suis certaine qu'un dossier vide les passionnerait. Je n'avais pas l'intention de les prévenir, mais puisqu'il s'agit d'assurer ma sécurité...

Je me fichais que Marcie alerte le secrétariat. Patch pouvait se débrouiller seul. Mais les événements de la nuit précédente m'inquiétaient. Patch était parti précipitamment, prétextant avoir à faire. Sans doute à cause de ma révélation, et non de Marcie.

— Ou la police, renchérit-elle, en tapotant sa lèvre du bout du doigt. Un dossier scolaire vierge, ça semble presque illégal. Comment Patch a-t-il pu s'inscrire ici ? Tu parais troublée, Nora. Aurais-je visé juste ?

Une expression de surprise mêlée de satisfaction éclaira son visage.

— J'ai raison, pas vrai ? Il y a quelque chose de louche là-dessous.

— Pour quelqu'un qui se prétend supérieur à tout le monde, répliquai-je froidement, tu te penches beaucoup sur nos misérables et pathétiques existences, non ?

Le sourire de Marcie disparut.

— Si vous ne vous mettiez pas toujours en travers de mon chemin, je n'en aurais pas besoin.

— Ton chemin ? Parce que l'école t'appartient, peut-être ?

— Ne me parle pas sur ce ton, riposta Marcie, abasourdie. Et d'ailleurs, ne me parle pas tout court.

— Pas de problème, dis-je en levant les mains.

— Et pendant que tu y es, change de place !

Je baissai les yeux vers mon tabouret, sans comprendre.

— J'étais là la première.

— C'est pas mon problème, s'agaça Marcie.

— Je ne bougerai pas.

— Pas question d'être à côté de toi.

— Ravie de l'entendre.

— Dégage ! rugit-elle.

— Rêve.

La sonnerie nous interrompit et, lorsque son tintement strident cessa, je réalisai que les élèves s'étaient tus.

Je jetai un regard autour de moi et constatai avec effroi que tous les sièges étaient occupés.

M. Loucks s'avança vers moi en agitant une feuille de papier.

— Voilà un plan de classe vierge, déclara-t-il. Chaque rectangle correspond à une table. Inscrivez vos noms à l'emplacement où vous vous situez. J'espère que vous êtes contents de vos voisins de bureau, vous allez passer huit semaines ensemble.

À midi, je retrouvai Vee qui nous conduisit jusque chez Enzo, notre café favori où, en fonction de la saison, nous prenions un *moka* glacé ou un *latte* bien chaud. Tandis que nous traversions le parking sous un soleil de plomb, je la remarquai : une vieille Volkswagen décapotable blanche où une pancarte indiquait : À VENDRE – 1 000 $ à débattre.

— Arrête de baver, ironisa Vee en refermant ma mâchoire pendante avec son doigt.

— Tu n'aurais pas mille dollars à me prêter, par hasard ?

— Je ne pourrais même pas t'en prêter cinq. Ma tirelire est anorexique.

Je poussai un soupir en regardant la décapotable.

— J'ai besoin d'argent. Donc d'un boulot.

Je fermai les yeux, m'imaginant au volant de mon cabriolet, la capote baissée, les cheveux au vent. Plus besoin de faire du stop : je pourrais aller où je voulais, quand je voulais.

— Oui, mais un boulot, ça implique de travailler. Tu comptes vraiment passer l'été à te faire exploiter pour un salaire de misère ?

Je retournai mon sac à la recherche d'un morceau de papier et notai le numéro. Je pourrais peut-être négocier deux cents dollars de moins. Et je résolus de jeter un œil aux petites annonces d'emploi à temps partiel l'après-midi même. Cela signifiait de voir Patch moins souvent, mais aussi davantage d'indépendance. D'ailleurs, puisqu'il avait fréquemment « à faire », il n'aurait pas beaucoup de temps libre.

Chez Enzo, après avoir commandé deux cafés frappés et des salades aux épices et aux noix de pécan, Vee et moi nous installâmes à une table à l'écart. Après une période de travaux, le Bistrot d'Enzo était officiellement devenu le premier cybercafé de Coldwater, nous propulsant ainsi dans le XXIe siècle. Avec mon ordinateur préhistorique, j'étais la première à m'en réjouir.

— Je ne sais pas, toi, mais j'ai cruellement besoin de vacances, déclara Vee en repoussant ses lunettes sur le sommet de son crâne. Encore huit semaines de cours d'espagnol : je préfère ne pas compter le nombre d'heures. Il nous faut une distraction. De quoi oublier notre chance incommensurable d'avoir accès à une éducation de qualité : du shopping. Portland, nous voilà ! Les soldes ont commencé chez Macy's. J'ai besoin de chaussures, de robes et d'un nouveau parfum.

— Tu viens juste de dépenser pour deux cents dollars de vêtements. Ta mère va avoir une attaque en voyant son relevé bancaire.

— Oui, mais il me faut un copain. Et pour attirer un candidat potentiel, je dois être sexy. Sentir bon, ça peut aider.

— Tu as quelqu'un en vue ? demandai-je en croquant un morceau de poire.

— Eh bien, pour être franche, oui.

— Dis-moi que ce n'est pas Scott Parnell.

— Qui ?

— Merci, répondis-je en souriant.

44

— J'ignore qui est Scott Parnell, mais le type sur qui j'ai des vues est canon. Canon du genre dans-tes-rêves. Canon du genre plus-canon-que-Patch. Enfin non, se reprit-elle, peut-être pas : personne n'est aussi canon. J'ai l'après-midi à tuer. C'est Portland ou rien.

J'allais ouvrir la bouche, mais Vee fut plus rapide :

— Oh, je connais ce regard. Tu as autre chose de prévu, c'est ça ?

— Revenons à ce Scott Parnell. Il habitait ici quand on était petites.

Elle sembla perdue et je lui glissai un indice.

— Il mouillait souvent son pantalon…

— Scotty-pipi-au-lit ? s'exclama-t-elle, hilare.

— Il s'installe à Coldwater. Ma mère l'a invité à dîner ce soir.

— Je vois, déclara-t-elle d'un air entendu. C'est ce qu'on appelle le coup du destin. Le moment où les destinées de deux êtres potentiellement faits l'un pour l'autre se croisent. Tu te rappelles quand Desi est entrée par erreur dans les toilettes des hommes, et a retrouvé Ernesto devant l'urinoir ?

Ma fourchette resta suspendue entre mon assiette et ma bouche.

— Hein ?

— C'était dans *Corazôn*, le soap opera espagnol. Tu ne regardes pas ? Pas grave. Ta mère cherche manifestement à te caser avec Scotty-pipi-au-lit. Bon appétit.

— Mais non, voyons. Elle sait très bien que je suis avec Patch.

— Mais ça ne veut pas dire qu'elle approuve. Ta mère s'est lancée dans une quête épique pour changer le Nora + Patch en Nora + Scotty-pipi-au-lit. Et imagine : il a peut-être appris à faire autre chose au lit. Tu y as pensé ?

Non, et je n'avais pas l'intention de creuser le sujet. J'avais Patch, je n'avais besoin de personne d'autre.

— On pourrait parler de quelque chose de plus important ? demandai-je pour freiner ses ardeurs. Comme du fait que Marcie Millar soit mon nouveau binôme en chimie ?

— Le retour de la grue.

— Elle travaille au secrétariat et a ouvert le dossier scolaire de Patch.

— Qui est toujours vide ?

— Apparemment, puisqu'elle voulait que je lui dise tout ce que je sais.

En particulier ce qu'il faisait devant chez elle la veille. D'après la rumeur, Marcie mettait sa raquette de tennis à sa fenêtre lorsqu'elle était prête à accorder quelques faveurs en échange de certains services, mais je préférais ne pas y penser. Après tout, ça n'était qu'une rumeur.

— Et que sais-tu, exactement ? me demanda Vee en se penchant vers moi.

Un silence embarrassant s'installa. Je n'avais aucun secret pour ma meilleure amie, mais certaines vérités semblaient trop complexes, trop effrayantes, trop invraisemblables. Comme un ange déchu devenu ange gardien, par exemple.

— Tu me caches quelque chose, murmura-t-elle.

— C'est faux.

— Tu mens.

L'atmosphère se fit plus pesante.

— J'ai dit à Patch que je l'aimais.

Vee plaqua une main sur sa bouche. Dissimulait-elle de la surprise ou un éclat de rire ? Mon malaise s'accentua. Qu'y avait-il de si drôle ? Était-ce encore plus stupide que je ne le pensais ?

— Qu'est-ce qu'il a répondu ?

J'évitai son regard.

— À ce point-là ?

— Parle-moi de ce type qui t'intéresse, repris-je en m'éclaircissant la gorge. Tu le convoites de loin ou tu l'as déjà abordé ?

Vee saisit le message et poursuivit d'un ton plus léger :

— On a déjeuné ensemble hier. Pour un rendez-vous arrangé, ça s'est plutôt bien passé. Très bien, même. D'ailleurs, tu saurais tout ça si tu répondais à mes appels au lieu de fricoter avec Patch sans arrêt.

— Vee, je suis ta seule amie et je ne t'ai arrangé aucun rendez-vous, que je sache.

— Non, mais ton copain l'a fait.

Je manquai de m'étrangler avec du gorgonzola.

— Patch t'a présenté quelqu'un ?

— Et alors ? répliqua-t-elle, soudain sur la défensive.

— Je croyais que tu ne lui faisais pas confiance.

— C'est toujours le cas.

— Mais ?

— J'ai tenté de te joindre pour avoir ton avis là-dessus, mais au risque de me répéter, tu ne me rappelles jamais.

— Tu as gagné, je suis nulle. Bon, maintenant, les détails, repris-je d'un air entendu.

Vee parut oublier ses griefs, et sourit à son tour.

— Il s'appelle Rixon, il est irlandais. Son accent me rend folle ! C'est trop craquant. Il est un peu maigrelet, surtout pour une fille comme moi, mais j'ai l'intention de perdre dix kilos cet été, donc tout devrait s'arranger avant le mois d'août.

— Rixon ? Non ! Mais j'adore Rixon !

En théorie, je n'aurais pas dû faire confiance aux anges déchus, mais Rixon faisait exception. Comme

Patch, on pouvait parfois douter de son sens moral, mais s'il était loin d'être parfait, ce n'était pas non plus un mauvais bougre.

Je pointai ma fourchette vers elle, l'air moqueur.

— Je n'arrive pas à y croire ! C'est le meilleur ami de Patch.

Elle m'adressa un regard noir de chat prêt à hérisser le poil.

— Meilleur ami… ça ne veut rien dire. Regarde-nous ! Nous n'avons rien de commun.

— C'est génial, on va pouvoir passer l'été ensemble, tous les quatre !

— Pas question. Je refuse de fréquenter ce cinglé. Tu peux me raconter ce que tu veux, je suis persuadée qu'il a quelque chose à voir avec la mort de Jules.

Une ombre sembla planer sur notre table. Ce soir-là, dans le gymnase, seules trois personnes étaient présentes. J'étais l'une d'elles. Je n'avais pas tout avoué à Vee, juste assez pour satisfaire sa curiosité et pour assurer sa sécurité, et je n'avais pas l'intention de me montrer plus bavarde.

Nous passâmes le reste de l'après-midi à sillonner Coldwater et à relever les propositions d'emplois dans les différents restaurants et fast-foods de la ville. Il était plus de 18 h 30 lorsque je rentrai enfin chez moi. Je consultai le répondeur. Ma mère avait appelé du supermarché, où elle avait pris du pain, des lasagnes et un vin de table, jurant qu'elle serait de retour avant l'arrivée des Parnell.

J'effaçai le message et grimpai jusqu'à ma chambre. J'avais fait l'impasse sur ma douche matinale et mes cheveux frisaient à l'extrême. Pour donner le change, j'enfilai des vêtements propres. Scott Parnell n'éveillait pas vraiment de bons souvenirs, mais il n'en restait pas moins un invité. Je boutonnais mon gilet lorsqu'on frappa à la porte.

En ouvrant, je découvris Patch, les mains dans les poches. Habituellement, j'aurais sauté dans ses bras, mais je me retins. La veille, après mon aveu, il s'était sauvé avant de filer chez Marcie. J'oscillais entre un sentiment d'amour-propre blessé, de colère et de malaise. J'espérais qu'il remarquerait ma froideur et ferait un effort pour s'excuser, ou au moins se justifier.

— Salut, lançai-je froidement. Tu ne m'as pas rappelée. Qu'est-ce que tu as fait de beau ?

— J'ai traîné dans le coin. Tu me laisses entrer ?

Je n'en avais pas l'intention.

— Ah oui ? Je suis ravie de savoir que Marcie habite « dans le coin ».

Je refusais encore d'y croire, mais la brève surprise que je lus dans son regard confirma les dires de Marcie.

— Ça t'ennuierait de m'expliquer ce qui se passe ? repris-je, légèrement agacée. De me dire ce que tu fabriquais chez elle hier soir ?

— Tu es jalouse, mon ange ?

Son ironie, habituellement affectueuse ou amusée, était palpable.

— Je ne le serais sans doute pas si tu ne me donnais aucune raison de l'être, rétorquai-je. Qu'est-ce que tu faisais chez elle ?

— J'avais à faire.

— Tu avais à faire ? répétai-je avec des yeux ronds. Chez Marcie ?

— Oui, mais ça n'a rien de personnel.

— Tu veux bien développer ?

— Tu m'accuses de quelque chose ?

— Je devrais ?

D'ordinaire, son visage ne trahissait rien, mais son sourire figé ne m'échappa pas.

— Non.

— Dans ce cas, pourquoi est-ce si difficile de m'expliquer ce que tu fabriquais là-bas ?

— Ça n'a rien de difficile, répondit-il, pesant chaque mot. Je n'ai pas à me justifier, car ce que je faisais chez Marcie n'a rien à voir avec nous.

Comment pouvait-il dire une chose pareille ? Il savait que Marcie prenait plaisir à m'humilier et à me rabaisser à la moindre occasion. Durant les onze dernières années, elle s'était employée à me ridiculiser publiquement. Comment pouvait-il croire que je ne prendrais pas tout cela personnellement ? Pensait-il que je me contenterais d'une réponse aussi évasive ? Et plus que tout, ne pouvait-il comprendre ma peur que Marcie se serve de lui pour m'atteindre ? Si elle songeait avoir la moindre chance, elle ferait tout pour l'éloigner de moi. L'idée de perdre Patch m'était insupportable, mais je supporterais encore moins qu'elle me le vole.

Submergée par l'angoisse, je répliquai :

— Pas la peine de revenir tant que tu ne m'auras pas expliqué ce que tu faisais chez elle.

D'un geste impatient, Patch força le passage et referma la porte derrière lui.

— Je ne suis pas venu ici pour qu'on se dispute, dit-il. Je suis venu te prévenir que Marcie avait eu des ennuis cet après-midi.

Encore Marcie ? Était-il bien nécessaire d'en remettre une couche ? Je tâchai de garder mon calme et de l'écouter jusqu'au bout, mais j'avais envie de hurler.

— Ah ? répliquai-je froidement.

— Chez Bo. Plusieurs déchus ont enfermé un néphilim dans les toilettes et tenté de lui faire jurer allégeance. Le néphil n'avait pas encore seize ans, ils n'ont donc pas pu l'obliger, mais ils se sont amusés à essayer. Il a quelques coupures et plusieurs côtes cassées. C'est là que Marcie entre en scène. Elle était soûle et s'est trompée de porte. Le déchu qui faisait le guet a sorti un couteau. Marcie est à l'hôpital, mais elle devrait s'en remettre. La blessure est superficielle.

Je sentis mon pouls s'accélérer. Cette révélation me bouleversait, mais il n'était pas question de le laisser paraître. Je croisai fermement les bras.

— Et le néphil ? Est-ce qu'il va bien ?

Patch m'avait brièvement expliqué que les déchus ne pouvaient soumettre un néphil avant qu'il n'ait atteint l'âge de seize ans. Tout comme il n'aurait pu me sacrifier pour obtenir une apparence humaine avant mon seizième anniversaire. Dans son univers, seize ans était un âge crucial, presque maudit. Il me jeta un regard furieux, empreint d'un rien de dégoût.

— Même soûle, Marcie n'oubliera pas ce qu'elle a vu, poursuivit-il. Les déchus et les néphilims préfèrent rester discrets, et une pipelette dans son genre pourrait leur faire du tort. Moins les humains en savent sur notre monde, mieux il se porte. Et je connais certains des déchus impliqués dans cette histoire, ajouta-t-il, la mâchoire serrée. Ils ne reculeront devant rien pour la faire taire.

Un frisson d'horreur me parcourut, mais je le réprimai aussitôt. Depuis quand Patch se souciait-il du sort de Marcie ? Depuis quand s'inquiétait-il davantage pour elle que pour moi ?

— Je voudrais bien me sentir concernée, répliquai-je, mais tu as l'air suffisamment angoissé pour nous deux.

Je tournai la poignée et ouvris grand la porte d'entrée.

— Tu devrais rendre une petite visite à Marcie. T'assurer que sa blessure « superficielle » cicatrise correctement…

Patch me fit lâcher prise et referma la porte d'un coup de pied.

— Les enjeux sont beaucoup plus importants que toi, moi ou Marcie !

Il parut hésiter à en dire plus. Finalement, il se tut.

— Toi, moi et Marcie ? Un ménage à trois, donc… Pourquoi te préoccuper de cette fille ?

Patch passa une main derrière sa nuque et réfléchit, comme s'il cherchait soigneusement ses mots.

— Dis-moi ce que tu as dans la tête, à la fin ! m'emportai-je. Crache le morceau ! C'est suffisamment pénible de ne jamais savoir ce que tu ressens, j'aimerais au moins connaître tes pensées.

Il se retourna, comme si j'avais parlé à quelqu'un d'autre.

— « Crache le morceau » ? siffla-t-il, incrédule, agacé même. Qu'est-ce que je fais, à ton avis ? Si tu essayais de te calmer, je pourrais peut-être t'expliquer. Mais quoi que je dise maintenant, tu vas piquer une crise.

— J'ai le droit d'être furieuse, rétorquai-je. Tu refuses d'avouer ce que tu faisais chez elle hier soir.

Patch eut un geste d'impuissance. C'est reparti, semblait-il sous-entendre.

— Il y a deux mois, repris-je, tâchant de maîtriser ma voix chevrotante, Vee, ma mère… tout le monde m'avait prévenue ! Tu es un collectionneur de filles. Elles disaient que pour toi, je ne serais qu'un trophée de plus. Une autre cruche à ton tableau de chasse. Elles prétendaient qu'au moment même où je tomberais amoureuse, tu fuirais.

Je marquai une longue pause.

— Est-ce qu'elles avaient raison ?

Je ne voulais plus y repenser, mais le souvenir de la nuit précédente me revenait avec une clarté insupportable. Je me rappelais l'humiliation que j'avais subie dans les moindres détails. Je lui avais avoué mes sentiments et il m'avait abandonnée là, sans même réagir. J'aurais pu interpréter son silence de mille façons différentes, mais aucune ne semblait positive.

Patch secoua la tête, excédé.

— Que veux-tu que je te dise ? Qu'elles ont tort ? Parce que j'ai comme l'impression que tu ne me croiras pas, quoi que je réponde, ajouta-t-il d'un air furieux.

— Est-ce que tu es aussi impliqué que moi dans cette histoire ?

Il fallait que je pose la question. Soudain je réalisai que je n'avais aucune idée de ce qu'il ressentait véritablement pour moi. J'avais cru être tout pour lui, mais peut-être m'étais-je trompée ? Et si j'avais surestimé ses sentiments ? Je soutins son regard : je n'avais pas l'intention de lui faciliter la tâche. Il fallait que je sache.

— Tu m'aimes ?

Je ne peux pas te répondre.

Il me surprit en communiquant par la pensée. Tous les anges possédaient ce don, mais je ne comprenais pas pourquoi il décidait de s'en servir maintenant.

— Je passerai demain. Dors bien, ajouta-t-il brièvement en s'avançant vers la porte.

— Quand tu m'embrasses, tu fais semblant ?

Il se figea, puis secoua une fois de plus la tête.

— Si je fais semblant ?

— Lorsque je te touche, tu ressens quelque chose ? Jusqu'où va le désir, chez toi ? Est-ce que c'est comparable à ce que je peux ressentir pour toi ?

Il me regarda sans répondre.

— Nora…, souffla-t-il enfin.

— Réponds-moi franchement.

— Émotionnellement, oui.

— Mais pas physiquement, c'est ça ? Comment prendre cette relation au sérieux, alors que je n'ai pas la moindre idée de ce qu'elle peut représenter pour toi ? J'ai l'impression d'être seule dans cette histoire, ça me rend folle. Je ne veux pas que tu m'embrasses parce que tu ne peux pas faire autrement. Je refuse que tu joues la comédie.

— Non mais tu t'écoutes ?

Adossé au mur, il appuya sa tête sur le chambranle et émit un rire grave.

— Tu as fini ?

— Ah, parce que tu trouves ça drôle ? m'emportai-je dans un nouvel accès de colère.

— Plutôt l'inverse.

Avant que j'aie pu répliquer, il se tourna vers la porte.

— Appelle-moi quand tu seras prête à parler de tout ça calmement.

— Ce qui signifie ?

— Que tu es dingue. Tu es impossible !

— Je suis dingue ?

Il releva mon menton et déposa un rapide baiser sur mes lèvres.

— Et moi je suis dingue de supporter tout ça.

Je me dégageai, frottant furieusement mon menton.

— Tu as renoncé à devenir humain pour moi et c'est tout ce que j'y gagne ? Quelqu'un qui traîne chez Marcie mais refuse de m'expliquer pourquoi ? Quelqu'un qui se défile à la moindre dispute ? Tu veux que je te dise ? Tu es un pauvre type !

Un pauvre type ? souffla-t-il sèchement dans mes pensées. *J'essaie simplement de suivre les règles. Je ne suis pas censé me rapprocher de toi. Marcie n'a rien à voir là-dedans. Il s'agit de mes sentiments pour toi. Et je dois les cacher. Je suis sur la corde raide. Tomber amoureux ne m'a pas vraiment réussi jusque-là. Je ne peux pas me comporter avec toi comme je le voudrais.*

— Pourquoi avoir renoncé à devenir humain si tu savais que nous ne pourrions jamais être ensemble ? demandai-je d'une voix tremblante, sentant mes mains moites. Qu'est-ce que tu attendais d'une relation entre nous ? Quel est l'intérêt de... – ma voix se brisa et je marquai malgré moi une pause – nous deux ?

Et moi ? Qu'avais-je espéré d'une histoire avec Patch ? J'avais bien dû me poser la question : où cela nous menait-il ? Qu'adviendrait-il de nous deux ? Bien sûr, j'y avais songé. Mais j'avais si peur de l'inévitable que j'avais préféré l'ignorer. J'avais choisi de croire que tout cela pourrait marcher, car au fond de moi, j'étais persuadée que ces moments passés auprès de lui valaient mieux que rien.

Mon ange.

Je me redressai lorsqu'il m'appela dans ma tête.

À tout prendre, je préfère être proche de toi, d'une manière ou d'une autre. Je n'ai pas l'intention de te perdre.

Il s'interrompit et, pour la première fois depuis notre rencontre, je remarquai une lueur d'inquiétude dans son regard.

Mais j'étais un déchu. Si je donne aux archanges la moindre raison de penser que j'ai des sentiments pour toi, ils m'enverront en enfer. Pour toujours.

Cette révélation me fit l'effet d'une gifle.

— Quoi ?

— Je suis un gardien, du moins à ce qu'on m'a dit, mais les archanges ne me font pas confiance. Je n'ai aucun privilège et on ne m'accorde aucun répit. Hier soir, deux d'entre eux m'ont rendu une petite visite et j'ai comme l'impression qu'ils aimeraient me voir déraper. J'ignore pourquoi, mais ils cherchent désormais à se débarrasser de moi. Je suis mis à l'épreuve et si je fiche tout en l'air, ça finira mal pour moi.

Je le dévisageai, pensant qu'il exagérait la gravité de la situation, mais jamais je ne l'avais vu aussi sérieux.

— Et maintenant ? me demandai-je à voix haute.

Au lieu de répondre, Patch laissa échapper un soupir frustré. Car le fond du problème demeurait : tout cela finirait mal. Peu importaient nos efforts pour faire marche arrière, pour éviter ou nier l'évidence, un jour ou l'autre, nos vies seraient séparées. Que se passerait-il après le bac, lorsque j'irais à l'université ? Et si je décrochais le job idéal à l'autre bout du pays ? Que se passerait-il le jour où j'aurais envie de me marier et d'avoir des enfants ? Je tombais chaque jour un peu plus amoureuse de lui, et personne n'y gagnait rien.

Voulais-je vraiment continuer dans cette direction, sachant que tout cela se terminerait en drame ?

L'espace d'une seconde, je crus avoir trouvé la réponse : c'était simple, il me suffisait de renoncer à mes rêves. Fermer les yeux et les laisser s'échapper, comme des ballons lâchés dans le ciel. Je n'avais pas besoin de ces chimères. Comment pourrais-je être certaine qu'ils se réaliseraient un jour ? Et même si j'y parvenais, pourrais-je passer le reste de ma vie seule, rongée par le regret, en songeant que tout ce que j'avais accompli ne signifiait rien sans Patch ?

Et soudain je compris avec effroi qu'aucun de nous deux ne pourrait tout abandonner. Mon existence poursuivrait son cours vers l'avenir, et je n'avais pas la force de l'en empêcher. Patch resterait pour toujours un ange, et suivrait le chemin qu'il avait parcouru depuis sa chute.

— On ne peut rien faire ? insistai-je.

— J'y réfléchis.

En d'autres termes, il n'avait rien. Nous étions prisonniers, chacun de notre côté. Les archanges nous maintenaient séparés tandis que nos vies prenaient des directions radicalement différentes.

— Je préfère qu'on arrête, déclarai-je calmement.

J'étais injuste, je le savais, mais je devais me protéger. Avais-je le choix ? Il aurait tenté de m'en dissuader. C'était mieux pour nous deux. Je ne pouvais pas attendre patiemment que ce qui m'était le plus cher disparaisse. Je ne pouvais pas lui montrer à quel point je m'étais attachée et rendre les choses encore plus difficiles. Et par-dessus tout, je refusais qu'il perde tout ce qu'il s'était battu pour obtenir. Les archanges cherchaient une bonne raison de le bannir et je leur facilitais la tâche.

Comme s'il doutait de ma détermination, Patch scruta mon visage.

— Alors c'est fini ? Tu préfères qu'on arrête ? Tu m'as servi toute cette histoire – dont je ne crois pas un mot, d'ailleurs – et maintenant que c'est mon tour, je suis censé accepter ta décision sans broncher ?

Je croisai les bras contre ma poitrine et me détournai.

— Tu ne peux pas m'obliger à poursuivre une relation dont je ne veux pas.

— Est-ce qu'on peut en parler ?

— Si tu veux parler, dis-moi ce que tu faisais chez Marcie hier soir.

Mais il avait raison. Marcie n'avait aucun rapport avec tout ça. J'étais révoltée, terrifiée par le sort que nous avait réservé le destin. Je me retournai. Patch passa une main sur sa mâchoire et laissa échapper un rire rauque et forcé.

— Si j'avais passé la soirée chez Rixon, tu m'aurais demandé des explications.

— Non, répliqua-t-il d'une voix terriblement grave. J'ai confiance en toi.

Craignant de revenir sur ma décision, je le repoussai d'un geste brusque vers la porte.

— Va-t'en, dis-je, au bord des larmes. Je ne veux pas gâcher ma vie. Tu n'en fais pas partie. Je dois penser à mes études, à ma carrière. Je ne renoncerai pas à tout ça pour une histoire condamnée d'avance.

— C'est vraiment ce que tu souhaites ? insista-t-il.

— Je ne veux pas d'un garçon incapable de ressentir quoi que ce soit.

Je regrettai aussitôt mes paroles. Je ne cherchais pas à le blesser, mais seulement à en finir le plus vite possible pour ne pas m'effondrer devant lui. Mais j'étais allée trop loin. Je le vis se raidir. Nous nous regardâmes en silence, le souffle court.

Sans un mot, il sortit et referma la porte derrière lui.

Je m'y appuyai, les yeux pleins de larmes, mais pas une seule ne coula. La colère, la frustration étaient encore trop présentes et mes sanglots restaient prisonniers de ma gorge. Mais j'étais certaine que quelques minutes plus tard, quand tout serait retombé et que je comprendrais ce que je venais de faire, je sentirais mon cœur se briser.

3.

Je m'assis sur le rebord de mon lit, le regard perdu dans le vague. La colère se dissipait peu à peu, mais j'aurais presque préféré qu'elle ne me quitte jamais. Elle laissait un vide plus pénible encore que l'insupportable douleur que j'avais ressentie en voyant Patch claquer la porte. Je tentai de réaliser, mais plus rien n'avait de sens. Nos éclats de voix résonnaient dans ma tête et leur écho ressemblait davantage à un lointain cauchemar qu'à une conversation.

Voulais-je vraiment mettre un terme à notre relation ? Me séparer de lui pour toujours ? N'existait-il aucun moyen de tromper le destin ou, plus précisément, la surveillance des archanges ? Pour toute réponse, la nausée me gagna.

Je me précipitai vers la salle de bains et me penchai au-dessus des toilettes, les oreilles bourdonnantes, le souffle court. Qu'avais-je fait ? Non, ça n'était pas définitif. C'était impossible. Demain, je le retrouverais et tout continuerait comme avant. C'était une dispute, une dispute stupide, rien de plus. Ça n'était pas la fin. Il suffirait de reconnaître nos torts, de nous excuser. Nous passerions à autre chose. Tout s'arrangerait.

Une fois debout, je me traînai jusqu'au lavabo et pressai une serviette humide sur mon visage. La tête me tournait, mes pensées se déroulaient comme le fil d'une bobine. Prise de vertige, je fermai les yeux. Et les archanges ? Comment Patch pouvait-il espérer une relation normale sous leur surveillance constante ? Figée, je craignis soudain d'être moi aussi observée. Ils cherchaient à savoir s'il avait franchi la limite pour l'envoyer en enfer, loin de moi, pour toujours.

Une nouvelle vague de colère m'envahit. Pourquoi ne nous laissaient-ils pas tranquilles ? Pourquoi s'acharner ainsi sur lui ? Patch était le premier déchu à récupérer ses ailes et à devenir un gardien. Les anges avaient-ils l'impression d'avoir été dupés ? Que son retour en grâce n'était pas mérité ? Souhaitaient-ils le punir ? Ou se méfiaient-ils simplement de lui ?

Les paupières closes, je sentis une larme rouler sur ma joue. Je regrettais chacune de mes paroles et voulais désespérément appeler Patch, mais le risque était trop grand. Et si les archanges surprenaient notre conversation ? Comment lui parler franchement en nous sachant épiés ?

Ma fierté aussi m'en empêchait, car il ne semblait pas conscient de ses torts. Notre dispute était partie de son refus de m'expliquer sa présence chez Marcie. Je n'étais pas du genre jalouse, mais il connaissait mon animosité pour cette peste. Il savait que cette fois-là au moins, j'aurais besoin d'une réponse.

Mais autre chose accentuait mon malaise : l'agression de Marcie dans les toilettes des hommes, chez Bo. Que pouvait-elle bien y faire ? À ma connaissance, aucun élève du lycée ne fréquentait ce bar mal famé. D'ailleurs, avant de rencontrer Patch, je n'y avais jamais mis les pieds. Et juste après avoir aperçu Patch rôder sous ses fenêtres, elle se retrouvait comme par hasard là-bas. Ça n'était pas une coïncidence. Patch avait fait allusion à une « affaire » entre eux, mais au fond, qu'entendait-il par là ? Et outre ses nombreux défauts, Marcie pouvait se montrer aussi aguicheuse que persuasive. Elle ne supportait pas qu'on lui résiste et parvenait toujours à ses fins.

Et si cette fois, elle avait jeté son dévolu sur Patch ?

Un cognement sourd contre la porte me fit sursauter. Je me pelotonnai contre mes coussins et fermai les yeux, avant de téléphoner à ma mère.

— Les Parnell sont arrivés.

— Zut ! Je suis au feu rouge sur Walnut Avenue. J'arrive dans deux minutes. Fais-les entrer.

— Maman, je me souviens à peine de Scott et je ne sais même pas à quoi ressemble sa mère. Je veux bien leur ouvrir, mais pas question de faire la conversation. Je reste dans ma chambre jusqu'à ce que tu rentres.

J'essayais, d'une voix d'outre-tombe, de lui signifier que quelque chose n'allait pas. Mais je ne pouvais rien lui dire. Vu son aversion pour Patch, elle ne serait guère compatissante. Je ne supporterais pas de sentir le triomphe ou le soulagement dans son intonation. Pas maintenant.

— Nora…

— Ça va, j'attendrai avec eux !

Je refermai rageusement le téléphone et le jetai à l'autre bout de la pièce, avant de descendre. Je pris mon temps pour ouvrir la porte, derrière laquelle se tenait un grand type bien bâti, avec un tee-shirt aux couleurs du gymnase de Portland. Il portait un anneau doré à l'oreille droite. Son jean menaçait de glisser sur ses hanches et il avait probablement chiné sa casquette rose à motifs hawaïens dans une friperie. Ses lunettes de soleil kitsch me rappelaient le catcheur Hulk Hogan. Mais son côté gamin avait quelque chose de charmant.

Je vis les coins de sa bouche se relever.

— Nora, sans doute ?

— Scott ?

Il entra et retira ses lunettes. Son regard se promena le long du couloir menant à la cuisine.

— Où est ta mère ?

— En chemin, avec les courses pour le dîner.

— Qu'est-ce qu'on mange ?

Je n'aimais ni ses manières, ni l'emploi du « on ». Il n'y avait pas de « on ». Il y avait la famille Grey et la famille Parnell, deux entités séparées, qui se retrouvaient ce soir dans la même pièce pour partager un repas. Voyant que je ne répondais pas, il reprit :

— Je ne suis pas habitué aux petites villes comme Coldwater.

— Il y fait plus froid qu'à Portland, répliquai-je en croisant les bras.

Il me dévisagea des pieds à la tête et esquissa un sourire.

— Apparemment.

Il m'accompagna jusqu'à la cuisine.

— Tu as de la bière ? demanda-t-il en ouvrant la porte du frigo.

— Euh, non.

Des voix me parvinrent au-dehors. Ma mère, avec ses deux gros sacs de courses, précéda une femme rondelette à la coupe garçonne démodée et au maquillage trop rose.

— Nora, voici Lynn Parnell. Lynn, je te présente Nora.

— Eh bien, eh bien, souffla Mme Parnell en joignant les mains. C'est ton portrait craché, Blythe ! Et ces jambes ! Longues comme une autoroute !

Il était temps d'intervenir.

— Ça tombe mal, mais je ne me sens pas très bien. Je vais monter m'allonger un peu...

Je m'interrompis en croisant le regard meurtrier de ma mère et lui servis mon expression la plus indignée.

— Scott a tellement grandi, n'est-ce pas, Nora ? s'exclama-t-elle.

— Sans blague ?

Elle déposa ses paquets sur le bar et se tourna vers Scott.

— Nora et moi étions nostalgiques ce matin en repensant à votre enfance. Il paraît que tu voulais la persuader de manger des cloportes !

Avant que Scott ait pu nier, je renchéris :

— Il s'amusait à les faire griller sous une loupe et il n'essayait pas de me « persuader ». Il s'asseyait sur moi, me pinçait le nez et me mettait les cloportes dans la bouche.

Mme Parnell et ma mère échangèrent un regard entendu.

— Scott a toujours su faire preuve de... magnétisme, répondit-elle à la hâte. Il arrive à convaincre les gens les plus déterminés. Il s'est fait offrir une Ford Mustang 1966 en parfait état. Évidemment, il a choisi son moment : avec le divorce, j'étais rongée par la culpabilité. Enfin... Mais je parierais que les cloportes grillés de Scott étaient probablement les meilleurs du quartier.

Tout le monde se tourna vers moi, guettant ma confirmation. Étais-je la seule à trouver cette conversation parfaitement absurde ?

— Bon, reprit Scott en bombant le torse pour mieux exhiber ses biceps, qu'est-ce qu'on mange ?

— Lasagnes, terrine de légumes en gelée et pain à l'ail, répondit ma mère avec un grand sourire. Nora a préparé la terrine.

Première nouvelle.

— Ah bon ? m'étonnai-je.

— Tu as acheté les feuilles de gélatine.

— Ça n'a pas grand-chose à voir.

— Nora a préparé la salade, insista ma mère. Eh bien, tout est prêt. On passe à table ?

Une fois assis, nous nous prîmes les mains pour réciter les grâces.

— Comment sont les loyers, dans le quartier ? s'enquit Mme Parnell en servant Scott le premier. Combien faut-il compter pour un trois-pièces ?

— Tout dépend de l'état des bâtiments. De ce côté de la ville, les immeubles datent du début du vingtième et cela se sent. Après notre mariage, Harrison et moi avons visité de nombreux appartements, qui avaient tous des défauts : saignées dans les murs, problèmes de cafards ou manque d'espaces verts à proximité. J'étais enceinte et nous avons finalement opté pour quelque chose de plus grand. Cette maison était à vendre depuis plus de dix-huit mois et nous avons fait une offre. Sur l'instant, nous avons cru faire l'affaire du siècle… ajouta-t-elle en jetant un regard autour d'elle. Harrison prévoyait de la restaurer entièrement au fil du temps, mais… et puis, comme tu sais…

Elle n'acheva pas sa phrase et baissa la tête. Scott toussota.

— Je suis navré pour ton père, Nora, dit-il. Je me rappelle lorsque mon père m'a prévenu, le soir où c'est arrivé. Je travaillais dans une supérette, à quelques rues de là. J'espère qu'on finira par retrouver son meurtrier.

Je voulais le remercier, mais ma gorge s'était nouée. Encore secouée par ma rupture, je n'avais aucune envie d'aborder le sujet de mon père. Patch… que faisait-il ? Était-il, comme moi, rongé par le remords ? Se doutait-il que je regrettais ? Avait-il tenté de me joindre ? Mon portable était resté dans ma chambre. D'ailleurs, que pouvait-il dire puisque ses messages pouvaient être interceptés par les archanges ? Je me demandai ce qu'ils étaient en mesure de savoir exactement ? Étaient-ils partout ? Je me sentis soudain affreusement vulnérable.

— Parle-nous de ton lycée, Nora, reprit Mme Parnell. Scott faisait de la lutte, à Portland. Son équipe a remporté les championnats régionaux trois années de suite. Celle de Coldwater est correcte ? J'étais certaine que Scott l'avait déjà affrontée auparavant, mais d'après lui, elle n'est pas au même niveau.

Lentement, je m'arrachai à mes angoisses. Y avait-il seulement une équipe de lutte à Coldwater ?

— Je n'en sais rien, répondis-je, mais je crois que l'équipe de basket a gagné une compétition, une fois.

— Une fois ? s'étrangla Mme Parnell, lançant un regard incrédule à ma mère.

— Une photo est accrochée dans le hall, poursuivis-je. Mais vu le grain de l'image, elle doit dater d'une soixantaine d'années.

— Soixante ans ? répéta-t-elle, les yeux ronds.

Elle essuya le coin de ses lèvres avec sa serviette.

— Quel est le problème dans ce lycée ? L'entraîneur ?

— Ça ne fait rien, intervint Scott. Je vais arrêter d'en faire, cette année.

Mme Parnell reposa fermement sa fourchette.

— Mais tu adores la lutte !

Pour toute réponse, il haussa les épaules en mâchant ses lasagnes.

— Et c'est ta dernière année de lycée.

— Et alors ? répliqua-t-il, la bouche pleine.

65

— Alors ce n'est pas avec tes notes que tu intégreras une bonne université, jeune homme, répondit-elle en plantant ses coudes sur la table. Ton seul espoir à ce stade, c'est que la fac la plus minable veuille bien de toi.

— Il y a d'autres choses qui me tentent.

— Ah oui ? siffla-t-elle, les sourcils levés. Quoi, par exemple ? Recommencer comme l'an dernier ?

À peine avait-elle fini sa phrase que je remarquai une lueur apeurée dans son regard. Scott termina sa bouchée et avala lentement.

— Tu me passes la salade, Blythe ?

Ma mère tendit le plat à Mme Parnell, qui le posa devant Scott avec un peu trop de précautions. Brisant le silence pesant, elle demanda :

— Qu'est-il arrivé, l'an dernier ?

— Oh, tu sais comment sont les ados, expliqua Mme Parnell avec un geste évasif. Scott a eu quelques ennuis, comme tous les jeunes. Toutes les mères passent par là, ajouta-t-elle avec un petit rire forcé.

— Maman, coupa Scott d'une voix presque menaçante.

— Ah, les garçons ! renchérit Mme Parnell en agitant sa fourchette. Ils ne réfléchissent pas, ils vivent l'instant présent et font des bêtises. Tu as de la chance d'avoir une fille, Blythe. Oh, ce pain à l'ail m'a l'air succulent, reprit-elle.

— Je n'aurais pas dû poser de questions, murmura ma mère en lui tendant la panière. Vous n'imaginez pas combien je suis heureuse de vous revoir à Coldwater.

— Nous sommes ravis d'être de retour, et en un seul morceau, acquiesça Mme Parnell.

Je m'étais arrêtée de manger, et observai le curieux comportement des Parnell. Certes, les garçons avaient tendance à faire les quatre cents coups. Mais elle insistait un peu trop lourdement sur le caractère innocent des « ennuis » de Scott. Et à la façon dont celui-ci surveillait les interventions de sa mère, j'étais d'autant plus méfiante.

Persuadée qu'elle n'avait pas tout révélé, je tendis une perche.

— Scott ! m'exclamai-je, une main sur la poitrine. Ne me dis pas que tu chapardes les panneaux de signalisation pour les accrocher dans ta chambre !

Mme Parnell éclata d'un rire franc, presque soulagé. Bingo. Les méfaits de Scott étaient donc d'un autre ordre. Si j'avais eu le moindre sou en poche, j'aurais parié que ses ennuis étaient tout sauf ordinaires.

— Eh bien, trancha ma mère avec un sourire crispé. Ne parlons plus du passé. Coldwater est l'endroit rêvé pour repartir de zéro. Tu as déjà ton emploi du temps, Scott ? Les effectifs de certaines options sont très limités, notamment celles qui ont un coefficient élevé.

— Les cours renforcés ? répondit Scott d'un air amusé. Ceux pour les petits génies ? Désolé, mais je ne vise pas si haut. Comme l'a si gentiment expliqué Maman, ajouta-t-il en lui lançant un regard un peu trop noir à mon goût, si je vais à la fac, ça ne sera sûrement pas grâce à mes notes.

La conversation dérivait, mais je voulais en avoir le cœur net :

— Allez, Scott, le suspense est insoutenable ! Qu'est-ce que tu as bien pu faire de si terrible ? Tu n'as pas de secret pour de vieux amis ?

— Nora…, intervint ma mère.

— Conduite en état d'ivresse ? Virées en voiture volée ?

Sous la table, je sentis son pied écraser le mien. Elle me fit les gros yeux, semblant me demander quelle mouche m'avait piquée.

Scott se leva en faisant grincer sa chaise sur le plancher.

— Les toilettes ? lâcha-t-il en tirant sur le col de sa chemise. Je digère mal.

— En haut des escaliers, répondit ma mère d'un air contrit.

Je n'arrivais pas à croire qu'elle fasse mine de s'excuser de mon comportement. C'était elle qui avait organisé ce dîner grotesque ! À l'évidence, il ne s'agissait pas de retrouvailles entre vieux amis, mais plutôt d'un rendez-vous arrangé. Elle pouvait toujours rêver, il ne se passerait jamais rien entre Scott et moi.

Mme Parnell tenta d'alléger l'atmosphère et de reprendre une conversation normale.

— Alors, pépia-t-elle un peu trop joyeusement, est-ce que Nora a un petit ami ?

— Non, répondis-je en même temps que ma mère soufflait « en quelque sorte ».

— Mais encore ?

— Il s'appelle Patch, poursuivit ma mère.

— Curieux, décréta Mme Parnell. Certains parents ont vraiment de drôles d'idées.

— C'est un surnom dont il a écopé après quelques bagarres, renchérit ma mère.

Je regrettai amèrement d'avoir partagé cette information avec elle.

— Ça ressemble à un nom de gang, trancha Mme Parnell. Ils ont toujours des pseudonymes ridicules. Tueur, Entailleur, Mutilor, Déchiquetor, Musclor… ou Patch.

— Patch ne fait partie d'aucun gang, affirmai-je en levant les yeux au ciel.

— C'est ce que tu crois ! Ce sont des groupes de criminels urbains, des cafards qui ne sortent que la nuit.

Elle se tut et il me sembla que son regard se braquait sur la chaise vide de Scott.

— Les temps changent... Je regardais un épisode de *New York, Police Judiciaire*, l'autre soir, où il était question d'un nouveau gang, issu des banlieues aisées. Ils se font passer pour des sociétés secrètes, des confréries, ou autres délires du genre, mais ça revient exactement au même. Au début, je pensais que les scénaristes en rajoutaient, mais le père de Scott disait qu'il était de plus en plus confronté à ce type de situations. Or il connaît son sujet, étant policier lui-même.

— Votre mari est policier ? repris-je.

— Mon ex-mari. Qu'il brûle en enfer, celui-là.

Ça suffit, siffla la voix de Scott depuis le couloir sombre. Je tressaillis. Tout en me demandant s'il était réellement monté aux toilettes ou s'il avait discrètement épié notre conversation, je réalisai brusquement qu'il n'avait pas parlé à voix haute.

J'avais plutôt l'impression qu'il avait communiqué... par la pensée. Ou plutôt, non. Il s'était adressé à sa mère et j'avais surpris leur échange.

— J'ai simplement dit « Qu'il brûle en enfer », répliqua Mme Parnell, et je ne compte pas m'excuser, car c'est le fond de ma pensée.

— Je t'ai dit de te taire, coupa Scott d'une voix affreusement calme.

Ma mère se retourna, comme si elle venait seulement de sentir sa présence. Je clignai des yeux, incrédule. J'avais dû rêver. Il ne pouvait tout de même pas...

— C'est comme ça que tu parles à ta mère ? rugit Mme Parnell en agitant son index.

Mais son numéro ne trompait personne. Scott la dévisagea encore quelques instants puis sortit en claquant la porte d'entrée derrière lui. Mme Parnell tamponna sa bouche avec le coin de sa serviette, qu'elle couvrit de traces de rouge à lèvres.

— Les inconvénients du divorce, conclut-elle en poussant un long soupir. Scott n'avait pas mauvais caractère. Bien entendu, il se pourrait qu'il commence à ressembler à son père. Enfin, changeons de sujet. Est-ce que Patch fait de la lutte, Nora ? Scott pourrait lui apprendre des choses.

— Il joue au billard, répondis-je sans conviction.

Je n'avais aucune envie d'en parler. Ça n'était ni le lieu, ni le moment. L'évocation même de son nom suffisait à me nouer l'estomac. Une fois encore, je regrettais de ne pas avoir pris mon téléphone. Ma colère était retombée et Patch serait probablement calmé lui aussi. Peut-être suffisamment pour m'avoir envoyé un message ou passé un coup de fil ? Tout s'était compliqué, mais il y avait sûrement une solution. Tout pouvait s'arranger.

— Ça n'est qu'un hobby, précisa ma mère, qui paraissait mortifiée.

Mme Parnell pencha légèrement la tête, comme si elle avait mal entendu.

— C'est le terreau de la délinquance, décréta-t-elle. Dans l'épisode de *New York, Police Judiciaire* que j'ai vu, ces jeunes issus des milieux aisés avaient la mainmise sur les salles de billard de leur quartier, qu'ils géraient comme des casinos. Tu ferais mieux de le surveiller de près, Nora. Il se pourrait qu'il ait un côté sombre. Et qu'il ne te le montre pas.

— Il ne fait partie d'aucun gang, répétai-je, excédée.

Mais alors même que je prononçais ces mots, je réalisai que je n'avais aucun moyen d'en être certaine. Un groupe d'anges déchus pouvait-il être considéré comme un gang ? Et je ne savais rien de son passé, ni de ce qu'il avait fait avant notre rencontre…

— Nous verrons, conclut Mme Parnell, nous verrons.

Une heure plus tard, le dîner était terminé, la vaisselle, rangée, Mme Parnell était enfin partie retrouver Scott et j'avais regagné ma chambre. Je scrutai l'écran de mon téléphone resté par terre. Pas de nouveau message ni d'appel en absence.

Ma lèvre trembla et, sentant les larmes monter, je pressai mes paumes sur mes paupières. Pour éviter de songer aux horreurs que je lui avais dites, je cherchai comment tout arranger. Les archanges ne pouvaient nous empêcher de nous voir ou de nous parler, puisque Patch était mon ange gardien. Ils ne pouvaient l'éloigner de moi. Les choses recommenceraient comme avant, et d'ici deux jours, notre première dispute digérée, tout redeviendrait normal. Quant à mon avenir, j'avais encore le temps d'y penser et de prendre des décisions.

Mais quelque chose me paraissait curieux : depuis deux mois, Patch et moi avions vécu notre relation au grand jour, sans jamais nous cacher. Alors pourquoi s'inquiétait-il soudainement des archanges ?

Ma mère passa la tête dans l'embrasure de la porte.

— Je dois acheter quelques affaires de toilette pour mon voyage, demain. Je ne serai pas longue. Tu as besoin de quelque chose ?

Je remarquai qu'elle n'avait fait aucune allusion à Scott. De toute évidence, son passé trouble avait freiné ses velléités d'entremetteuse.

— Merci, ça va.

Elle allait refermer la porte, mais se ravisa.

— Nous avons un problème. J'ai malencontreusement soufflé à Lynn que tu n'avais pas de voiture. Elle a proposé que Scott t'accompagne à tes cours d'été. J'ai dit que ça n'était pas la peine, mais je crains qu'elle n'ait pris cela pour un refus de politesse. Elle a ajouté que tu pourrais lui rendre la pareille en faisant visiter la ville à Scott demain.

— Vee peut m'emmener au lycée.

— Je le lui ai dit, mais elle n'a rien voulu entendre. Il vaut sans doute mieux que tu parles à Scott directement. Tu n'auras qu'à le remercier et lui expliquer que tu as déjà quelqu'un sous la main.

Exactement ce dont je rêvais : me retrouver une fois de plus en compagnie de Scott.

— Je préfère que Vee t'accompagne. D'ailleurs, si Scott te rend visite en mon absence, je préférerais que tu gardes tes distances.

— Tu n'as pas confiance en lui ?

— On le connaît peu, répondit-elle prudemment.

— Mais voyons, maman, Scott et moi étions les meilleurs amis du monde, tu te rappelles ?

Elle me jeta un regard appuyé.

— C'était il y a très longtemps.

Tiens donc.

— J'aimerais mieux en savoir un peu plus sur lui avant que tu ne le fréquentes. À mon retour, je verrai ce que je peux découvrir.

Voilà qui était inattendu.

— Tu comptes mener une enquête ?

— Lynn et moi sommes proches. Elle est sous pression et aura certainement besoin de se confier.

Elle s'approcha de ma coiffeuse et prit mon tube de crème pour les mains.

— Si elle veut aborder le sujet de Scott, reprit-elle en frottant ses paumes, je serai bien obligée de l'écouter.

— Si ça peut te conforter dans ton opinion, j'ai trouvé son attitude pour le moins curieuse, ce soir.

— Ses parents sont en plein divorce. Ça doit sans doute le perturber un peu. C'est difficile de perdre l'un de ses parents.

J'étais bien placée pour le savoir.

— Ma vente se termine mercredi après-midi. Je serai de retour pour le dîner. Vee dort ici demain, c'est bien ça ?

— Exact, répondis-je, me rappelant soudain qu'il fallait que j'en parle à Vee. Au fait, j'ai décidé de chercher du travail.

Mieux valait aborder le sujet tout de suite, d'autant que je comptais avoir décroché quelque chose avant son retour.

— Ça te prend comme ça ? demanda-t-elle, surprise.

— Il me faut une voiture.

— Je croyais que Vee pouvait te conduire.

— J'ai l'impression d'être une pique-assiette.

Plus moyen d'aller acheter une boîte de tampons en catastrophe sans alerter Vee. Pire encore : j'avais bien failli accepter l'aide de Marcie Millar. Je rechignais à faire appel à la générosité de ma mère, surtout avec nos problèmes financiers, mais je voulais éviter de revivre l'humiliation subie le matin même. Je rêvais d'indépendance depuis que ma mère avait vendu ma voiture, et la Volkswagen que j'avais repérée m'avait poussée à agir. La financer moi-même me semblait être un bon compromis.

— Ça ne risque pas de nuire à tes études ? demanda-t-elle

À sa voix, je sus que l'idée ne lui plaisait guère, mais je m'y étais attendue.

— Je ne suis qu'un seul cours cet été.

— Oui, mais un cours de chimie.

— Maman, je crois que je suis capable de faire deux choses à la fois.

Elle s'assit sur le rebord de mon lit.

— Quelque chose ne va pas ? Je te trouve particulièrement susceptible, ce soir.

Je ne répondis pas tout de suite, hésitant à lui dire la vérité.

— Non, tout va bien.

— Tu sembles tendue.

— J'ai eu une longue journée. Ah, et je ne t'ai pas raconté : Marcie Millar est mon binôme de chimie.

Je vis aussitôt qu'elle comprenait mon désarroi. Depuis onze ans, c'était à elle que je me confiais. Ma mère avait pris l'habitude de me ramasser à la petite cuillère, de recoller les morceaux et de me renvoyer à l'école avec quelques techniques de survie.

— Je vais devoir la supporter pendant huit semaines.

— Bon, si tu tiens deux mois sans la tuer, nous envisagerons sérieusement de te trouver une voiture.

— C'est cher payé.

Elle m'embrassa sur le front.

— Je veux un rapport complet de ces premiers jours à mon retour. Et pas de bêtises pendant mon absence.

— Je ne peux rien te promettre.

Cinq minutes plus tard, je vis sa Taurus démarrer. Je tirai le rideau, me pelotonnai en boule sur le canapé et fixai l'écran de mon portable, qui refusait toujours de sonner.

Je serrai la chaîne de Patch, que je portais encore, avec une force qui me surprit. Je songeai avec angoisse que c'était peut-être tout ce qui me restait de lui.

4.

Mon rêve était en trois couleurs : noir, blanc et gris.

J'avançais, pieds nus sur un chemin de terre, par une nuit glaciale. La pluie et la boue s'écoulaient le long des fondrières. Les pierres et les herbes folles se dressaient autour de moi. La campagne était plongée dans l'obscurité, à l'exception d'une lumière isolée qui brillait au loin. À quelques centaines de mètres de la route, je distinguai ce qui me semblait être une taverne avec des murs à colombages. Derrière les carreaux, j'apercevais la lueur vacillante des chandelles. J'allais m'y réfugier lorsqu'un tintement résonna.

Alors que le bruit s'intensifiait, je me tins à l'écart, dans l'ombre, sur le bas-côté. Un attelage surgit de la brume avant de s'arrêter à l'endroit même où je me trouvais quelques secondes auparavant. Lorsque les chevaux s'immobilisèrent, le cocher sauta au bas de la voiture, sans prendre garde à la boue qui éclaboussa ses bottes. Il ouvrit la portière et recula.

Une silhouette masculine en sortit. Le vent agitait sa cape et son visage était dissimulé sous une capuche.

— Attends-moi ici, ordonna-t-il au domestique.

— Monseigneur, la pluie tombe dru et…

L'homme fit un signe de tête en direction de la taverne.

— J'ai une affaire à régler. Je ne serai pas long. Tiens les chevaux prêts.

— Mais, Monseigneur, protesta le cocher avec un regard inquiet en direction de la gargote, ce genre d'endroits regorgent de voleurs et de vagabonds. Et l'air est mauvais ce soir. Mes os ne me trompent jamais.

Il frotta vigoureusement ses bras, comme pour réprimer un frisson.

— Monseigneur devrait plutôt rentrer auprès de Madame et des petits.

— Mon épouse ne doit rien savoir, répliqua son maître en ajustant ses gants, les yeux rivés sur l'auberge. Elle a suffisamment de soucis.

Je me tournai vers la taverne. Sous la faible lueur des bougies, avec ses grandes fenêtres étroites, elle prenait des allures sinistres. Sa toiture de guingois semblait avoir été conçue à l'aide d'instruments faussés. Le lierre étouffait les murs et, de temps à autre, le bruit des cris ou du verre brisé résonnait derrière la porte.

Le cocher essuya son nez avec le revers de sa manche.

— J'ai moi-même eu un fils emporté par la peste, souffla-t-il. C'est une bien terrible épreuve qui accable Monseigneur et Madame.

Un lourd silence s'installa, ponctué par le trépignement des chevaux. De petits nuages de buée s'échappaient de leurs naseaux. Cette vision me parut soudain si palpable que j'en fus effrayée. Aucun rêve ne m'avait jamais semblé aussi réel.

L'homme à la cape s'avança sur l'allée pavée qui menait à l'auberge. Tout s'effaçait sur son passage, comme si le décor du rêve s'effritait. Après une seconde d'hésitation, je me lançai à sa poursuite, craignant de disparaître à mon tour. Je me faufilai derrière lui tandis qu'il passait la porte de la taverne.

Au milieu d'un mur noirci, j'aperçus un énorme four de briques. Des bols en bois, des gobelets en étain et d'autres ustensiles étaient suspendus de part et d'autre du fourneau. Devant trois grosses barriques abandonnées dans un recoin, un vieux chien galeux somnolait. Des tabourets et un amas hétéroclite de vaisselle sale et de chopes ébréchées jonchaient le sol, qui n'en était pas vraiment un. Il s'agissait d'un simple carré de terre battue, recouverte de sciure. La poussière s'agglutinait sous mes talons déjà couverts de boue. Je rêvais d'une douche chaude lorsqu'une dizaine de convives assis à des tables différentes attirèrent mon attention. La plupart d'entre eux avaient les cheveux longs jusqu'aux épaules et des barbes taillées en pointe. Ils portaient des bas-de-chausses rentrés dans de hautes bottes et des pourpoints à manches ballons. Leurs chapeaux à large bord me rappelaient ceux des premiers colons.

Mon rêve m'avait visiblement ramenée à une époque ancienne. D'après les détails minutieux consignés par mon esprit, elle ne m'était pas inconnue. J'étais néanmoins incapable de l'identifier clairement. Je pensais me trouver en Angleterre, quelque part entre le XVIe et le XVIIe siècle. J'étais assez bonne en histoire, mais nos cours traitaient rarement de modes vestimentaires. Rien de ce que je voyais n'avait fait l'objet d'une interro.

L'inconnu s'adressa au tenancier, debout derrière une haute table qui devait être l'ancêtre du bar.

— Je cherche quelqu'un, lui dit-il. J'avais rendez-vous ici avec un individu dont j'ignore le nom.

L'aubergiste le toisa. C'était un personnage trapu et chauve à l'exception de quelques cheveux drus qui poussaient tout droit sur le sommet de son crâne.

— J'vous sers à boire ? demanda-t-il avec un large sourire.

Je fis un pas en arrière. La vision de ses dents noircies et gâtées me répugnait, mais l'inconnu ne sembla pas s'en émouvoir. Il se contenta de secouer la tête.

— Je dois voir cet homme au plus vite. Je pensais que vous pourriez m'apporter votre aide.

Le sourire du tavernier disparut.

— J'peux vous aider, Vot' Seigneurie. Mais croyez-en ma vieille expérience, vous feriez mieux de vous réchauffer avec un verre ou deux. La nuit est glacée.

Il poussa un gobelet dans sa direction.

Sous sa capuche, l'inconnu déclina une nouvelle fois.

— Je crains d'être terriblement pressé. Indiquez-moi simplement où je peux le trouver, ajouta-t-il en faisant glisser quelques pièces sur la table.

Le tenancier empocha l'argent et, d'un signe de tête, désigna une porte derrière lui.

— On le trouve dans le bois, derrière. Mais Vot' Seigneurie, soyez prudent. On dit, comme ça, que la forêt est hantée. Que celui qui s'y aventure n'en revient jamais.

L'homme à la cape se pencha par-dessus la table et baissa la voix :

— J'ai une question plus personnelle. Le mois hébreu d'Heshvan vous est-il familier ?

— Je ne suis pas hébreu, répondit sèchement l'aubergiste.

À son regard, je compris qu'il n'entendait pas ce mot pour la première fois.

— Celui avec qui j'ai rendez-vous m'a demandé de le rencontrer au premier soir d'Heshvan. Il disait qu'il me faudrait lui apporter mon aide, quinze jours durant.

— Quinze jours, c'est long, remarqua le tavernier en se caressant le menton.

— Bien trop long. J'aurais préféré ne pas venir, mais je craignais sa réaction si je me dérobais. Il connaît mon nom, ma famille. Il savait où les trouver. J'ai une jeune épouse et quatre fils. Je ne veux pas qu'il leur arrive malheur.

L'aubergiste se pencha, comme s'il s'apprêtait à colporter les pires ragots.

— Celui que vous cherchez est...

Il s'interrompit, avec un regard méfiant vers la salle.

— Il est doté d'une force surprenante, enchaîna l'homme à la cape. Je l'ai vu à l'œuvre et c'est un être puissant. J'espère lui faire entendre raison. Comment peut-il exiger de moi que j'abandonne les miens, que j'oublie mon devoir pour une période aussi longue ? Il devra se rendre à l'évidence.

— J'ignore s'il en est capable, objecta le tavernier en secouant la tête.

— Mon plus jeune fils a été pris de fièvres pestilentielles. Les médecins craignent qu'il n'y survive pas. Ma famille a besoin de moi. Mon fils, surtout.

— Buvez, insista calmement l'aubergiste.

Mais son interlocuteur se détourna brusquement et s'approcha de la porte. Je le suivis. Dehors, je pataugeai dans la boue gelée. L'averse redoubla de violence et je manquai de tomber. Je m'arrêtai pour m'essuyer les yeux et aperçus la cape de l'inconnu qui disparaissait à la lisière de la forêt.

Je me précipitai vers lui, mais hésitai à m'engouffrer dans le bois. Je ramenai mes cheveux ruisselants derrière ma nuque et scrutai les alentours plongés dans l'obscurité.

Je perçus un mouvement. L'homme revenait vers moi en courant. Il trébucha et glissa. Sa cape s'était accrochée aux branches et, d'un geste paniqué, il cherchait vainement à la détacher. Un hurlement strident lui échappa tandis qu'il gesticulait frénétiquement. Tout son corps semblait saisi de convulsions. Je tentai de m'approcher. Les ronces griffaient mes bras nus et les pierres blessaient mes pieds. Enfin, je m'agenouillai près de lui et, malgré la capuche qui cachait encore une partie de son visage, je vis sa bouche se tordre, comme incapable de pousser un cri.

— Tournez-vous, ordonnai-je tout en essayant de le dégager.

Mais il ne m'entendait pas. Pour la première fois, ce rêve prenait une tournure plus familière, semblable à mes autres cauchemars : plus je luttais, moins j'étais capable d'agir.

Je le saisis par les épaules et le secouai.

— Reprenez-vous ! Je peux vous aider, mais il faut y mettre du vôtre !

— Mon nom est Barnabas Underwood. Sais-tu où se trouve la taverne ? Brave petite ! marmonna-t-il en agitant la main dans le vide, comme s'il tapotait une joue imaginaire.

Je me raidis. Il ne me voyait pas. Il hallucinait et s'adressait à une personne invisible. C'était l'unique explication. Comment aurait-il pu me voir sans m'entendre ?

— Cours avertir l'aubergiste. Qu'il envoie de l'aide, poursuivit-il. Dis-lui que l'homme n'est pas là. Que c'est l'un des anges du diable, venu prendre mon corps et expédier mon âme en enfer. Qu'il aille requérir un prêtre… de l'eau bénite et des chapelets.

Ces mots, « anges du diable », me donnèrent la chair de poule. Il se détourna brusquement vers la forêt, cherchant quelque chose du regard.

— L'ange, souffla-t-il horrifié, l'ange arrive !

Ses lèvres tremblèrent et, en observant son visage déformé, j'eus la sensation qu'il luttait pour reprendre le contrôle de son corps. Il se cambra et sa capuche retomba.

Je serrais toujours sa cape dans mes mains, mais je les sentis lâcher prise. Stupéfaite, je le regardai, bouche bée, étouffant un cri. Ce n'était pas Barnabas Underwood.

C'était Hank Millar, le père de Marcie.

Je clignai des yeux. La lumière filtrait par la fenêtre. Par la vitre fendue, la brise matinale s'invita dans ma chambre et caressa ma peau. Mon cœur tambourinait encore dans ma poitrine, mais je me ressaisis, réalisant que ce n'était qu'un cauchemar. Maintenant que j'avais retrouvé ma réalité, il fallait bien reconnaître que le plus perturbant dans ce rêve, c'était la présence du père de Marcie. Je préférai l'oublier et tâchai de penser à autre chose.

J'attrapai mon portable et consultai ma boîte vocale. Aucun message de Patch. Serrant l'oreiller contre moi, je me recroquevillai pour mieux combattre cette sensation de vide. Depuis combien de temps, maintenant, était-il parti ? Une douzaine d'heures ? Combien de temps s'écoulerait avant que je ne le retrouve ? Cette question angoissante demeurait sans réponse. Plus les heures passaient, plus je sentais un mur se dresser entre nous deux.

Contente-toi d'arriver au bout de la journée, me dis-je en ravalant la boule coincée dans ma gorge. Cet étrange éloignement ne pourrait durer éternellement. Et je ne résoudrais rien en restant sous ma couette. Je devais revoir Patch. Il me rejoindrait peut-être après les cours. À moins que je ne l'appelle. Je m'accrochai à ces ridicules illusions et refusai de songer aux archanges. À l'enfer. À ma peur d'être confrontée à quelque chose que ni Patch ni moi ne pouvions affronter.

Je traînai les pieds jusqu'à la salle de bains et trouvai un Post-it collé au miroir.

La bonne nouvelle : j'ai réussi à convaincre Lynn de ne pas envoyer Scott te chercher ce matin. La mauvaise : elle tient absolument à ce que tu lui fasses visiter la ville. Je crois que tu ne pourras pas y échapper. Ça t'ennuie de faire ça après les cours ? Rapidement. Très rapidement. Je t'ai laissé son numéro sur la table de la cuisine. Bises, Maman. P. S. Je t'appelle ce soir de l'hôtel.

Je maugréai en appuyant mon front contre le lavabo. Je n'avais pas envie de passer une minute de plus en compagnie de Scott, encore moins tout un après-midi.

Quarante minutes plus tard, j'étais douchée, habillée, et j'avais avalé mon bol de müesli. On frappa à la porte. J'ouvris et trouvai Vee, tout sourires, sur le perron :

— Prête pour une nouvelle journée sensationnelle de cours d'été ?

Je pris mon sac à dos accroché dans le placard et répondis :

— Finissons-en.

— Tu en fais, une tête. Qu'est-ce qui t'arrive ?

— Scott Parnell.

Et Patch.

— Son problème d'incontinence ne s'est pas arrangé, c'est ça ?

— Je suis censée lui faire visiter la ville après les cours.

— Quelques heures en tête à tête avec un garçon ? Je ne vois rien de désagréable à ça.

— Tu n'étais pas là hier soir. Ce dîner était glauque. Sa mère a fait allusion à des ennuis qu'il aurait eus par le passé, mais Scott l'a empêchée de poursuivre. Et le plus curieux, c'est qu'il semblait presque la menacer. Puis il s'est absenté, pour mieux écouter notre conversation.

Et là, pensai-je, il a communiqué par la pensée avec Lynn. Enfin, je crois…

— On dirait qu'il tient à garder ses secrets pour lui. Ça mérite une petite enquête.

J'avais deux pas d'avance sur elle et m'apprêtais à sortir, lorsque je m'immobilisai, soudain inspirée.

— J'ai une idée géniale ! m'exclamai-je. Pourquoi est-ce que tu ne promènerais pas Scott en ville ? Sérieusement, Vee. Tu vas l'adorer. Il a un côté désinvolte, rebelle et mauvais garçon. Il m'a même demandé, devant ma mère, si on avait de la bière – tu te rends compte ? Vous êtes faits l'un pour l'autre !

— Impossible. Je déjeune avec Rixon.

Je ressentis un pincement au cœur qui me prit par surprise. Patch et moi avions également prévu de nous retrouver pour le déjeuner, mais je doutais que ce soit encore d'actualité. Qu'avais-je fait ? Il fallait à tout prix que je l'appelle. Que je trouve un moyen de lui parler. Les choses ne pouvaient pas finir ainsi, de manière aussi absurde. Mais une petite voix dans ma tête répétait sans cesse la même question : pourquoi n'avait-il pas fait le premier pas ? Il avait autant de raisons de s'excuser que moi.

— Je t'offre huit dollars et trente-deux cents si tu acceptes d'emmener Scott faire un tour, et c'est ma dernière offre.

— Merci, mais non merci. Et puisqu'on est sur le sujet, Patch ne va pas sauter de joie si Scott et toi prenez l'habitude de ces escapades à deux. Entends-moi bien, je me fiche complètement de ce que Patch peut penser, et si tu cherches à le rendre dingue, je te soutiens à cent pour cent. Je préfère simplement te prévenir.

Lorsqu'elle mentionna Patch, je faillis rater une marche. L'espace d'un instant, j'hésitai à lui avouer notre rupture, mais je craignais de prononcer ce mot à voix haute. Dans ma poche, le téléphone, avec toutes ces photos de nous, me brûlait les doigts. Une partie de moi voulait le jeter dans les arbres derrière la route, mais une autre partie refusait d'abandonner si facilement. Et puis, si j'en parlais à Vee, elle m'assurerait que j'étais libre de fréquenter quelqu'un d'autre, ce qui, selon moi, n'était pas vrai. Je n'avais pas l'intention de chercher ailleurs et redoutais qu'il fasse de même. Cette dispute n'était qu'un obstacle, pas un épilogue. Dans un moment de colère, nous avions tous deux dit des choses que nous ne pensions pas.

— À ta place, j'esquiverais, reprit Vee en faisant claquer ses talons hauts sur les marches vermoulues. C'est toujours ce que je fais dans une situation embarrassante. Appelle Scott, explique-lui que ton chat a avalé une souris de travers et que tu dois l'amener chez le vétérinaire après les cours.

— Il était chez moi hier soir. Il sait pertinemment que je n'ai pas de chat.

— Voilà pourquoi, à moins qu'il n'ait de la bouillie en guise de cervelle, il comprendra qu'il ne t'intéresse pas.

Je réfléchis. En annulant mon rendez-vous avec Scott et en persuadant Vee de me prêter sa voiture, je pourrais le suivre. J'avais beau me raisonner, le souvenir de ses mots résonnant dans ma tête me revenait sans cesse. L'année précédente, pareil fantasme m'aurait fait rire. Mais j'avais depuis croisé le chemin de Patch et de Chauncey, aussi appelé Jules, un néphilim surgi de mon passé. Et tous deux possédaient ce don de télépathie. Scott ne pouvait pas être un ange déchu : je l'avais connu enfant, or les anges ne vieillissaient pas. Il n'était cependant pas impossible qu'il soit néphil.

Mais alors, que faisait-il à Coldwater ? Avait-il choisi de mener une existence ordinaire ? Avait-il seulement conscience de sa véritable nature ? Et Lynn Parnell ? Scott avait-il déjà juré allégeance à un déchu ? Dans le cas contraire, devrais-je le prévenir du danger qu'il courait ? Je ne l'appréciais guère, mais il ne méritait pas que je l'abandonne à un sort aussi cruel… soumettre son corps deux semaines durant chaque année.

Il restait une dernière possibilité qu'il ne soit ni néphil ni déchu : j'avais peut-être rêvé.

Après le cours de chimie, je déposai mon manuel dans mon casier où je repris mon sac et mon portable. Je me postai discrètement près des portes d'entrée, qui offraient une vue dégagée sur le parking. Je repérai aussitôt Scott, appuyé contre le capot de sa Mustang bleu métallisé. Il n'avait pas quitté sa casquette hawaïenne. À ce train-là, je serais incapable de le reconnaître sans elle ; la preuve : j'ignorais même la couleur de ses cheveux. Je tirai le Post-it de ma mère de ma poche et composai le numéro de Scott.

— Nora Grey, je présume ? dit-il en décrochant. J'espère que tu n'as pas l'intention de me planter.

— Mauvaise nouvelle : mon chat est malade. Le véto m'a proposé un rendez-vous à douze heures trente et il va falloir qu'on remette notre balade à plus tard, achevai-je, tâchant de mettre mes remords en sourdine.

Après tout, ça n'était qu'un petit mensonge. Et je ne le croyais pas une seule seconde intéressé par un tour dans Coldwater. Du moins, j'essayai de m'en persuader.

— C'est ça, répondit Scott avant de raccrocher.

Je refermais mon téléphone lorsque Vee me rejoignit.

— C'est ça, ma grande. Rembarre-le en douceur.

— Ça t'ennuie si j'emprunte ta voiture cet après-midi ? demandai-je sans lâcher Scott du regard.

Il glissa du capot de la Mustang, le portable à l'oreille.

— Pour ?

— J'ai l'intention de suivre Scott.

— Ce matin, tu m'affirmais que c'était un parasite.

— Ce type a quelque chose de bizarre.

— Au hasard : son look ? Sérieusement, qu'est-ce que c'est que ces lunettes de catcheur ? De toute façon, c'est impossible : j'ai rendez-vous avec Rixon.

— Je sais, mais si Rixon vient te chercher, tu peux me prêter la Neon, répliquai-je en vérifiant que Scott était encore sur le parking.

Il ne fallait surtout pas qu'il me file entre les doigts.

— Ah non ! Pas question de passer pour la fille-crampon. Que veulent les hommes, aujourd'hui ? Des femmes fortes et indépendantes.

— Allez ! Je m'arrêterai à la station-service.

Elle parut s'adoucir un peu.

— Pour faire le plein ?

— Pour faire le plein.

Ou du moins, mettre pour huit dollars et trente-deux cents d'essence.

— Bon, d'accord, accepta-t-elle en se mordant la lèvre. Mais je devrais peut-être t'accompagner et m'assurer qu'il n'y a pas de problème.

— Et Rixon ?

— Ça n'est pas parce que j'ai dégoté un canon que je vais abandonner ma meilleure amie ! D'ailleurs, j'ai comme l'impression que tu auras besoin de moi.

— Il ne peut rien m'arriver. Je compte simplement le suivre : il ne s'apercevra de rien !

Mais sa proposition n'était pas dénuée de bon sens. Au cours des derniers mois, j'avais appris à me montrer plus prudente et moins insouciante. À plus d'un titre, j'aurais préféré l'emmener, surtout si Scott s'avérait être un néphilim. Le dernier qui avait croisé ma route avait tenté de me tuer.

Vee annula son rendez-vous avec Rixon et j'attendis que Scott effectue une manœuvre pour quitter le parking avant de sortir du bâtiment. Il tourna à gauche, et nous nous précipitâmes vers la vieille Neon.

— Tu conduis, annonça Vee en me lançant les clés.

En quelques minutes, nous avions rattrapé la Mustang. Je laissai quelques véhicules s'insérer entre nous. Scott s'engagea sur l'autoroute en direction de la côte, et je fis de même. Une demi-heure plus tard, il prit la sortie qui aboutissait à la jetée et trouva une place sur le parking, face aux boutiques du front de mer. Je ralentis pour lui laisser le temps de verrouiller les portières et de s'éloigner, avant de me garer un peu plus loin.

— Scotty va faire des emplettes, on dirait, commenta Vee. En parlant de shopping, ça t'ennuie si je fais un tour pendant que tu mènes ta petite enquête ? Rixon adore les filles qui portent des foulards et je n'en ai plus un seul dans mon placard.

— Je t'en prie.

Je filai Scott en tenant mes distances. Il entra dans une boutique assez chic et en ressortit moins d'un quart d'heure plus tard avec un sac. Il s'engouffra dans un deuxième magasin pendant une dizaine de minutes.

Jusque-là, rien d'extraordinaire ni de particulièrement suspect. En quittant une troisième boutique, Scott remarqua un groupe d'étudiantes en débardeurs échancrés et bikinis qui déjeunait sur une terrasse de l'autre côté de la rue. Il sortit son téléphone portable et prit quelques clichés sur le vif. Mon reflet sur une devanture attira mon regard. C'est alors que je l'aperçus, assis dans un box à l'intérieur du café, un journal à la main. Il portait un pantalon kaki et une chemise bleue sous une veste de lin blanc. Ses cheveux blonds ondulés étaient plus longs et attachés en queue-de-cheval.

C'était mon père.

Il replia le quotidien et se dirigea vers le fond de la salle.

Je me précipitai dans le café, mais il avait déjà disparu dans la foule des clients. Je traversai l'arrière-salle, jetant des regards éperdus autour de moi. Je suivis le carrelage en damier d'un corridor qui menait jusqu'aux toilettes : à gauche, celles des hommes, à droite, celles des femmes. Aucune autre issue. Ce qui signifiait que mon père se trouvait à l'intérieur.

— Qu'est-ce que tu fabriques ? lança Scott par-dessus mon épaule.

Je fis volte-face.

— Que… quoi… Qu'est-ce que tu fais là ? balbutiai-je.

— J'allais te poser la même question. Tu me suivais. Ne fais pas semblant : j'ai un rétroviseur, tu sais. Pourquoi tu m'espionnes ?

Mais j'étais trop perturbée pour l'écouter.

— Entre dans les toilettes et dis-moi si tu vois quelqu'un avec une chemise bleue.

— Problème de drogue ? ironisa-t-il en tapotant mon front. Un TOC ? Ou complètement schizo ?

— Fais ce que je te demande !

Scott ouvrit la porte d'un coup de pied. J'entendis plusieurs grincements tandis qu'il vérifiait chacun des WC. Quelques instants plus tard, il reparut.

— Nada.

— J'ai vu un homme avec une chemise bleue se diriger par ici. Il n'y a pas d'autre issue.

Je tournai la tête vers la seconde porte, me précipitai dans les toilettes pour femmes. Je scrutai le moindre recoin, le cœur battant. Personne.

Je réalisai alors que j'avais retenu mon souffle, et expirai profondément. Une foule d'émotions me submergea, mais la déception et la peur dominaient. J'avais cru revoir mon père. Mon imagination me jouait un tour cruel. Il était mort. Il ne reviendrait jamais et je devais l'accepter. Dos au mur, je me laissai glisser vers le sol, secouée par les sanglots.

5.

Scott se tenait devant l'entrée, les bras croisés.

— C'est donc à ça que ressemblent les toilettes des filles ? Il faut bien admettre que c'est nettement plus propre.

— Ça t'ennuierait d'attendre dehors ? demandai-je, la tête baissée, en m'essuyant le nez.

— Je ne bougerai pas avant de savoir pourquoi tu me suivais. J'ai beau être irrésistible, tout cela commence à devenir malsain.

Je me relevai et m'aspergeai le visage d'eau froide. Évitant le regard de Scott dans le miroir, j'attrapai une serviette en papier et me tamponnai les yeux.

— Et tu vas aussi m'expliquer qui tu cherchais dans ce café, ajouta-t-il.

— J'ai cru voir mon père, rétorquai-je en rassemblant toute ma fureur pour masquer la douleur lancinante qui m'assaillait. Voilà. Tu es content ?

Je froissai le papier et le jetai rageusement dans la poubelle. J'allais sortir, mais Scott me barra le passage en s'appuyant contre la porte.

— Une fois qu'ils auront retrouvé le type qui a fait ça et qu'ils l'enverront en prison pour le restant de ses jours, tu te sentiras apaisée.

— Merci, on ne m'avait encore jamais rien dit de plus stupide.

Pour m'apaiser, il aurait fallu qu'on me rende mon père.

— Crois-moi. Mon père est flic. Ça fait partie de son quotidien : annoncer aux familles désespérées qu'on a arrêté celui qui a brisé leurs existences. Ils mettront la main sur le salaud qui a détruit la tienne et il paiera. Une vie pour une autre vie. C'est là que tu trouveras la paix. Allons-nous-en d'ici, ajouta-t-il. J'ai l'impression d'être un pervers à rester comme ça dans les toilettes des filles.

Il attendit.

— C'était censé te faire rire.

— Je ne suis pas d'humeur.

Scott croisa ses doigts sur le sommet de son crâne et haussa les épaules, visiblement mal à l'aise, comme s'il ignorait quoi dire ou faire.

— Écoute, j'ai quelques parties de billard prévues dans un bar près de Springvale, ce soir. Ça te tente ?

— Non merci.

Je n'étais pas non plus d'humeur à jouer au billard. Le billard, c'était Patch et tous nos souvenirs. Cette première soirée où je l'avais poursuivi jusque chez Bo pour l'obliger à terminer un devoir de biologie… Le soir où il m'avait appris les règles, debout derrière moi, si près que sa proximité en devenait électrique… Et plus que tout, le souvenir de ces moments où il était apparu lorsque j'avais besoin de lui. Où était-il, à présent ? Pensait-il seulement à moi ?

Devant la porte de la maison, je retournai mon sac pour trouver mes clés. Mes chaussures détrempées grinçaient sur le plancher et mon jean humide collait à mes jambes. Après avoir filé Scott, Vee m'avait traînée dans plusieurs boutiques à la recherche d'un foulard. Elle hésitait entre un carré de soie violet et un autre dans des tons neutres lorsque l'orage avait éclaté au-dessus de la mer. Le temps de rejoindre le parking, nous étions trempées. Nous avions roulé avec le chauffage à fond, mais je claquais toujours des dents. J'ignorais ce qui me glaçait le plus : mes vêtements mouillés ou la vision de mon père dans ce café.

Je dus donner un coup d'épaule à la porte, gonflée par l'humidité, avant de chercher à tâtons l'interrupteur. Je grimpai directement à la salle de bains pour suspendre mes affaires dans la douche et les faire sécher. Des éclairs zébraient le ciel et le tonnerre sembla s'abattre sur le toit.

Ça n'était pas la première fois que je me retrouvais seule dans cette vieille maison par un soir d'orage, mais je n'avais jamais réussi à m'y faire. Vee n'était pas rentrée avec moi : elle voulait passer la soirée avec Rixon. Je regrettais finalement de l'avoir emmenée pour suivre Scott.

Les lumières vacillèrent à quelques secondes d'intervalle avant de s'éteindre pour de bon. J'étais seule et dans la pénombre. Je demeurai d'abord immobile à espérer que le courant reviendrait. Très vite, la pluie qui tambourinait contre la vitre devint torrentielle, à tel point que je craignis que le verre ne se brise. J'appelai Vee.

— Je n'ai plus d'électricité.

— Je sais. Je suis sur la route et les lampadaires ont déclaré forfait. Petites natures.

— Ça te dit de faire demi-tour et de me tenir compagnie ?

— Réfléchissons… Pas vraiment.

— Tu m'avais promis de dormir chez moi ! gémis-je.

— J'ai aussi promis à Rixon de le retrouver au tex-mex. Et je n'ai pas l'intention de lui poser deux lapins dans la même journée. Laisse-moi quelques heures et je suis toute à toi. Je t'appelle en sortant du restaurant, mais je serai chez toi avant minuit, c'est sûr.

Je raccrochai et réfléchis : où donc rangeait-on les allumettes ? Je n'avais pas vraiment besoin de lumière, mais la clarté des bougies me rassurerait quelque peu et chasserait mes démons intérieurs. Je descendis l'escalier, enveloppée dans une serviette, et réalisai que trois chandeliers se trouvaient sur la table dans la salle à manger. Je savais que ma mère gardait toujours quelques grosses bougies en réserve. Mais où cachait-elle les allumettes ?

Un mouvement furtif attira mon regard. Au travers des fenêtres de la cuisine, je crus apercevoir une silhouette dans le champ, mais sous ces torrents d'eau, il était difficile de distinguer quelque chose. Je m'approchai pour mieux voir, mais l'ombre avait disparu.

C'est un coyote, me répétai-je, sentant l'adrénaline monter. Rien qu'un coyote.

La sonnerie stridente du téléphone retentit au même instant et je décrochai aussitôt, poussée par la surprise, mais surtout par le besoin d'entendre quelqu'un. Je priai pour que Vee ait changé d'avis.

— Allô ?

Pas de réponse.

— Allô, repris-je.

La communication semblait brouillée.

— Vee ?… Maman ?…

Du coin de l'œil, je perçus un nouveau mouvement à l'extérieur. Prenant une profonde inspiration, je tâchai de me persuader que je ne courais aucun danger. Patch et moi n'étions peut-être plus ensemble, mais il était toujours mon ange gardien. En cas d'ennui, il serait là. Pouvais-je encore compter sur lui ?

Il devait me haïr. Voilà pourquoi il n'avait pas tenté de me joindre. Aussitôt, ma colère se raviva. Une fois de plus, je songeais à lui, alors qu'il se moquait éperdument de moi. Il prétendait ne pas croire à ma décision, mais n'avait rien fait pour l'empêcher. Pas un appel, pas un message. Il n'avait pas levé le petit doigt. Et pourtant, il avait des torts. Il lui aurait suffi de frapper à ma porte et de m'expliquer sa présence chez Marcie. Ou sa fuite lorsque je lui avais dit que je l'aimais.

Oui, j'étais plus furieuse que jamais, et cette fois, je comptais y remédier.

Je raccrochai violemment le combiné du téléphone fixe et cherchai le numéro de Scott sur mon portable. J'oubliai mes scrupules. J'allais accepter sa proposition. Pour toutes les mauvaises raisons. D'abord, pour signifier à Patch d'aller se faire voir. S'il s'imaginait que je passerais mes soirées à pleurnicher, il se trompait. Maintenant que tout était fini entre nous, j'avais parfaitement le droit de sortir avec qui je voulais. Ensuite, j'avais l'intention de m'assurer qu'il serait capable de me protéger. Si Scott était néphil, il représentait un danger que j'aurais, en toute logique, dû éviter. Je sentis un sourire triomphal se dessiner malgré moi sur mon visage : quels que fussent mes choix ou les risques, Patch devrait venir à mon secours.

— Tu es déjà à Springvale ? demandai-je à Scott après avoir composé son numéro.

— On revient à de meilleurs sentiments, à ce que je vois.

— Si tu comptes en rajouter, j'annule.

J'imaginai son sourire.

— Du calme, Grey, je plaisante.

J'avais promis à ma mère de garder mes distances, mais il n'y avait pas à s'inquiéter. En cas de problème, Patch serait contraint d'intervenir.

— Alors ? repris-je. Tu passes me prendre ?

— Je serai chez toi à dix-neuf heures.

Springvale était un petit port de pêche concentré sur sa rue principale, où se situaient un bureau de poste, quelques bouis-bouis, des boutiques d'articles de pêche et une salle de jeux, « Le Z ».

C'était un bâtiment de plain-pied, avec une grande baie vitrée donnant sur le billard et le bar. Les ordures et les mauvaises herbes faisaient office d'ornements extérieurs. Sur le trottoir, devant l'entrée, deux hommes au crâne rasé fumaient leur cigarette. Après avoir écrasé les mégots, ils entrèrent.

Scott se gara en épi devant le Z.

— Je vais tâcher de trouver un distributeur automatique, annonça-t-il en coupant le moteur.

J'observai l'enseigne qui surplombait la vitrine. « LE Z – BILLARD ». Elle me paraissait curieusement familière.

— Pourquoi est-ce que cet endroit me dit quelque chose ?

— Il y a une quinzaine de jours, un type s'est fait saigner sur l'une des tables. Une rixe de bar… Tous les journaux en ont parlé.

— Je t'accompagne, ajoutai-je en sortant de la voiture.

— Pas la peine, répondit-il. Tu serais trempée. Attends-moi à l'intérieur, je serai de retour dans dix minutes.

Sans même se retourner, il rentra la tête dans les épaules et se mit à courir sous la pluie, les mains dans les poches. Essuyant mon visage, je m'abritai sous l'auvent et contemplai mon alternative. Patienter seule ou entrer. Je n'étais pas là depuis cinq minutes et, déjà, j'avais la chair de poule. L'endroit était quasiment désert et les rares passants, vêtus de sombre, semblaient plus costauds, plus agressifs et plus menaçants qu'à Coldwater. Quelques-uns me détaillèrent en passant.

En suivant le trottoir des yeux, j'aperçus Scott qui disparaissait à l'angle, s'engageant dans une ruelle derrière le Z. Je pensai tout d'abord qu'il aurait du mal à trouver une banque de ce côté. Mais un doute s'installa aussitôt : et s'il m'avait menti ? Cherchait-il réellement un distributeur ? Que pouvait-il bien fabriquer dans un coin pareil sous une pluie battante ? Mon instinct m'intimait de le suivre, mais comment l'observer sans être vue ? Je craignais qu'il me surprenne une fois de plus.

Je décidai d'entrer dans le Z, songeant que je pourrais peut-être le surveiller de l'intérieur.

L'atmosphère était glaciale. Une odeur de tabac mêlée de sueur masculine circulait dans la pièce au plafond bas. Les murs en béton étaient sommairement décorés de quelques posters de grosses cylindrées, d'un calendrier de magazine masculin et d'un miroir estampillé Budweiser. La cloison qui me séparait de la ruelle où Scott avait disparu ne comportait aucune fenêtre. Je poursuivis mon chemin le long du passage central, m'enfonçant dans la salle sombre, prenant de courtes inspirations pour tenter de filtrer la nicotine ambiante. Au fond du couloir, mes yeux se posèrent sur une porte dérobée, qui donnait sans doute sur la ruelle. Elle offrait évidemment moins de discrétion, mais si Scott me surprenait, je pourrais toujours feindre la surprise et prétexter avoir eu besoin d'air.

Je jetai un regard derrière moi, ouvris le battant et passai la tête dans l'embrasure.

Quelqu'un m'attrapa par le col et m'attira à l'extérieur avant de me plaquer contre le mur de brique.

— Qu'est-ce que tu fiches ici ? siffla Patch.

Derrière lui, la pluie ricochait contre l'auvent métallique.

— Je… je joue au billard, balbutiai-je, stupéfaite.

— Tu joues au billard ? répéta-t-il, peu convaincu.

— Je suis venue avec un ami. Scott Parnell.

Son expression se durcit et je revins à la charge.

— Ça te pose un problème ? Je te rappelle que c'est terminé entre nous. Je suis libre de fréquenter qui je veux.

J'étais furieuse. Contre les archanges, le destin, les conséquences. Furieuse de me trouver là avec Scott et non Patch. Furieuse qu'il ne m'ait pas prise dans ses bras pour me dire d'oublier les dernières vingt-quatre heures. Tout ce qui nous séparait s'évanouissait, ne laissant plus que lui et moi.

Il baissa la tête, ferma les yeux et appuya ses doigts sur ses tempes, visiblement à court de patience.

— Scott est un néphilim. De première génération, exactement comme Chauncey.

Je demeurai figée. C'était donc vrai.

— Merci du renseignement, mais je m'en doutais.

— Arrête ton numéro de bravoure, rétorqua-t-il avec un geste de dégoût. C'est un néphilim, Nora.

— Ils ne sont peut-être pas tous comme Chauncey, répondis-je vivement. Ils ne sont pas tous dangereux. Si tu connaissais Scott, tu verrais qu'il est…

— Ça n'est pas un néphil ordinaire, me coupa-t-il. Il appartient à une société secrète qui prend de plus en plus d'ampleur. Son but est de libérer les néphilims de l'emprise des déchus durant Heshvan. Ils recrutent autant qu'ils peuvent pour lutter contre les déchus et, entre les deux camps, une guerre se prépare. Si cette confrérie devenait suffisamment puissante, les déchus seraient forcés de renoncer aux néphils et se tourneraient vers les humains pour trouver des vassaux.

Je me mordis la lèvre en lui jetant un regard embarrassé. Sans même y songer, mon rêve de la nuit précédente me revint. Heshvan. Néphilim. Anges déchus…

— Pourquoi les déchus prennent-ils possession des corps des néphils plutôt que de ceux des humains ?

— Les humains ont un corps moins résistant et moins malléable, répondit-il. Si les déchus habitaient leur corps durant deux semaines, ils n'y survivraient pas. Cela impliquerait des dizaines de milliers de morts chaque mois d'Heshvan. Il est aussi beaucoup plus compliqué de s'emparer d'eux. Puisqu'on ne peut leur arracher un serment d'allégeance, il faut les convaincre de se soumettre. Cela demande du temps et beaucoup de persuasion. Leur enveloppe charnelle se détériore très rapidement. Aucun déchu ne prendrait la peine de posséder un humain qui ne tiendrait pas plus de quelques jours.

Un frisson d'horreur me parcourut, mais je répliquai :

— C'est bien triste, mais on ne peut pas en vouloir à Scott, ni aux autres néphilims, d'ailleurs. Je n'aimerais pas non plus qu'on prenne possession de mon corps durant deux semaines chaque année. Ça n'est pas la faute des néphils, mais celle des déchus.

Sa mâchoire se crispa.

— Tu n'as rien à faire ici. Rentre chez toi.

— Je viens d'arriver.

— Comparé au Z, le Bo est une cour de récréation !

— Merci pour l'info, mais je ne suis pas vraiment d'humeur à rester chez moi et à pleurer sur mon sort.

Il croisa les bras et m'observa.

— Tu veux te venger de moi, c'est ça ? Au cas où tu aurais oublié, ce n'est pas moi qui ai décidé d'arrêter.

— Tu n'es pas le centre du monde. Ça n'a rien à voir avec toi.

— Je te ramène, lâcha-t-il en cherchant ses clés dans sa poche.

Il me faisait clairement comprendre que j'étais un fardeau dont il se serait volontiers débarrassé.

— Je ne t'ai rien demandé et je n'ai pas besoin de ton aide.

Il rit d'un air pincé.

— Tu vas monter dans le 4 × 4, de gré ou de force. Il est hors de question que tu restes ici. C'est trop dangereux.

— Je rêve ou tu me donnes des ordres ?

Il me regarda à peine.

— Et pendant que tu y es, tu vas cesser de traîner avec ce Scott.

J'étais sur le point d'exploser. Il se permettait d'insinuer que j'étais faible et sans défense. Comment osait-il me dire quoi faire ou qui fréquenter ? Comment pouvait-il prétendre que je ne représentais rien à ses yeux ?

— Tu peux garder tes services, lâchai-je d'un air de défi. Je ne te demande rien. Et je ne veux plus de toi comme ange gardien.

Il se dressait devant moi et une goutte de pluie glissa de ses cheveux sur mon épaule. Je la sentis rouler le long de ma peau et disparaître sous mon tee-shirt. Il la suivit du regard et je frémis intérieurement. Je voulais qu'il sache combien je regrettais mes paroles. Que je me moquais de Marcie et des archanges ! Je ne pensais qu'à nous. Mais la dure vérité était que rien de ce que je pourrais dire ou faire ne changerait le cours des choses. Je ne pouvais pas penser à nous. Pas si j'espérais le garder près de moi et lui éviter l'enfer. Plus nous nous disputions, plus il m'était simple de me laisser engloutir par la haine et de me convaincre qu'il ne représentait rien pour moi. Il devenait facile de croire que je pouvais passer à autre chose.

— Retire ça, souffla-t-il d'une voix blanche.

Incapable de soutenir son regard ou de revenir sur mes paroles, je relevai le menton et fixai le flou de la pluie tombante derrière son épaule. Je haïssais ma fierté, et la sienne.

— Nora, retire ce que tu viens de dire, répéta Patch un peu plus durement.

— Je ne pourrai pas avancer tant que tu feras partie de ma vie, repris-je en maudissant le trémolo dans ma voix. Il serait plus simple pour tout le monde que nous… je préfère couper les ponts. J'y ai mûrement réfléchi…

C'était faux. Rien de tout cela n'était réfléchi. Je ne pensais pas ce que je disais. Mais une petite partie de moi, vile et méprisable, cherchait à le faire souffrir autant que moi.

— Il faut que tu sortes de ma vie, poursuivis-je. Et pour toujours.

Après quelques instants d'un silence pesant, Patch se pencha vers moi et glissa quelque chose dans la poche arrière de mon jean. Était-ce moi, ou sa main s'était-elle attardée une seconde de plus que nécessaire ?

— De l'argent, expliqua-t-il. Tu vas en avoir besoin.

— Je n'en veux pas, répondis-je en ressortant les billets.

Il ne reprit pas la liasse que je lui tendais, aussi la plaquai-je contre sa poitrine et le contournai-je pour m'éloigner, mais il saisit ma main, l'emprisonnant dans la sienne.

— Prends-le.

Sa voix sous-entendait que j'ignorais tout. De lui, de son monde… J'y étais étrangère et je ne pourrais jamais en faire partie.

— La moitié des types dans ce bar sont armés. S'il arrivait quelque chose, jette l'argent sur la table et file vers la sortie. Personne ne te poursuivra avec des billets en libre-service.

Je songeai alors à l'agression de Marcie. Cherchait-il à me faire comprendre que je pourrais subir le même sort ? Pensait-il réellement m'impressionner ? Que je le veuille ou non, il était mon ange gardien. Quoi que je puisse dire ou faire, cela ne changerait rien à son devoir. Il était tenu de me protéger. Sa présence à ce moment précis le prouvait.

Il me lâcha la main et tourna la poignée, d'un geste sec, rigide. La porte se referma derrière lui avec un grincement sinistre.

6.

Scott s'appuyait sur une queue de billard, face à une table près de l'entrée. Il observait la position des billes lorsque je le rejoignis.

— Tu as trouvé le distributeur ? demandai-je en lançant ma veste trempée sur une chaise pliante contre le mur.

— Oui, mais j'ai bien failli me noyer, répondit-il en soulevant sa casquette et en secouant ses cheveux mouillés pour davantage d'effet.

Il avait peut-être trouvé une banque après sa petite excursion dans la ruelle. Impossible à présent d'en avoir le cœur net : Patch et ses avertissements idiots avaient tout gâché.

Je m'appuyai nonchalamment sur le rebord de la table et fis de mon mieux pour paraître dans mon élément. En réalité, j'étais perdue. Cette confrontation avec Patch m'avait ébranlée et l'atmosphère malsaine du Z n'arrangeait rien. Je songeai au meurtre sanglant survenu quelques semaines auparavant. Ce type était mort sur l'un de ces billards. Peut-être le nôtre ? Je me redressai aussitôt en tapotant mes mains.

— On va commencer une partie à cinquante dollars. Ça te dit ?

D'humeur peu joueuse, j'aurais préféré me tenir à l'écart, mais après un rapide coup d'œil au fond de la salle, j'aperçus Patch qui jouait au poker. Il ne me faisait pas directement face, mais je savais qu'il m'observait. Rien ne lui échappait. Il n'entrait jamais nulle part sans détailler minutieusement les alentours.

— Avec plaisir, répondis-je en arborant mon plus beau sourire.

Je ne voulais surtout pas laisser paraître mon chagrin, ou lui donner l'impression que je ne m'amusais pas avec Scott.

J'allais choisir une queue de billard lorsqu'un petit homme aux lunettes cerclées de métal et au pull sans manches s'approcha. Son allure soignée, son pantalon à pinces et ses mocassins cirés... tout chez lui tranchait avec l'ambiance du Z. Il s'adressa à Scott d'une voix fluette, presque inaudible.

— Combien ?

— Cinquante, répliqua Scott d'un air légèrement agacé. Comme toujours.

— La partie est à cent minimum.

— Depuis quand ?

— Je reformule : pour toi, c'est cent minimum.

Scott s'empourpra et saisit son verre sur le rebord de la table, avant de le vider d'un trait. Il sortit ensuite son portefeuille et enfonça quelques billets dans la poche de chemise de son interlocuteur.

— En voilà déjà cinquante. Je paierai le reste après le jeu. Maintenant, va souffler ton haleine dans la figure de quelqu'un d'autre, que je puisse me concentrer.

Le petit homme tapota un crayon contre son menton.

— Il faudrait d'abord régler tes comptes avec Dew, qui commence à s'impatienter. Il s'est montré plus que généreux avec toi et tu ne lui as pas rendu la pareille.

— Dis-lui que j'aurai l'argent à la fin de la soirée.

— On connaît la musique. Et ça ne prend plus depuis la semaine dernière.

Scott s'avança vers lui d'un air menaçant.

— Je ne suis pas le seul ici à lui devoir quelques billets.

— Mais tu es le seul susceptible de ne pas le rembourser.

Le petit homme tira les billets de sa poche et les laissa tomber sur le sol.

— Comme je te l'expliquais, Dew commence à s'impatienter, ajouta-t-il, les sourcils levés, avant de s'éloigner.

— Tu lui dois combien, à ce « Dew » ? demandai-je.

Scott me fusilla du regard. Message reçu, question suivante.

— La compétition est rude ? repris-je timidement en observant les joueurs dans la salle.

Tous fumaient cigarette sur cigarette. Leurs bras étaient couverts de tatouages qui représentaient presque tous des armes blanches ou à feu. En d'autres circonstances, j'aurais été terrifiée, ou en tout cas mal à l'aise. Mais avec Patch dans les parages, j'étais certaine d'être en sécurité.

— Ces guignols sont des amateurs, ironisa Scott. Je pourrais les écraser même dans mes mauvais jours. Le vrai challenge est par ici, ajouta-t-il en scrutant le couloir.

Étroit et mal éclairé, il aboutissait à une petite pièce où filtrait une lumière orangée. Un rideau en perles séparait les deux salles. Dans l'encadrement de la porte, j'aperçus un billard richement sculpté.

— C'est donc là qu'on joue gros ?

— Là-bas, je pourrais gagner en une seule partie ce que je ramasse en quinze avec ces ploucs.

Du coin de l'œil, je surpris le regard de Patch. Je fis mine de ne rien remarquer, et plongeai la main dans ma poche arrière.

— Tu as besoin de cent dollars, c'est ça ? En voilà… cinquante, dis-je en comptant rapidement les trois billets que Patch m'avait glissés.

Je n'étais pas une adepte des jeux d'argent, mais j'entendais bien prouver à Patch que le Z ne m'impressionnait pas. Je pouvais m'adapter. Ou du moins, me débrouiller comme une grande. Et pourquoi ne pas feindre de flirter avec Scott, au passage ? Va te faire voir, pensai-je, regrettant de ne pas posséder ses dons de télépathie.

— C'est sérieux ? demanda-t-il.

— Si tu gagnes, on partagera.

Il observa les billets avec une avidité qui me surprit. Il avait besoin de cet argent. Il n'était pas venu au Z par hasard. Pour lui, le jeu était une drogue.

Scott s'empara des billets et rejoignit au pas de course le petit homme, qui griffonnait furieusement sur un morceau de papier pour prendre les paris. Je jetai un regard furtif à Patch, guettant sa réaction. Concentré sur ses cartes, son expression demeurait insondable.

L'homme à lunettes aligna les billets d'une main experte avant de se tourner vers Scott, le sourire figé. Apparemment, nous étions dans la course.

Scott revint vers moi et frotta l'extrémité du manche avec de la craie bleue.

— Tu sais ce qu'on fait pour porter chance ? Embrasse le cuir, dit-il en me tendant la queue de billard.

— Pas question d'embrasser quoi que ce soit.

Scott agita les bras en gloussant. Je jetai un regard vers le fond de la salle pour m'assurer que Patch

n'observait pas cette scène particulièrement humiliante, et c'est là que j'aperçus Marcie Millar. Elle
s'avança nonchalamment derrière lui, se pencha en
avant et passa ses bras autour de son cou.

Je crus que mon cœur s'arrêtait. Scott me parlait et
tapotait le manche contre mon front, mais je n'entendais rien. Je dus lutter pour reprendre mon souffle et
fixai le sol en béton, devenu flou, pour atténuer le
choc, le sentiment de trahison qui s'emparait de moi.
Voilà donc ce qu'il sous-entendait par « avoir à faire
chez Marcie ». Et que faisait-elle ici ? N'avait-elle pas
été victime d'une agression chez Bo ? Se considérait-
elle sous la protection de Patch ? Je me demandai
subitement s'il cherchait à me rendre jalouse. Mais
comment aurait-il su que je me trouverais au Z ce
soir ? À moins bien sûr qu'il ne m'espionne. Avait-il
été plus présent que je ne l'avais cru durant ces deux
derniers jours ? Je m'enfonçai les ongles dans la
paume de la main et tâchai de me concentrer sur la
douleur pour ignorer cette humiliation cuisante. Je
m'efforçais de contenir mes larmes lorsque mon
regard fut attiré vers le couloir. Un type vêtu d'un
tee-shirt rouge étriqué était appuyé sur le chambranle.
Je remarquai une marque bizarre à la base de son cou,
semblable à une excroissance de peau. Avant que j'aie
pu l'observer davantage, une curieuse sensation me
gagna. Je ne le connaissais pas, pourtant quelque chose
chez lui me paraissait familier. J'aurais voulu fuir,
mais cette impression de déjà-vu me clouait sur place.

Il saisit la queue de billard posée sur la table la
plus proche et la lança nonchalamment en l'air.

— Allez, insista Scott en agitant le manche devant
mes yeux.

Autour du billard, quelques joueurs éclatèrent de
rire.

— Vas-y, Nora. Rien qu'un petit bisou pour me porter chance.

Il fit mine de soulever mon chemisier avec le manche. J'écartai le bois d'une main.

— Arrête !

Je perçus un mouvement du type au tee-shirt rouge. Tout se passa très vite, mais je compris en un instant ce qui allait se produire. D'un geste puissant, il envoya la boule blanche à l'autre bout de la pièce. Elle percuta le miroir accroché au mur opposé, qui vola en éclats.

Toute la salle se tut. Seule la stéréo crachotait encore ses standards du rock.

— Toi ! brailla l'inconnu en braquant un revolver vers le petit homme aux lunettes cerclées. Donne-moi le fric.

Il agita le canon, lui faisant signe d'approcher.

— Et garde les mains bien en vue.

Scott s'interposa.

— Pas question, mon pote. Cet argent est à nous, déclara-t-il, immédiatement soutenu par des murmures approbateurs.

Sans baisser son arme, l'homme en rouge se tourna vers Scott et sourit.

— Plus maintenant.

— Si tu prends cet argent, je te tue, répliqua Scott sur un ton glacial.

Il ne plaisantait pas. Je restai figée, osant à peine respirer, redoutant la suite. L'arme était chargée, je n'en doutais pas.

— Ah ouais ? s'amusa le type en rouge.

— Personne ne quittera cette salle avec notre argent, reprit Scott. Tu ferais mieux de poser ton flingue.

Une nouvelle clameur monta dans la salle, qui s'échauffait à vue d'œil, mais l'agresseur ne semblait pas s'en inquiéter. D'un geste indolent, il se frotta le cou avec le canon du revolver.

— Non, répondit-il avant de mettre Scott en joue. Grimpe sur la table.

— Pas question.

— J'ai dit : sur la table !

Il agrippa son arme à deux mains pour viser la poitrine de Scott. Très lentement, celui-ci leva les mains en l'air et recula pour se positionner dos au billard.

— Tu ne sortiras pas vivant, reprit-il. On est trente contre toi.

En un instant, l'autre avait traversé la pièce pour lui faire face, le doigt sur la détente. La sueur perlait sur le front de Scott. Je ne parvenais pas à comprendre pourquoi il ne désarmait pas cette brute. Scott était néphilim, immortel ! N'en était-il pas conscient ? Si Patch disait vrai et qu'il appartenait à cette société secrète, comment pouvait-il l'ignorer ?

— Tu commets une grosse erreur, poursuivit Scott d'une voix calme mais qui, pour la première fois, trahissait un sentiment de panique.

Comme Scott l'avait fait remarquer, ils étaient trente contre un. Pourtant, personne ne s'interposait. Pourquoi ? J'observai l'agresseur en rouge, qui dégageait une brutalité, une puissance effrayantes. Il avait quelque chose… d'inhumain. Les autres l'avaient-ils perçu ?

Et d'où me venait cette impression familière ? Pouvait-il s'agir d'un déchu ? Ou d'un néphil ?

Au milieu de tous ces inconnus, je croisai soudain le regard de Marcie, de l'autre côté de la salle. Son visage exprimait une fascination incrédule. Je compris alors qu'elle ne réalisait pas la gravité de la situation. Elle ne se doutait pas que Scott puisse être un néphilim. Qu'il possédait davantage de force dans son petit doigt qu'un homme ordinaire n'en déployait dans tout son corps. Marcie n'avait jamais vu Chauncey broyer mon téléphone portable dans sa paume ou me poursuivre dans les couloirs déserts du lycée. Et il ne faisait aucun doute que ce fou furieux, déchu ou néphil, était tout aussi puissant que Chauncey. Si Scott et lui en venaient aux mains, la rixe de bar tournerait au carnage.

Marcie aurait dû retenir la leçon et rester chez elle. Et moi aussi.

Le type en rouge appuya le canon du revolver contre la poitrine de Scott, qui tomba à la renverse sur la table. Terrifié ou surpris, il faillit lâcher sa queue de billard. Son agresseur bondit et la lui arracha avant de l'enfoncer dans le tapis, manquant de peu l'oreille de Scott. Le manche avait traversé la table sur plus de trente centimètres.

J'étouffai un cri.

— T'es dingue, mec, souffla Scott d'une voix tremblante.

Au même instant, un tabouret vola à travers la pièce. Déstabilisé, l'homme en rouge sauta au bas du billard.

— Attrapez-le ! lança quelqu'un dans la foule.

Un rugissement, comme un cri de guerre, résonna tandis que d'autres s'emparaient des tabourets. Je me jetai à terre pour repérer la sortie derrière une forêt de jambes. Un peu plus loin, quelqu'un sortit un revolver et, quelques secondes plus tard, des détonations retentirent. Loin d'imposer le silence, elles accentuèrent le vacarme : les hurlements, les injures et les coups pleuvaient. Courbée en deux, je me ruai vers la porte de derrière.

Au moment où je filais, quelqu'un glissa une main dans la ceinture de mon jean et me remit debout. Patch.

— Prends ma voiture, ordonna-t-il en pressant ses clés dans ma paume.

Il marqua une courte pause.

— Qu'est-ce que tu attends ?

— Je ne t'ai rien demandé.

— Je t'avais dit de rentrer chez toi. Si tu m'avais écouté, nous n'en serions pas là. Ce n'est pas ton monde, c'est le mien. Tu cherches à prouver que tu peux t'y adapter et tu vas finir par te faire tuer.

J'ouvris la bouche pour répliquer, mais il m'interrompit :

— Le type en rouge est un néphilim. Il est marqué, ce qui signifie qu'il fait partie de l'organisation dont je t'ai parlé. Il leur a prêté allégeance.

— Marqué ?

— Près de sa clavicule.

Cette difformité était donc une marque ? Je jetai un regard par la porte entrebâillée. La bagarre dégénérait et les coups partaient dans toutes les directions. J'avais perdu de vue le tee-shirt rouge, mais je comprenais à présent d'où me venait cette impression familière. C'était un néphilim, comme Chauncey Langeais. Ils irradiaient tous deux cette bestialité que je n'avais jamais entrevue chez Scott. Était-ce parce qu'il ne la partageait pas ? Parce qu'il était différent ?

Un fracas assourdissant retentit et je crus que mes tympans allaient éclater. Patch me projeta vers le sol tandis que des débris de verre s'éparpillaient autour de nous. La vitre de la porte avait explosé.

— Fiche le camp d'ici, siffla Patch en me poussant vers la rue.

— Où est-ce que tu vas ? demandai-je en me retournant.

— Marcie est toujours à l'intérieur. Elle me déposera.

Je sentis ma poitrine se comprimer.

— Et moi ? Tu es mon ange gardien !

Son regard perçant croisa le mien.

— Plus maintenant, mon ange.

Avant même que j'aie pu réagir, il disparut derrière la porte pour s'engouffrer dans le chaos.

J'ouvris la portière du 4 × 4, réglai la position du siège et fis marche arrière à toute allure. Qu'avait-il voulu dire exactement ? Était-il sérieux lorsqu'il prétendait ne plus être mon ange gardien ? J'avais simplement exprimé ce que je ressentais. J'essayais d'agir au mieux, de faciliter les choses pour lui comme pour moi. De le protéger de la colère des archanges. Je lui avais expliqué mes raisons et il me renvoyait tout en pleine figure, comme si j'étais responsable de la situation. Comme si je l'avais voulue. Il était bien plus coupable que moi ! Prise d'une furieuse envie de faire demi-tour, j'aurais aimé lui prouver que je n'étais pas sans défense. Je n'étais pas un pion sur l'échiquier de son vilain petit monde. Et je n'étais pas non plus aveugle. Il y avait quelque chose entre Marcie et lui, j'en étais persuadée. Je réalisais maintenant à quel point il était méprisable. J'étais débarrassée de ce sale type, qui ne me méritait pas. Et jamais plus je n'aurais besoin de lui.

J'arrivai enfin devant chez moi, les jambes flageolantes et le souffle court, dans un silence assourdissant. Cette voiture, que j'avais considérée comme un refuge pour lui et moi, me paraissait ce soir étrange, vide et trop grande. J'appuyai mon front sur le volant et fondis en larmes. Je refusais de songer à Patch qui, au même instant, raccompagnait probablement Marcie. Pourtant, dans la chaleur de l'habitacle, son odeur était omniprésente.

Je restai courbée, secouée par les sanglots. L'indicateur de la jauge d'essence attira mon attention. J'essuyai mes yeux et poussai un long soupir. J'étais sur le point de couper le contact lorsque je l'aperçus devant la porte d'entrée. Soulagée, je crus d'abord qu'il venait s'assurer que j'allais bien. Mais je réalisai aussitôt : il voulait récupérer la voiture. Après la façon dont il m'avait traitée ce soir, il ne pouvait avoir d'autre motif.

Il traversa l'allée et ouvrit la portière.

— Est-ce que ça va ?

Je hochai machinalement la tête. J'aurais voulu répondre, mais je n'avais pas retrouvé ma voix. Ce néphil au regard si dur hantait mes pensées et je ne pouvais m'empêcher d'imaginer ce qui s'était produit après mon départ. Scott s'en était-il tiré ? Et Marcie ? Évidemment ! Patch s'en était assuré.

— Pourquoi voulait-il cet argent ? demandai-je en me glissant sur le siège passager.

Patch ne pouvait sentir les gouttes, mais la pluie tombait toujours et j'avais des scrupules à le laisser sous cette averse. Après une hésitation, il grimpa et referma la porte. Quelques jours plus tôt, ce geste aurait eu quelque chose d'intime. Ce soir, le malaise était palpable.

— Cette société secrète cherche des fonds, mais j'ignore ce qu'ils ont exactement en tête. Ils ont besoin d'argent pour la logistique, ou alors pour acheter des informateurs chez les déchus. Quant à comprendre qui, comment ou pourquoi, c'est une autre histoire. Je dois en découvrir davantage, mais pour la première fois, être un ange est un désavantage. Impossible d'infiltrer leur groupe pour surveiller leurs faits et gestes.

Il semblait presque me demander mon aide. Patch savait que par mon ancêtre, Chauncey Langeais, j'avais quelques gouttes de sang néphilim dans les veines, mais quatre siècles nous séparaient. J'étais humaine, rien de plus. Je n'avais aucun moyen d'intégrer leur société.

— Tu disais que Scott et ce type en rouge faisaient partie d'une même organisation occulte. Ils n'avaient pourtant pas l'air de se connaître. Tu es sûr que Scott y est mêlé ?

— Certain.

— Alors pourquoi n'a-t-il pas reconnu l'autre néphil ?

— À mon avis, les têtes pensantes de cette confrérie préfèrent tenir leur réseau secret. Sans unité, aucune contestation n'est possible. De plus, mieux vaut qu'ils n'aient pas connaissance de leurs effectifs pour surprendre leurs ennemis. Les déchus n'apprendront rien si les néphils eux-mêmes ignorent les détails.

Je réfléchis aux ramifications et me demandai quel parti prendre. Ce que les néphils subissaient aux mains des déchus était monstrueux. D'un autre côté, tant que les déchus ne s'en prenaient pas aux humains, moi et tous ceux qui m'étaient chers étions protégés.

— Et Marcie ? demandai-je d'une voix qui se voulait détachée.

— Elle aime le poker, répondit-il vaguement.

Il enclencha la marche arrière.

— Je dois partir. Tu vas pouvoir te débrouiller seule ? Ta mère n'est pas là ?

Je me tournai brusquement vers lui.

— Marcie était pendue à ton cou.

— Marcie a sans doute du mal à assimiler le mot « non ».

— Tu la connais bien, on dirait.

Son regard s'assombrit. Il ne voulait pas aborder le sujet. Tant pis, je n'avais pas l'intention de l'épargner.

— Qu'est-ce qui se passe, entre vous ? Vous aviez… « à faire » ?

— J'étais au milieu d'une partie, et elle m'a sauté dessus. Ça n'est pas la première fois qu'une fille se jette sur moi et ça ne sera certainement pas la dernière.

— Tu aurais pu la repousser.

— Le temps de réaliser, le néphil en rouge est arrivé. Je suis sorti pour m'assurer qu'il agissait seul.

— Tu es retourné la chercher.

— Je n'allais quand même pas la laisser là-bas.

La boule qui se formait dans ma gorge devint douloureuse. Que fallait-il penser ? Que seul son sens du devoir l'avait poussé à sauver Marcie ? Y avait-il autre chose de plus inquiétant ?

— J'ai rêvé de son père, hier.

Pourquoi lui racontais-je cela ? Pour lui faire comprendre que la situation me hantait jusque dans mes rêves ? J'avais un jour lu que les rêves nous réconciliaient en quelque sorte avec la réalité. En d'autres termes, je n'avais toujours pas accepté l'étrange relation entre Patch et Marcie. Qu'aurait pu signifier un cauchemar qui mêlait anges déchus, Heshvan et Hank Millar ?

— Du père de Marcie ?

Malgré sa voix posée, je le sentis surpris, voire troublé.

— Je crois que je me trouvais en Angleterre. Il y a très longtemps. Le père de Marcie avançait dans une forêt. Il fuyait quelque chose, mais sa cape s'est accrochée dans les branchages. Il répétait qu'un ange déchu tentait de le posséder.

Patch parut réfléchir. Une fois de plus, j'eus la sensation que mon récit l'intriguait, sans que je comprenne pourquoi.

— Alors ? reprit-il en consultant sa montre. Tu préfères que je fasse un tour à l'intérieur, pour m'assurer que tout va bien ?

Je me tournai vers les fenêtres sombres de la vieille ferme. La nuit tombante et la pluie battante lui donnaient un air peu engageant, presque fantomatique. J'ignorais ce qui me terrifiait le plus : entrer seule, ou continuer à me demander si Patch était déjà passé à autre chose... Avec Marcie Millar.

— J'ai juste peur de me tremper, répliquai-je. Mais puisque tu sembles pressé...

J'ouvris la portière avant d'ajouter :

— Et puisque tout est fini entre nous, tu ne me dois plus rien.

Nos regards se croisèrent. Je voulais le blesser, mais c'était moi que la douleur égarait. Avant que j'aie pu prononcer une autre parole plus cruelle encore, je courus jusqu'au perron, cherchant à éviter les gouttes. Une fois dans la maison, adossée à la porte d'entrée, j'écoutai le 4 × 4 s'éloigner. La vue brouillée par les larmes, je fermai les yeux, imaginant qu'il ferait demi-tour, qu'il me prendrait dans ses bras et dissiperait par un baiser ce sentiment de vide qui me glaçait de l'intérieur. J'attendis en vain le crissement des pneus sur les graviers.

Le souvenir de cette dernière soirée passée ensemble me revint. Je tentai de le stopper, mais malgré moi, je voulais me le rappeler. D'une manière ou d'une autre, j'avais besoin de sa présence et ma détermination s'évanouit... Je sentis ses lèvres rencontrer les miennes. Je sentis son baiser, d'abord un effleurement, se faire plus audacieux... La chaleur, la force qui émanait de lui m'envahirent... Ses mains glissèrent derrière mon cou pour y attacher la chaîne en argent... Sa promesse de m'aimer toujours...

Je poussai le verrou comme pour y mettre un terme. Va te faire voir. Je le répéterais autant de fois que nécessaire. Dans la cuisine, j'appuyai sur l'interrupteur, soulagée de constater que le courant était revenu. Le voyant rouge du téléphone clignotait et j'écoutai les messages.

Nora, disait la voix de ma mère, *Boston est sous les eaux et mes autres ventes ont été reportées. Je serai à la maison ce soir, sans doute vers vingt-trois heures. Vee peut rentrer si elle veut. Je t'embrasse, à tout à l'heure.*

Je jetai un regard à la pendule. Il me restait un peu plus d'une heure à passer seule.

7.

Le lendemain matin, je m'extirpai péniblement du lit avant de faire un crochet par la salle de bains. Après une dose d'anticernes et d'anti-frisottis de rigueur, je traînai les pieds jusqu'à la cuisine où ma mère était déjà attablée devant une infusion, les cheveux ébouriffés façon « saut du lit » (une manière polie de dire qu'elle ressemblait à un hérisson).

— Bonjour, me lança-t-elle derrière sa tasse, avec un sourire.

Je m'installai face à elle et versai sans conviction du müesli dans un bol. J'y ajoutai les framboises que ma mère avait préparées. Je faisais mon possible pour garder une alimentation équilibrée, mais c'était tout de même plus facile quand elle était là.

— Tu as bien dormi ?

La bouche pleine, je me contentai de hocher la tête.

— Au fait, as-tu finalement emmené Scott faire un tour en ville ?

— J'ai annulé.

Mieux valait s'en tenir là. Je doutais qu'elle apprécie le récit de ma filature et de la soirée mouvementée dans un troquet de Springvale.

— Mais…, s'exclama-t-elle en reniflant. Ça sent la cigarette !

Flûte. Je regrettai aussitôt de ne pas avoir pris ma douche avant de descendre.

— J'ai allumé des bougies dans ma chambre, répondis-je.

L'odeur du Z s'était incrustée partout : dans mes vêtements, mes draps et ma peau. Elle fronça les sourcils.

— Non, c'est bien une odeur de tabac.

Elle recula sa chaise, sur le point de mener l'enquête, nez au vent. Plus la peine de mentir. Je frottai nerveusement mon œil.

— J'ai comme qui dirait... passé la soirée dans une salle de billard, hier.

— Avec Patch ?

Ma mère avait récemment décrété l'interdiction stricte de sortir avec Patch lorsqu'elle était absente.

— Il était présent, oui.

— Mais ?

— Scott m'accompagnait, pas Patch.

À son expression, je vis que c'était pire. Je m'empressai d'ajouter :

— Avant que tu piques une crise, comprends simplement que j'étais trop curieuse. Impossible d'ignorer l'attitude des Parnell : ils font tout pour dissimuler le passé de Scott. Comment se fait-il qu'à chaque fois que Lynn Parnell ouvre la bouche, Scott surveille ses moindres paroles ? Qu'a-t-il bien pu faire de si grave ?

Je m'attendais à ce qu'elle bondisse en me privant de sortie jusqu'à la fin des temps, mais elle se contenta de répondre :

— J'ai remarqué, moi aussi.

— J'ai l'impression qu'elle a peur, poursuivis-je, ravie de constater qu'elle ressentait la même chose que moi.

— Quel genre de mère craint son propre fils ? murmura-t-elle.

— Elle connaît son secret. Elle a découvert ce qu'il a fait et il le sait.

Ce secret était-il celui de sa véritable identité ? Après sa réaction de la veille, je doutais qu'il en soit réellement conscient. S'il avait conscience de sa force surhumaine, ou de ses dons de télépathie, il ignorait peut-être l'origine de ses pouvoirs. Mais alors, que pouvaient cacher Scott et sa mère, si ce n'était sa nature néphil ? Qu'avait-il pu commettre qui nécessite une telle discrétion ?

Une demi-heure plus tard, j'entrai en cours de chimie. Marcie était au téléphone, malgré un panneau accroché au mur qui indiquait « Téléphones portables strictement interdits ». En m'apercevant, elle me tourna le dos et plaça une main contre sa bouche. Comme si sa conversation pouvait m'intéresser. Je m'approchai et l'entendis susurrer d'une voix langoureuse : « Je t'aime aussi. » Fascinant.

Elle glissa son portable dans la poche avant de son sac et m'adressa un grand sourire.

— C'était mon copain. Il n'est pas au lycée.

Aussitôt, le doute m'envahit. Était-ce Patch ? La veille, il m'avait affirmé qu'il n'y avait rien entre eux. Je pouvais donner dans la jalousie maladive ou tout simplement le croire.

— Ça doit être dur d'être avec quelqu'un en échec scolaire, répondis-je d'un ton compatissant.

— Très drôle. Pour info, après le cours, j'enverrai un texto aux invités de ma soirée d'été annuelle. Tu es sur la liste, ajouta-t-elle d'un air détaché. Et ne pas venir serait le meilleur moyen de saboter ta vie sociale... si tu en as une.

— Ta soirée d'été annuelle ? Jamais entendu parler.

Elle sortit un poudrier de la poche arrière de son jean, qui en portait la marque, et se repoudra le nez.

— Parce que tu n'avais jamais été invitée.

Rembobinons. Pourquoi étais-je soudainement invitée ? Son QI avait beau être anormalement bas, elle avait forcément remarqué que nos relations étaient plutôt fraîches. Sans parler du fait que nous n'avions aucun ami – ni intérêt – communs.

— Ça alors, Marcie, c'est très gentil de ta part. Soudain, mais gentil quand même. J'essaierai d'être là.

Ou pas.

Elle se pencha subitement vers moi.

— Je t'ai aperçue, hier soir.

Mon pouls s'accéléra, mais je tâchai de garder un air détaché. Presque indifférent.

— Moi aussi.

— C'était un peu… dingue, ajouta-t-elle mollement, comme si elle attendait que je renchérisse.

— Sans doute.

— Comment ça « sans doute » ? Ce type a défoncé la table avec sa queue de billard ! Je n'avais jamais vu ça. Ces trucs ne sont pas censés être en ardoise ?

— J'étais au fond de la salle et je n'ai pas vu grand-chose, désolée.

Je ne voulais pas vraiment être désagréable, mais je n'avais aucune envie de poursuivre cette conversation. Était-ce à cause de toute cette histoire qu'elle m'invitait chez elle ? Pour m'amadouer, afin que je lui raconte ce que je savais ?

— Tu n'as rien vu ? s'exclama-t-elle d'un air soupçonneux.

— Tu as révisé pour l'interro d'aujourd'hui ? J'ai réussi à mémoriser une partie de la classification périodique, mais la dernière ligne me donne du mal.

— Patch t'avait emmenée là-bas ? Tu avais déjà assisté à ce genre de bagarres ?

Préférant l'ignorer, j'ouvris mon livre de chimie.

— Il paraît que vous avez rompu, reprit-elle, tentant une autre approche.

J'inspirai profondément, sans résultat, car je sentais mon visage s'empourprer.

— Qui a pris la décision ?

— Quelle importance ? répliquai-je.

— Tu sais quoi ? Si tu ne me dis rien, tu n'es plus invitée à ma soirée.

— Je n'avais pas l'intention de venir.

— Tu es furieuse parce que j'étais avec Patch au Z, hier soir ? demanda-t-elle en levant les yeux au ciel. Mais il ne représente rien pour moi. On s'amuse, rien de plus.

— Je n'en doute pas, vous aviez l'air de bien vous entendre, remarquai-je avec une bonne dose d'ironie.

— Ne sois pas jalouse, Nora. Patch et moi sommes seulement très, très proches. Mais si ça t'intéresse, ma mère connaît un excellent thérapeute de couple. Fais-moi signe si tu as besoin d'une lettre de recommandation. Quoique à bien y réfléchir, elle soit un peu chère pour toi. Je me suis laissé dire que le boulot de ta mère n'était pas vraiment... lucratif.

— Une petite question, Marcie, la coupai-je d'un ton glacial, même si mes mains tremblaient sur mes genoux. Que ferais-tu si tu te réveillais un matin en apprenant que ton père a été assassiné ? Tu crois que le mi-temps de ta mère dans un grand magasin suffirait à payer les factures ? Alors la prochaine fois, avant de me parler de la situation de ma famille, tâche de te mettre à ma place. Rien qu'une minute.

Elle soutint mon regard quelques secondes, mais demeura impassible. Il en fallait plus pour ébranler

121

Marcie. Elle ne pensait qu'à elle et n'avait de compassion pour personne.

Après les cours, je retrouvai Vee sur le parking. Les manches retroussées jusqu'aux épaules, elle prenait le soleil sur le capot de sa Neon.

— Il faut qu'on discute, annonça-t-elle en se redressant.

Elle baissa ses lunettes pour mieux me regarder dans les yeux.

— Patch et toi, ça sent la rupture, pas vrai ?

— Qui te l'a dit ?

— Rixon. Et autant que tu le saches : c'est vexant. Je suis ta meilleure amie et je ne devrais pas apprendre ces choses-là par l'ami d'un ami. Ou plutôt, l'ami d'un expetit ami.

Elle posa une main sur mon épaule et la serra.

— Comment tu le prends ?

Pas vraiment bien. Plus j'essayais de garder tout cela pour moi et plus il devenait difficile d'en parler. Je m'adossai à la voiture et abritai mes yeux derrière mon cahier.

— Tu sais le pire ?

— Qu'il va falloir m'entendre te répéter : « Je te l'avais bien dit » ?

— Très drôle.

— Ça n'était pas un secret : Patch attire les ennuis, avec son air de mauvais garçon qui cherche la rédemption. Le seul problème, c'est que ce genre de garçons ne veulent pas de rédemption. Ils adorent les ennuis. Ils se font un plaisir de semer la terreur dans le cœur des mères affolées.

— Merci pour cette brillante analyse.

— Pas de quoi, ma belle. Mais je n'ai pas terminé…

— Vee…

— Attends, dit-elle en agitant les bras. Je gardais le meilleur pour la fin. Je suis convaincue qu'il faut revoir tes priorités en matière de mec. Ce dont tu as besoin, c'est d'un brave type, genre boy-scout. Prenons Rixon, par exemple.

Je lui jetai un regard outré.

— Ne me fais pas ces yeux-là. Rixon est un garçon vraiment sympa.

Je la fixai sans répondre.

— D'accord, peut-être que j'exagère un peu. L'idée, c'est que tu aurais tout intérêt à trouver un type normal. Un type qui n'a pas que du noir dans son placard. C'est quoi, ce délire, d'ailleurs ? Patch se la joue agent secret ou quoi ?

— Patch et Marcie étaient ensemble, hier soir, dis-je avec un soupir.

Voilà. C'était dit.

Vee m'observa quelques instants, bouche bée.

— Quoi ?

— Je l'ai vue se jeter à son cou. Dans une salle de billard de Springvale.

— Tu les as suivis ?

Je n'avais même plus la force de m'offusquer.

— Scott m'a proposé de l'accompagner, répondis-je d'une voix blanche. Je les ai croisés là-bas.

Je regrettais de ne pouvoir lui donner les détails de cette soirée, mais comme Marcie, Vee devait ignorer certaines choses. Comment aurais-je pu lui parler du néphil en rouge qui avait démoli un billard à lui tout seul ?

Vee ne savait plus quoi dire.

— Eh bien, ça confirme ma pensée, déclara-t-elle enfin, c'est un sursaut de lucidité : plus de retour possible. Rixon a peut-être un ami… enfin, quelqu'un d'autre, se reprit-elle en se mordant les lèvres.

— Je n'ai pas besoin d'un copain. C'est un boulot qu'il me faut.

— Nous voilà reparties sur le boulot, gémit-elle. Je ne comprends pas cet engouement.

— Il me faut une voiture. Pour avoir une voiture, je dois gagner de l'argent. D'où le job.

La liste des avantages de la Volkswagen décapotable s'allongeait chaque jour : elle était petite, donc facile à garer, avec une faible consommation. Un aspect non négligeable, car après avoir déboursé mille dollars pour l'acheter, il me resterait peu d'argent pour l'essence. Et même si la métaphore de la voiture avait quelque chose de grotesque, elle commençait à devenir le symbole d'une nouvelle vie. La liberté d'aller où je voudrais, quand je voudrais. La possibilité de tout reprendre de zéro. Le moyen de me défaire de Patch et de tourner la page sur ces souvenirs.

— Ma mère est une amie de l'un des serveurs du soir, chez Enzo, et ils embauchent, suggéra Vee.

— Je n'ai pas vraiment d'expérience.

— Tu prépares du café, tu le verses dans des tasses et tu les apportes aux gentils petits clients, répondit-elle en haussant les épaules. Ça ne doit pas être bien compliqué.

Quarante-cinq minutes plus tard, nous avions décidé de remettre les devoirs à plus tard et de faire du lèche-vitrines sur le bord de mer. Sans travail et sans argent, c'était devenu notre activité favorite. Nous arrivions au bout de la promenade lorsque Vee avisa une boulangerie. Elle bavait devant les donuts.

— Ça doit faire une heure que je n'ai rien avalé, déclara-t-elle. Donuts glacés au sucre, nous voilà ! Et c'est moi qui régale.

Elle se précipita vers la porte au pas de course.

— Je croyais que tu étais en projet bikini, que ton « ossature lourde » détonnait avec Rixon, la sermonnai-je.

— Dans le genre rabat-joie, tu te poses là. Et puis un pauvre petit donut de rien du tout ne fera pas grande différence.

Jamais je ne l'avais vue se contenter d'un seul donut, mais je préférai me taire. Elle en commanda donc six pour nous deux, et nous allions nous installer à une table lorsque j'aperçus Scott, appuyé de l'autre côté de la vitre, qui souriait. Qui *me* souriait. Surprise, je sursautai. Il agita le doigt, me faisant signe de le rejoindre.

— Je reviens, soufflai-je à Vee.

— Mais c'est Scotty-le-dieu-du-lit ! s'exclama-t-elle en suivant mon regard.

— Qu'est devenu « Scotty-pipi-au-lit » ?

— Il a grandi. Qu'est-ce qu'il te veut ?

Soudain, elle parut comprendre.

— Oh non, pas question qu'il te serve de transition. Ce type sent les ennuis, tu l'as affirmé toi-même. On a dit : un gentil boy-scout.

Je passai mon sac à main sur mon épaule.

— Il n'y a pas de transition. Quoi ? ajoutai-je en voyant son air dubitatif. Je ne peux quand même pas l'ignorer…

— Bon, mais dépêche-toi, sinon tes donuts vont rejoindre la liste des espèces menacées.

Je sortis et contournai la boulangerie, avant d'apercevoir Scott nonchalamment appuyé contre le dossier d'un banc, les pouces coincés dans ses poches.

— Alors, tu as survécu, hier soir ? demanda-t-il.

— Comme tu le vois.

— Ça te change du train-train quotidien, pas vrai ? poursuivit-il avec un sourire.

Il faisait moins le malin, la veille, étalé sur le billard avec une canne en bois plantée à quelques centimètres de son oreille.

— Désolé de t'avoir laissée en plan. Mais apparemment tu as trouvé quelqu'un pour te raccompagner.

— Ne t'en fais pas, répliquai-je sans dissimuler mon agacement. J'ai retenu la leçon : ne jamais plus sortir avec toi.

— Je vais me rattraper. Tu as le temps de manger un morceau ?

Il désigna le restaurant le mieux coté de la promenade, Chez Alfeo. Mon père nous y avait emmenées trois ans auparavant et je me souvenais surtout des prix exorbitants. Rien à moins de cinq dollars, si ce n'était un verre d'eau. Un Coca, avec un peu de chance. À la perspective d'une addition salée et d'un déjeuner en compagnie de Scott (qui, moins de vingt-quatre heures plus tôt, avait tenté de soulever mon chemisier avec sa queue de billard), je préférais largement la compagnie de Vee.

— Navrée, mais je suis avec une amie. Comment s'est finie la bagarre au Z ?

— J'ai récupéré mon argent.

Quelque chose dans sa voix me fit comprendre que cela n'avait pas été sans mal.

— Tu veux dire « notre argent ».

— J'ai laissé ta part chez moi. Je te l'amènerai ce soir.

Ben voyons ! Il avait sans doute déjà tout perdu au jeu, et peut-être davantage.

— Et le type en rouge ?

— Il a filé.

— Quelque chose ne t'a pas paru bizarre, chez lui ? Il semblait presque… surhumain, non ?

Il ne mordit pas à l'hameçon.

— C'est vrai, répondit-il distraitement. Ma mère me harcèle pour que je sorte et que je me fasse de nouveaux amis. Navré, Grey, mais tu n'en feras probablement pas partie. Tôt ou tard nos chemins se sépareront. Allez, ne pleure pas. Souviens-toi de tous les bons moments que nous avons partagés, ça te consolera.

— Tu m'as fait venir ici pour mettre un terme à notre « amitié » ? J'en ai, de la chance.

— Je pensais que ça passerait mieux avec ton copain, dit-il en riant. Il a un nom ? Je commence à douter de son existence. Je ne vous ai jamais vus ensemble.

— On a rompu.

— C'est bien ce que j'avais cru comprendre, répondit-il avec un sourire sardonique, mais j'attendais que tu confirmes.

— On t'a parlé de Patch et de moi ?

— Une espèce de bombe, Marcie, m'en a touché deux mots. Je l'ai rencontrée à la station-service et elle n'a pas perdu de temps pour se présenter. Oh, elle t'a aussi traitée de grosse nulle.

— Marcie t'a parlé de Patch et de moi ? répétai-je, figée.

— Tu veux un conseil ? Un conseil valable, de mec à fille ? Laisse tomber ce Patch. Passe à autre chose. Trouve-toi un type qui partage tes goûts. Les études, les échecs, les collections d'insectes rares... Et envisage sérieusement de te teindre les cheveux.

— Pardon ?

Scott toussota, cherchant à dissimuler un sourire.

— Soyons honnêtes. Être rousse est un handicap.

— Je ne suis pas rousse, répliquai-je en plissant les yeux.

Son sourire s'élargit.

— Ça pourrait être pire. Ça pourrait être carotte.

— Tu es toujours aussi désagréable ? Ça explique-rait la pénurie d'amis.

— Juste un peu trop franc.

Je relevai mes lunettes de soleil pour mieux le regarder.

— Pour info, je n'aime ni les échecs ni les insectes.

— Mais tu passes ta vie dans les bouquins. Ça se voit. Tu transpires le sérieux. En deux mots : maniaque obsessionnelle. Un cas classique.

— D'accord, Dr Freud, répondis-je, sidérée. Je prends peut-être mes études au sérieux. Mais je ne suis pas quelqu'un de barbant.

Du moins, je l'espérais.

— À l'évidence, conclus-je, tu ne me connais pas.

— C'est ça.

— Parfait, répliquai-je. Donne-moi une chose qui te plaît et qui, selon toi, ne me conviendrait pas. Arrête de rire, je suis sérieuse. Une seule chose.

— Battle of bands ? Ça te dit quelque chose ? Des groupes de rock qui s'affrontent sur scène. Du gros son bourrin. Une foule survoltée. Des toilettes qui se transforment en bordel. L'adrénaline du Z multipliée par dix.

— Euh, non, bredouillai-je.

— Je passe te prendre dimanche soir. Et n'oublie pas ta fausse carte d'identité, c'est interdit aux mineurs.

Il m'observa, les sourcils levés et l'air moqueur.

— Pas de problème, répondis-je pour donner le change.

Techniquement, je m'étais juré de ne jamais ressor-tir avec lui, mais il n'était pas question de me laisser traiter de fille rasoir. Et encore moins de rousse.

— On s'habille comment ?

— Le moins possible.

Je manquai de m'étouffer.

— Je ne savais pas que tu aimais ce genre de musique.

— À Portland, je jouais de la basse dans un groupe appelé Geezer. J'aimerais bien retrouver des musiciens dans le coin. J'avais prévu de prospecter dimanche soir.

— Sympa. Compte sur moi.

Il serait toujours temps de me débiner plus tard. Un petit SMS, et l'affaire serait réglée. Pour l'instant, la seule chose qui m'importait, c'était de me défendre.

Je quittai Scott et regagnai la boulangerie, où Vee avait déjà englouti sa part.

— Je t'avais prévenue, me lança-t-elle en suivant mon regard. Qu'est-ce que Scotty te voulait ?

— M'inviter au Battle of bands.

— Croustillant.

— Pour la dernière fois, je ne compte pas me consoler avec lui !

— Si tu le dis.

— Nora Grey ?

Vee leva la tête en même temps que moi vers l'une des vendeuses qui s'approchait. Son uniforme se composait d'un pull couleur lavande avec un badge assorti où était inscrit son nom : Madeline.

— Excusez-moi, vous êtes Nora Grey ? répéta-t-elle.

— Euh, oui, répondis-je, déconcertée.

Elle serrait contre elle une enveloppe jaune qu'elle me tendit.

— C'est pour vous.

— Qu'est-ce que c'est ? repris-je en l'acceptant.

— Quelqu'un est entré et m'a demandé de vous la remettre.

— Qui ? s'enquit Vee en lançant un regard par-dessus son épaule.

— Il est déjà parti. Il a dit que c'était très important. J'ai pensé qu'il s'agissait de votre petit ami. Un jour, un garçon a fait livrer des fleurs ici, pour sa fiancée, assise à la table là-bas, expliqua-t-elle avec un sourire, en désignant le fond de la salle. Je me le rappelle encore.

J'ouvris l'enveloppe et jetai un œil à l'intérieur, où je découvris un morceau de papier et une bague gros-sière.

Je levai les yeux vers la vendeuse à la joue tachée de farine.

— Vous êtes certaine que c'est pour moi ?

— Le type vous a montré du doigt en disant « Don-nez cela à Nora Grey ». Vous êtes bien Nora Grey ?

Je plongeai la main dans l'enveloppe, mais Vee m'arrêta d'un geste.

— Merci, dit-elle à Madeline, vous voulez bien nous excuser ?

Elle s'éloignait et je me tournai vers Vee.

— Qui a pu m'adresser ça ?

— Je n'en sais rien, mais tout ça me donne la chair de poule.

À bien y réfléchir, la mise en scène était curieuse.

— Tu penses que c'est Scott ?

— Aucune idée. Qu'y a-t-il à l'intérieur ? demanda-t-elle en approchant sa chaise.

Je sortis l'anneau, que nous examinâmes en silence. Rien qu'en le regardant, je vis qu'il serait trop grand, même pour mon pouce – il appartenait sans doute à un homme. Le chaton de cette bague de métal était décoré d'un poing levé. Il semblait noirci, comme si on l'avait enflammé à plusieurs reprises.

— Qu'est-ce que…, souffla Vee.

Elle s'interrompit lorsque je tirai la feuille de papier. Je lus l'inscription, tracée au marqueur noir :

CET ANNEAU APPARTIENT À LA MAIN NOIRE, L'HOMME QUI A TUÉ TON PÈRE.

8.

Vee fut la première à bondir. Sur ses talons, je quittai la boulangerie au pas de course. Abritant nos yeux du soleil, nous observâmes de long en large la promenade avant de descendre sur la plage pour scruter les alentours. Je ne reconnus personne.

Je me tournai vers Vee, le cœur battant.

— D'après toi, c'est une mauvaise blague ?

— Ça ne me fait pas rire.

— Scott ?

— Peut-être. Après tout, il se trouvait dans le coin.

Personne n'était assez stupide pour monter un coup pareil, sauf...

— Marcie ?

Vee me dévisagea.

— Possible.

Pouvait-elle vraiment faire preuve d'une telle cruauté ? En prendrait-elle seulement la peine ? Sa spécialité, c'était plutôt les remarques blessantes lancées sur l'instant. Mais le message, la bague et la mise en scène, tout cela demandait une certaine préparation. J'imaginais mal Marcie passer plus de cinq minutes à échafauder un plan.

— On va bien savoir, reprit Vee.

Elle regagna la boulangerie et se dirigea droit vers Madeline.

— Quelques questions. Ce type, comment était-il ? Petit ? Grand ? Brun ? Blond ?

— Il avait… une casquette et des lunettes, balbutia la vendeuse en jetant des regards à ses collègues intriguées. Pourquoi ? Que contenait cette enveloppe ?

— Il va falloir faire mieux que ça, grommela Vee. Qu'est-ce qu'il portait exactement ? Y avait-il une inscription sur sa casquette ? Il avait une barbe ?

— Je… je ne m'en souviens pas, bredouilla Madeline. La casquette était noire. Ou marron, peut-être. Je crois qu'il portait un jean.

— Comment ça, vous croyez ?

— Allez, intervins-je en tirant Vee par le bras. Elle ne se rappelle plus. Merci de votre aide, dis-je à la serveuse.

—Tu appelles ça de l'aide ! s'emporta Vee. Elle ne sert à rien ! Elle ne peut pas accepter des paquets d'inconnus sans même savoir à quoi ils ressemblent.

— Elle a cru que c'était mon petit ami, arguai-je.

Madeline opina furieusement du chef.

— C'est vrai ! Je suis vraiment navrée. J'ai pensé qu'il s'agissait d'un cadeau. L'enveloppe contenait quelque chose de dangereux ? Voulez-vous que je prévienne la police ?

— Ce qu'on veut, c'est une description du psychopathe qui vous l'a donnée, répliqua Vee.

— Un jean noir, bafouilla-t-elle. Il me semble qu'il portait un jean noir. J'en suis même presque certaine.

— Presque certaine ?

J'entraînai Vee à l'extérieur. Une fois calmée, elle se tourna vers moi.

— Je suis désolée, ma belle. J'aurais dû vérifier moi-même le contenu de cette enveloppe. Les gens sont stupides. Et la personne qui t'a fait remettre cette enveloppe est plus stupide encore. J'aimerais pouvoir la découper en rondelles, façon ninja.

Elle cherchait à détendre l'atmosphère, mais j'étais passée à autre chose. Je ne songeais déjà plus à tout cela. Je la pris à part, dans une petite impasse entre deux boutiques.

— Il faut que je te dise quelque chose. Hier, il m'a semblé apercevoir mon père. Ici même, près des quais.

Vee me regarda sans répondre.

— C'était lui, Vee. C'était lui !

— Écoute, ma belle…, souffla-t-elle, sceptique.

— Je crois qu'il est toujours en vie.

Je n'avais pas vu le corps de mon père à l'enterrement. Peut-être y avait-il eu une erreur, un malentendu. On aurait pu identifier quelqu'un d'autre. S'il se trouvait quelque part… amnésique ? Cela expliquerait qu'il ne soit jamais rentré. Et si quelque chose l'en empêchait ? Ou quelqu'un ?

— Écoute, je ne sais pas comment te dire ça, reprit Vee en évitant soigneusement mon regard, mais il ne reviendra pas, Nora.

— Comment se fait-il que je l'aie vu ?

J'étais vexée : même ma meilleure amie ne me croyait pas. Je chassai aussitôt les larmes qui troublaient ma vue.

— C'était quelqu'un d'autre. Quelqu'un qui lui ressemblait…

— Tu n'étais pas là. Je te dis que je l'ai vu !

Je n'avais pas voulu crier. Mais après tout ce que j'avais vécu, je ne pouvais plus accepter de simples faits. Deux mois plus tôt, je m'étais jetée du haut d'une poutre, dans le gymnase du lycée. J'aurais dû mourir. Impossible de nier ce qui s'était produit cette nuit-là. Et pourtant… Pourtant, j'étais encore en vie.

Il existait donc une possibilité que mon père le soit, lui aussi. Et la veille, je l'avais reconnu. J'en étais persuadée. Essayait-il de communiquer avec moi… de me faire parvenir un message ? Il cherchait à me faire savoir qu'il était toujours là, et ne voulait pas que je l'abandonne.

— Ne fais pas ça, Nora, murmura Vee en secouant la tête.

— Je ne renoncerai pas. Pas avant de connaître la vérité. Je dois découvrir ce qu'il s'est vraiment passé ce soir-là.

— Non, répondit-elle fermement. Tu vas laisser ton père reposer en paix. Remuer tout cela ne changera rien au passé ! Tu ne ferais que le revivre !

Laisser mon père reposer en paix ? Et moi, alors ? Comment pourrais-je trouver la paix tant que le doute subsisterait ? Vee ne pouvait pas comprendre. On ne lui avait pas brutalement et inexplicablement arraché son père. Sa famille n'avait pas été brisée. Vee avait encore tout.

La seule chose qu'il me restait, à moi, c'était l'espoir.

Je passai mon dimanche après-midi chez Enzo, en compagnie de la classification périodique des éléments, à me concentrer sur mes devoirs pour mieux oublier mon père, sa mort mystérieuse et la fameuse missive accusant cette « Main noire » de l'avoir assassiné. Il ne pouvait s'agir que d'un canular. L'enveloppe, la bague, le message… tout cela sentait la plaisanterie de mauvais goût. Peut-être l'idée de Scott, ou celle de Marcie. Mais au fond, aucun d'eux n'était le suspect idéal. Scott m'avait semblé sincère en me présentant ses condoléances. Quant à Marcie, elle se contentait généralement de remarques mesquines.

J'étais installée à un poste disposant d'une connexion Internet, aussi effectuai-je une rapide recherche sur la Main noire. Je voulais me prouver que ce message était sans fondement. Le plaisantin avait déniché une vieille bague, cherché un nom accrocheur tel que la « Main noire », puis m'avait suivie sur la promenade avant de demander à la vendeuse de me remettre le tout. À bien y réfléchir, que Madeline se rappelle ou non l'inconnu n'avait aucune importance, car il n'était probablement pas l'instigateur de cette farce. Le véritable responsable avait sans doute accosté un passant sur la promenade en lui proposant quelques dollars pour apporter l'enveloppe à la boulangerie. C'est en tout cas ce que j'aurais fait, en imaginant que je sois un pervers animé d'un besoin malsain de torturer les autres.

La Main noire généra plusieurs résultats. Le premier parlait d'une organisation politique accusée d'avoir fait assassiner l'archiduc François-Ferdinand en 1914, précipitant le monde dans la Première Guerre mondiale. Le second renvoyait au site d'un groupe de rock. La Main noire était aussi le nom d'un clan de vampires dans un jeu de rôles. Enfin, j'appris qu'au début du XXe siècle, un gang italien surnommé la Main noire avait régné sur New York. Aucun rapport avec le Maine, ou avec une bague portant le symbole d'un poing levé.

Voilà, me dis-je. Un canular.

Réalisant que j'avais mis le doigt sur ce que j'essayais à tout prix d'éviter, je fixai les cours étalés devant moi. Je devais mémoriser ces formules de chimie et calculer les masses atomiques. Mon premier TP approchait à grands pas, et avec Marcie comme binôme, je partais avec un handicap que seules plusieurs heures de révision pourraient pallier. J'effectuai quelques opérations sur ma calculatrice et recopiai soigneusement les résultats sur mon cahier en les répétant dans ma tête pour bloquer toute autre pensée me ramenant à la Main noire.

Vers dix-sept heures, j'appelai ma mère, de retour dans le New Hampshire.

— Je venais aux nouvelles, lui dis-je. Comment va le boulot ?

— Rien de neuf. Et toi ?

— Je suis chez Enzo et j'essaye de réviser, mais le smoothie à la mangue me fait de l'œil.

— Arrête, tu me donnes faim.

— Assez faim pour te persuader de rentrer ?

Elle poussa un soupir résigné.

— J'aimerais bien. C'est promis : je préparerai un brunch dimanche, avec des gaufres et des smoothies.

À dix-huit heures, Vee me proposa de la rejoindre au gymnase pour un peu d'exercice. Elle me déposa devant chez moi vers dix-neuf heures trente. Après une douche, j'ouvris le réfrigérateur à la recherche des restes de nouilles sautées de la veille, lorsque quelqu'un toqua lourdement à la porte.

Par le judas, j'aperçus Scott qui m'offrait le signe de la paix.

— Battle of bands ! m'écriai-je en me frappant le front.

J'avais complètement oublié de décommander. Je baissai les yeux vers mon pyjama et poussai un soupir exaspéré. J'ébouriffai vainement mes cheveux mouillés et tirai le verrou. Scott m'observa de haut en bas.

— Tu avais oublié.

— Attends, tu plaisantes ? Je n'ai pensé qu'à ça toute la journée ! Je suis juste un peu en retard...

Je désignai l'escalier d'un mouvement d'épaule.

— Je file m'habiller. Pendant ce temps, fais-toi chauffer des nouilles. C'est dans une boîte en plastique bleue, dans le frigo.

Grimpant quatre à quatre les marches, je fermai la porte de ma chambre et composai le numéro de Vee.

— Il faut que tu rappliques immédiatement, soufflai-je. Je suis censée accompagner Scott au Battle of bands.

— Nora Grey, est-ce que tu cherches à m'énerver ?

Je collai mon oreille contre la porte. J'entendis Scott ouvrir et refermer les placards de la cuisine. Je savais qu'il n'y trouverait ni alcools, ni psychotropes, à moins qu'il n'espère s'éclater avec mes comprimés de fer.

— Écoute, je n'ai aucune envie de me retrouver seule là-bas.

— Eh bien, dis-lui que tu as changé d'avis !

— En fait, j'ai… vraiment envie d'y aller.

J'ignorais d'où me venait cette soudaine lubie. Mais je refusais de passer la soirée seule. Après un après-midi de révisions et une heure et demie de sport, pas question de terminer mon week-end à ranger ma chambre. J'avais été d'une sagesse exemplaire toute la journée. Non, toute ma vie ! J'estimais avoir le droit de m'amuser un peu. Scott n'était peut-être pas le garçon idéal, mais il n'était certainement pas le pire.

— Alors, tu m'accompagnes, oui ou non ?

— J'avoue, comparé à mes verbes irréguliers espagnols, c'est tentant. J'appelle Rixon.

Je raccrochai et passai en revue le contenu de ma penderie. J'optai pour une blouse en soie, une mini-jupe, des collants opaques et des ballerines. Je vaporisai un peu d'eau de toilette au milieu de la pièce et traversai le nuage pour une fragrance plus légère. Pourquoi me donnais-je autant de mal pour Scott ? Il ne faisait rien de sa vie, nous n'avions rien en commun et nos brefs échanges tournaient souvent à la dispute. En outre, Patch m'avait mise en garde à son sujet. Et c'était précisément le problème. Ce qui me poussait vers lui était probablement un mélange de défi et de rancœur. Une fois de plus, je ramenais tout à Patch.

J'avais donc deux options : rester chez moi et laisser Patch me dicter ma conduite ou oublier mes habitudes de petite fille modèle et m'amuser un peu. Je ne l'aurais jamais avoué, mais j'espérais bien que cette soirée en compagnie de Scott reviendrait aux oreilles de Patch. Je voulais qu'il m'imagine dans les bras de quelqu'un d'autre et que ça le rende fou.

Ma décision prise, je séchai rapidement mes cheveux pour tenter de discipliner mes boucles et rejoignis la cuisine d'un pas nonchalant.

— Je suis prête.

Scott me détailla une nouvelle fois, mais son regard se fit plus insistant.

— Pas mal, Grey, dit-il.

— Pareil pour toi, répondis-je d'un air faussement détaché.

J'étais nerveuse. C'était ridicule : avec Scott, il n'y avait aucun enjeu. Nous étions de simples amis, rien de plus. Ou plutôt : de simples connaissances.

— Au fait : c'est dix dollars l'entrée.

Ma surprise me trahit.

— Ah, euh, oui. Je le savais. Est-ce qu'on peut s'arrêter à un distributeur automatique en chemin ?

Il me restait une cinquantaine de dollars sur un compte épargne, reçus pour mon anniversaire. J'en avais besoin pour acheter le cabriolet, mais dix dollars de plus ou de moins ne changeraient pas grand-chose au problème. À ce train-là, je ne l'aurais pas avant mes vingt-cinq ans…

Scott posa un permis de conduire sur le comptoir de la cuisine, où je reconnus la photo de ma carte du lycée.

— Prête, Marlene ? me lança Scott.

Marlene ?

— Je ne plaisantais pas pour les faux papiers. Tu n'as quand même pas l'intention de te débiner ?

Il sourit, comme s'il s'attendait justement à ce que je me défile. Il savait que l'idée de me servir d'un faux permis me terrifiait et s'imaginait qu'il ne me faudrait pas cinq secondes pour renoncer... Quatre, trois, deux...

Je fis glisser le permis entre mes doigts.

— Prête.

Scott rejoignit le centre de Coldwater et se dirigea vers l'autre bout de la ville en empruntant quelques routes désertes avant de traverser la voie ferrée. Il immobilisa la Mustang face à un bâtiment sur quatre niveaux, dont le lierre recouvrait une partie de la façade. Une queue s'était formée devant l'entrée et, de loin, je distinguai les fenêtres masquées de l'intérieur avec du papier sombre. Le flash d'un stroboscope crépitait au travers des interstices. L'enseigne au-dessus des portes clignotait en lettres de néon bleu : LE SAC DU DIABLE.

Je n'étais venue qu'une fois dans ce quartier. Vee et moi étions encore à l'école primaire, lorsque mes parents nous avaient conduites à une soirée d'Halloween organisée dans un hangar désaffecté décoré pour l'occasion. Je n'avais jamais fréquenté le Sac du diable, mais je compris immédiatement que ma mère aurait poussé des hurlements en me sachant là-bas. Je songeai à la description de Scott : du gros son bourrin.

Un public survolté. Des toilettes qui se transforment en bordel…

Pour une première, je frappais fort.

— Je te laisse descendre ici, annonça Scott en me déposant devant le trottoir. Trouve-nous une bonne place. De préférence au pied de la scène.

Je claquai la portière et m'approchai de la file. J'ignorais que l'accès à ce genre d'endroits pouvait être payant. Mais mon expérience des clubs était limitée, pour ne pas dire inexistante. Mes sorties avec Vee se résumaient à une séance de ciné suivie d'une glace.

Sur mon portable, la sonnerie de Vee retentit.

— J'entends de la musique, mais je ne vois que des rails et des wagons de marchandises.

— Le club n'est qu'à quelques pâtés de maisons, répondis-je. Tu es en voiture ou à pied ?

— En voiture.

— Je te rejoins.

Je quittai la file qui s'allongeait à vue d'œil et bifurquai à l'angle, en direction de la voie ferrée que Scott avait traversée quelques minutes auparavant. L'endroit n'était clairement plus entretenu. En témoignaient le macadam fendu ou déformé et la rareté des lampadaires. J'avançais avec précaution, de peur de trébucher. De chaque côté de la route se dressaient des hangars déserts, dont les fenêtres sombres étaient pareilles à des yeux. Après quelques mètres, ils laissaient place à des maisons en brique abandonnées, constellées de graffitis. Cent ans plus tôt, ce quartier avait dû être le centre névralgique de Coldwater, mais les choses avaient bien changé. Sous le clair de lune, ce cimetière de bâtiments prenait des allures fantomatiques.

Je ramenai mes bras contre ma poitrine et pressai le pas. Un peu plus loin, sur le trottoir opposé, une forme émergea de la brume.

— Vee ? appelai-je.

Tête baissée, les mains dans les poches, la silhouette s'avançait vers moi.

Ça n'était pas Vee, mais un homme. Il était grand, large d'épaules, et sa démarche me parut vaguement familière. Soudain inquiète de me trouver seule avec un inconnu dans un endroit pareil, je saisis mon portable. J'allais rappeler Vee lorsque l'homme passa sous le halo du lampadaire. Il portait le blouson d'aviateur de mon père.

Je m'arrêtai net.

Sans même un regard dans ma direction, il grimpa quelques marches sur sa droite et entra dans l'un des pavillons délabrés. Un frisson me parcourut la nuque.

— Papa ?

Par réflexe, je me mis à courir. Je traversai la route sans même regarder. Aucune voiture ne circulait dans ce lieu désert. Devant la maison où il s'était introduit, je poussai la grande porte à double battant. Fermée. Je tournai la poignée et cognai violemment sur le bois, mais elle refusa de céder. Je posai ma main contre l'une des fenêtres et jetai un coup d'œil à l'intérieur. La pièce était plongée dans le noir, mais je distinguais les formes des meubles recouverts de draps. Mon cœur battait à tout rompre. Mon père pouvait-il vraiment être en vie ? Avait-il vécu ici depuis tout ce temps ?

— Papa ! criai-je derrière la vitre. C'est moi, Nora !

Je vis ses jambes disparaître en haut des escaliers.

— Papa ! hurlai-je en frappant au carreau. Je suis là !

Je reculai, les yeux rivés sur la fenêtre du premier étage, guettant son ombre.

Passe par-derrière.

Cette curieuse pensée émergea dans ma tête et je m'exécutai aussitôt. Je dévalai les marches du perron et me faufilai dans l'allée qui séparait la maison du pavillon voisin. Bien sûr ! Si la porte de derrière était ouverte, je pourrais le rejoindre…

Pourtant, un frisson me cloua sur place. Je me tenais au bout du passage, fixant l'arrière-cour. Les buissons s'agitèrent dans la brise. Le portillon grinça sur ses gonds. Très lentement, je rebroussai chemin. Ne pas se fier à cette impression de calme… Ne pas se fier à la sensation rassurante de ne pas être seule. Car ces sentiments ne m'étaient pas inconnus : ils précédaient toujours le danger.

Nora, nous ne sommes pas seuls. Va-t'en.

— Papa ? soufflai-je, désorientée.

Cours rejoindre Vee. Tu ne dois pas rester là ! Je te retrouverai. Dépêche-toi !

Mais je n'écoutai pas ses avertissements : pas question de partir. Pas avant de savoir de quoi il retournait. Pas avant de l'avoir vu. Comment pouvait-il me demander de le quitter alors qu'il était si proche ! Le soulagement et l'excitation m'envahirent, éclipsant toutes mes peurs.

— Papa ? Où es-tu ?

Aucune réponse.

— Papa ? répétai-je. Je ne partirai pas.

Cette fois, je perçus quelque chose.

La porte de derrière est ouverte.

J'effleurai ma tempe lorsque l'écho de ses mots résonna dans ma tête. Sa voix paraissait légèrement, presque imperceptiblement différente. Plus froide, peut-être. Plus tranchante ?

Dans la maison.

L'intonation devint plus distincte, plus sonore. Je ne l'entendais plus seulement dans mon esprit. Je me tournai vers la façade, certaine que je l'apercevrais à la fenêtre. Je m'écartai du cheminement pavé et appuyai une main hésitante contre la vitre. De toutes mes forces, je souhaitais que ce soit bel et bien lui, mais les frissons qui ne me quittaient pas semblaient m'avertir qu'il aurait pu s'agir d'une ruse. D'un piège.

— Papa, gémis-je une nouvelle fois. J'ai peur.

De l'autre côté du verre, une main se posa contre la mienne. Cinq doigts s'alignèrent sur les miens. À son annulaire gauche, je reconnus l'alliance de mon père. Mon cœur cognait si sourdement dans ma poitrine que je crus m'évanouir. C'était lui. Mon père. À peine quelques centimètres nous séparaient.

Entre, Nora. Je ne te ferai aucun mal.

Le ton pressant m'effraya. À tâtons, je cherchai frénétiquement l'espagnolette, ne songeant qu'à me précipiter dans ses bras et à l'empêcher de disparaître une fois de plus. Les larmes ruisselaient sur mes joues. J'aurais pu atteindre la porte, mais je ne pouvais me résoudre à le quitter des yeux, même pour quelques instants. Je ne pouvais pas risquer de le perdre à nouveau. Je pressai ma paume contre la vitre, plus violemment.

— Papa, je suis là, juste devant toi.

Cette fois, le givre envahit le carreau. La glace lézarda le verre, avec un craquement sec. Je fis un mouvement brusque pour échapper au froid qui se propageait jusque dans mon bras, mais ma peau resta collée à la vitre. Gelée. Je poussai un hurlement et tentai de me dégager. La main de mon père sembla traverser le verre et agrippa mon poignet pour m'empêcher de fuir. Il m'attira brusquement vers lui, je sentis les briques contre mes vêtements, et vis, incrédule, mon bras disparaître au travers de la fenêtre. J'aperçus le reflet de mon expression terrifiée, ma bouche déformée par un cri. Une seule pensée accaparait mon esprit : ça ne pouvait pas être lui.

— Au secours ! hurlai-je. Vee ! Tu m'entends ? Au secours !

Je me débattis violemment et tirai de tout mon poids pour me libérer. Mais une douleur fulgurante s'empara de mon bras qu'il maintenait prisonnier. L'image d'un couteau s'imprima dans ma tête avec une telle violence que j'eus l'impression que mon crâne éclatait. Un feu ravageur dévorait ma peau… il m'ouvrait bel et bien en deux.

— Arrête ! Tu me fais mal !

Je sentis sa présence s'insinuer en moi, sa propre vision supplanter la mienne… Du sang, partout. Noir et visqueux. Le mien. Un goût de bile remonta dans ma gorge. Un dernier cri de terreur et de désespoir m'échappa.

— Patch !

La main disparut instantanément et je retombai sur le sol. Instinctivement, je pressai mon bras contre ma blouse pour stopper l'hémorragie, mais à ma grande stupeur, je ne distinguai aucune trace de sang. Aucune blessure.

Je hoquetai et levai les yeux vers la fenêtre. Parfaitement intacte, elle reflétait l'image de l'arbre derrière moi, qui tanguait lentement dans la nuit. Je me relevai et courus en direction du Sac du diable, jetant des regards éperdus autour de moi. Je m'attendais à voir mon père – ou son double – surgir de l'un des pavillons, un couteau à la main, mais le trottoir demeura désert. Je traversai la rue, droit devant moi, et aperçus une silhouette une fraction de seconde avant de la heurter.

— Te voilà ! s'exclama Vee en me rattrapant, alors que j'étouffais un cri. Nous avons dû nous croiser. J'ai trouvé la boîte, mais j'ai fait demi-tour pour te rejoindre. Ça va ? Tu es très pâle…

Je ne voulais plus rester là. Ce qui s'était produit dans cette maison abandonnée me rappelait le soir où j'avais cru percuter Chauncey avec la Neon de Vee : quelques instants après la collision, la voiture ne portait plus aucune trace de choc. Mais cette fois, c'était de mon père qu'il s'agissait. Mes paupières me brûlaient et ma mâchoire tremblait.

— J'ai... encore cru voir mon père.

— Oh, ma belle..., souffla Vee en me serrant dans ses bras.

— Je sais. Ça n'était pas vrai. Ça n'était pas vrai, répétai-je pour me rassurer.

Je clignai des yeux, embués par les larmes. Tout cela avait paru tellement réel... Terriblement réel...

— Est-ce que tu veux en parler ?

Qu'y avait-il à dire ? J'étais hantée. Quelqu'un s'emparait de mes pensées. Se jouait de moi. Un déchu ? Un néphil ? Le fantôme de mon père ? Ou était-ce ma propre raison qui m'abandonnait ? J'avais pourtant déjà cru le revoir. J'avais imaginé qu'il tentait de communiquer avec moi, mais peut-être était-ce un mécanisme de défense. Ces visions correspondaient à ce que je refusais d'accepter. Elles comblaient un manque, parce qu'il devenait trop difficile de renoncer.

Ce qui s'était produit dans cette maison ne pouvait pas être vrai. Ça ne pouvait pas être mon père, jamais il ne m'aurait fait de mal.

— Retournons au club, dis-je d'une voix brisée.

Je voulais quitter cet horrible endroit le plus vite possible. Une fois encore, je tâchai de me convaincre : tout cela n'avait rien de réel.

L'écho nasillard des guitares et de la batterie résonnait au loin, et je reconnus la musique d'ambiance qui précédait le concert. Les battements de mon cœur semblaient reprendre un rythme normal, et l'idée de me fondre dans une masse d'inconnus pressés les uns contre les autres avait quelque chose de rassurant. Malgré le choc, je ne voulais pas rentrer chez moi, ni me retrouver seule : je voulais disparaître au milieu de la foule. Après tout, le nombre faisait la force.

Vee agrippa mon poignet et m'arrêta.

— Ça ne serait pas tu-sais-qui ?

Un peu plus loin, Marcie Millar montait dans une voiture. Elle était moulée dans un morceau de tissu noir qu'on aurait pu croire cousu sur elle, et tellement court que son porte-jarretelles en dentelle noire dépassait. Elle l'avait assorti à des cuissardes noires et un borsalino. Mais plus que son accoutrement, c'est le véhicule dans lequel elle s'engouffra qui retint mon attention. Un 4 × 4 d'un noir étincelant.

Le moteur rugit et la voiture disparut au coin de la rue.

9.

— Nom d'une vache anorexique, souffla Vee. J'ai rêvé ou Marcie est montée dans la voiture de Patch ?

Incapable de répondre, j'avais l'impression qu'une poignée de clous obstruait ma gorge.

— C'est moi ou bien son string rouge dépassait de sa robe ?

— Je n'appelle pas ça une robe, dis-je en prenant appui contre un mur.

— J'essayais d'être optimiste, mais tu as raison. Ça n'était pas une robe. C'était un débardeur, qui tombait sur ses hanches de brindilles. Si elle n'a pas pu nous montrer ses fesses, c'est uniquement à cause de la gravité.

— Je crois que je vais vomir, gémis-je en sentant les clous descendre dans mon estomac.

Vee me fit asseoir sur le trottoir.

— Respire un grand coup.

— Ils sont ensemble, soufflai-je.

L'idée paraissait trop effrayante pour être vraie.

— Marcie couche. C'est l'unique raison. C'est une fouine, une truie.

— Il disait qu'il n'y avait rien entre eux.

— Patch doit bien avoir une ou deux qualités, mais la sincérité n'en fait pas partie.

J'observai la rue où le 4 × 4 avait disparu, soudain prise d'un besoin viscéral de les poursuivre et de faire une chose que j'espérais regretter. Comme d'étrangler Marcie avec son string rouge.

— Tu n'y es pour rien, reprit doucement Vee. Ce sale type s'est servi de toi.

— Je dois rentrer chez moi, murmurai-je.

Au même instant, j'aperçus une voiture de police qui s'arrêtait devant le club. Un homme grand, mince, vêtu d'un pantalon noir et d'une chemise blanche en sortit. Je le reconnus presque aussitôt. L'inspecteur Basso. J'avais eu affaire à lui quelques mois auparavant et je ne souhaitais pas vraiment le recroiser. D'autant qu'il ne m'avait clairement pas à la bonne.

Il se fraya un chemin jusqu'à l'entrée, montra son badge au videur et franchit la porte sans même ralentir.

— Hé ! s'exclama Vee. C'était un flic, ça ?

— Oui, mais trop vieux pour toi, donc oublie. Je voudrais rentrer, Vee. Où t'es-tu garée ?

— Il n'a pas l'air d'avoir plus de trente ans. Depuis quand c'est trop vieux, trente ans ?

— C'est l'inspecteur Basso. Il m'a interrogée après l'incident avec Jules, au lycée.

Je préférais m'en tenir au terme « incident », même si « tentative de meurtre » semblait plus approprié.

— Basso ? Ça me plaît. Un nom court et sexy. Comme le mien. Mmmmh… tu as eu le droit à une fouille au corps ?

Je lui jetai un regard outré, mais son regard était rivé sur l'entrée du club.

— Non, il s'en est tenu aux questions.

— Je ne verrais pas d'objection à ce qu'il me passe les menottes. Mais ne le répète pas à Rixon.

— Allons-nous-en. Si la police arrive, c'est que les ennuis ne sont pas loin.

— Ennuis, c'est mon deuxième prénom, répliqua Vee en me prenant par le bras pour m'entraîner vers le bâtiment.

— Vee…

— Il doit y avoir plus de deux cents personnes à l'intérieur et il fait noir. Tu crois vraiment qu'il te reconnaîtrait, même s'il se souvenait de toi ? Il a sûrement oublié. D'ailleurs, pourquoi t'arrêterait-il ? Tu ne fais rien d'illégal. Enfin, en dehors de cette histoire de faux papiers, mais tout le monde en a. Et s'il voulait faire un coup de filet dans la salle, il serait sans doute venu avec des renforts. Seul, il ne fait pas vraiment le poids.

— Comment tu sais que j'ai de faux papiers ?

— Tu es là, non ? répliqua-t-elle, comme si je la prenais pour une imbécile.

— Et comment comptes-tu entrer ?

— Comme toi.

Je n'en revenais pas.

— Tu as une fausse carte d'identité ? Depuis quand ?

— Rixon a des talents cachés, répondit-elle avec un clin d'œil. Allez, s'il te plaît… Tu ne voudrais quand même pas que j'aie fait le mur pour rien ? Et puis, j'ai déjà prévenu Rixon. Il arrive.

Je poussai un soupir. Vee n'était pas responsable. Après tout, j'avais insisté pour venir.

— Cinq minutes, alors. Pas plus.

Les portes s'ouvrirent et, en dépit de mes réticences, je payai mon entrée et suivis Vee dans l'atmosphère sombre, poisseuse et assourdissante de la salle.

Les ténèbres et le bruit me devenaient curieusement agréables. Le rock fracassant m'empêchait de penser, et donc de me poser trop de questions concernant Patch et Marcie.

Au fond, j'aperçus le bar, entièrement peint en noir, éclairé par des suspensions basses. Vee et moi nous installâmes sur les deux derniers tabourets encore libres.

— Cartes d'identité, demanda le barman.

— Juste un Coca light, s'il vous plaît, répondit Vee en secouant la tête.

— Je prendrai un Cherry Coke.

Vee me donna un coup de coude et se pencha vers moi.

— Tu as vu ça, il voulait voir nos cartes d'identité. C'est génial. Il cherchait sans doute une amorce pour entamer la conversation.

Il remplit deux verres et, d'un mouvement sec, les fit glisser le long du comptoir jusqu'à nous.

— Joli ! lui cria Vee par-dessus l'écho de la musique.

Le barman lui fit un doigt d'honneur et s'adressa au client suivant.

— Il était trop petit pour moi, de toute façon, marmonna-t-elle.

— Tu vois Scott ? dis-je en me redressant sur mon tabouret pour mieux observer la foule.

Il avait largement eu le temps de garer sa voiture, mais je ne l'avais pas vu revenir. Même en admettant qu'il ait tourné un peu pour trouver une place, il aurait déjà dû être là.

— Oh oh. Regarde un peu qui voilà, me lança Vee en fixant l'entrée d'un œil mauvais. Cette greluche de Marcie.

— Elle n'était pas censée être partie ? criai-je, sentant la colère monter. Patch est avec elle ?

— Négatif.

Je gardai le dos bien droit sur mon siège.

— Je suis détendue. Je me maîtrise. Elle ne nous remarquera sans doute pas, et quand bien même, je doute qu'elle s'approche de nous. Et puis, ajoutai-je sans y croire, si elle était dans la voiture de Patch, je suis sûre qu'il y a une explication.

— Et tu penses qu'il y aura une explication au fait qu'elle porte sa casquette ?

Appuyée sur le bar, je fis volte-face. Marcie se frayait un passage entre les spectateurs. Sa queue-de-cheval blonde dépassait de la casquette de Patch. Plus besoin d'autre preuve : ils étaient ensemble.

— Je vais la tuer, grinçai-je en me retournant, les joues en feu, avant d'empoigner rageusement mon verre de Coca.

— Je te soutiens. Et voilà ta chance, elle rapplique par ici.

Quelques instants plus tard, Marcie délogea le type assis à côté de moi et s'installa sur son tabouret. Elle ôta la casquette, secoua sa crinière blonde et pressa le tissu contre son nez.

— Hmmm, minauda-t-elle. Est-ce qu'il ne sent pas divinement bon ?

— Hé, Nora, intervint Vee. Tu ne m'avais pas dit que Patch avait des poux, la semaine dernière ?

— Qu'est-ce que c'est, à ton avis ? poursuivit Marcie. Un parfum d'herbe fraîchement coupée ? Une épice exotique ? Ou peut-être… de la menthe ?

Je reposai violemment mon verre, éclaboussant le bar.

— Quelle conscience écologique, Marcie, renchérit Vee. Tu recycles les déchets de Nora.

— Un type sexy, ça se recycle sans problème. Les grosses vaches, beaucoup moins.

— Tu vas voir la vache, s'emporta Vee en prenant mon Coca pour le lui jeter au visage.

Mais au même moment, quelqu'un la bouscula et elle nous arrosa toutes les trois.

— Regarde ce que tu as fait ! cria Marcie qui renversa son tabouret. Une robe à deux cents dollars !

— Elle a perdu de sa valeur, on dirait. D'ailleurs, de quoi tu te plains ? Tu l'as probablement volée.

— Et alors ?

— Tu respires la pauvre fille, Marcie. Et rien n'est plus minable que le vol.

— Rien n'est plus gras qu'un double menton, répliqua Marcie.

— Tu es morte. Tu m'entends ? Morte, cracha Vee en la fusillant du regard.

Marcie se tourna vers moi.

— Au fait, Nora, autant que tu le saches : Patch m'a dit qu'il t'avait laissée tomber parce que tu n'étais pas assez provocante à son goût.

Vee lui donna un coup de sac à main.

— Hé ! cria Marcie en se frottant le crâne.

Pour toute réponse, Vee la frappa de nouveau. Sonnée, Marcie trébucha, mais se rétablit aussitôt.

— Espèce de petite…

— Ça suffit, intervins-je en écartant les bras pour les séparer.

Nous avions attiré l'attention et un attroupement s'était formé, enthousiasmé par la perspective d'un crêpage de chignons. Je me fichais pas mal de Marcie, mais pas de Vee. Si une bagarre se déclenchait avec Basso dans le coin, tout cela risquait fort de finir au poste. Ses parents n'apprécieraient pas qu'elle fasse le mur et encore moins qu'elle passe la nuit en prison.

— Allez, on se calme, repris-je. Vee, va chercher la voiture, on se retrouve dehors.

— Elle m'a traitée de grosse vache et je vais la tuer. Toi-même, tu étais tentée, répliqua Vee, le souffle court.

— Et comment tu comptes me tuer ? ironisa Marcie. Tu vas t'asseoir sur moi, c'est ça ?

Et là, tout tourna à la catastrophe. Vee saisit le deuxième verre de Coca sur le bar et leva le bras pour viser Marcie. Celle-ci fit mine de détaler, mais se prit les pieds dans le tabouret renversé et s'étala de tout son long. Je me tournai vers Vee, espérant calmer le jeu, mais un violent coup de pied derrière le genou me fit tomber à mon tour. Avant que j'aie pu comprendre ce qui m'arrivait, Marcie s'était jetée sur moi.

— Et ça, c'est pour m'avoir piqué Tod Bérot, cracha-t-elle avant de m'envoyer un coup de poing dans l'œil.

Je poussai un cri et pressai ma paume contre ma paupière.

— Tod Bérot ? m'écriai-je. Mais enfin de quoi tu parles ? C'était en CM2 !

— Et voilà pour avoir publié une photo de moi sur le site du lycée avec un énorme bouton sur la figure.

— Ça n'était pas moi !

Bon, j'avais peut-être eu mon mot à dire sur le choix de la photo, mais je n'avais pas été la seule. Et d'ailleurs, comment Marcie pouvait-elle encore m'en vouloir un an après !

— Et ça, c'est pour ta traînée de... ! hurla-t-elle.

— Tu es folle !

Cette fois, je parai le coup et réussis à atteindre un tabouret que je renversai sur elle. Elle le repoussa et, avant que j'aie pu me redresser, saisit le verre d'un badaud et me jeta le contenu à la tête.

— Œil pour œil..., siffla-t-elle.

J'essuyai mon visage ruisselant de Coca. Ma paupière me lançait et je sentais le bleu s'étendre sous mon œil, certaine qu'il y laisserait une trace violacée. Le soda collait à mes cheveux, ma plus belle blouse était en lambeaux et je me sentais démoralisée, vaincue, rejetée… Patch avait choisi Marcie et elle me le faisait bien sentir.

Si mes sentiments ne pouvaient excuser mon geste, ils l'expliquaient en partie. Je ne savais pas me battre, mais instinctivement, mon poing se serra et je visai sa mâchoire. Elle resta quelques secondes immobile, hébétée. Je la vis ensuite reculer, les doigts pressés sur sa joue, bouche bée. Enhardie par mon petit succès, je me jetai sur elle, mais quelqu'un m'agrippa sous les bras et me remit debout.

— Va-t'en d'ici tout de suite, souffla Patch à mon oreille en m'entraînant vers la sortie.

— Je vais la tuer, dis-je en me débattant pour le contourner.

La foule nous entourait en scandant :

— Du sang ! Du sang !

Patch les écarta et me poussa vers les portes. Par-dessus son épaule, j'aperçus Marcie, le sourire satisfait, les sourcils levés, qui me tendait le majeur. Le message était clair : elle m'attendait au tournant.

Patch passa le relais à Vee, puis fit demi-tour et saisit Marcie par le bras. Avant que j'aie pu comprendre où il l'emmenait, Vee m'attira à l'extérieur.

— Même si j'ai adoré la bagarre, ça ne valait pas la peine de finir au poste.

— Je la hais ! criai-je d'une voix hystérique.

— L'inspecteur Basso s'approchait quand Patch vous a séparées. J'ai pensé que c'était le moment d'intervenir.

— Où a-t-il conduit Marcie ? J'ai vu qu'il l'entraînait quelque part.

— Ça change quelque chose ? Avec un peu de chance, Basso les coffrera tous les deux.

Nous rejoignîmes sa voiture au pas de course. Le gyrophare d'un véhicule de police éclaira brièvement l'allée et je me plaquai en même temps qu'elle contre le mur.

— Eh bien, quelle soirée, commenta-t-elle une fois dans la Neon.

— Tu parles, répondis-je, les dents serrées.

— Tu sens bon le Coca, ajouta-t-elle en me léchant l'avant-bras. Ça me donne soif.

— C'est de ta faute ! explosai-je. C'est toi qui as jeté ton verre à la tête de Marcie. Si tu t'étais abstenue, je ne me serais jamais battue.

— Battue ? Tu as pris une sacrée raclée, oui ! Dommage que Patch ne t'ait pas appris à te défendre.

Mon téléphone se mit à sonner et je l'attrapai d'un geste rageur.

— Quoi ?

Je réalisai alors que j'avais confondu la sonnerie des appels avec celle des messages. J'ouvris la boîte de réception où m'attendait un nouveau SMS, provenant d'un numéro inconnu.

RESTE CHEZ TOI CE SOIR.

— C'est flippant, remarqua Vee en lisant par-dessus mon épaule. À qui as-tu donné ton numéro ?

— C'est probablement une erreur. Ça doit être destiné à quelqu'un d'autre.

Évidemment, je pensai immédiatement à la maison abandonnée, à la vision de mon père m'entaillant le bras. Je laissai tomber mon portable dans mon sac et cachai mon visage dans mes mains. Mon œil me faisait horriblement mal. J'étais terrorisée, perdue et prête à fondre en larmes.

— Peut-être Patch ?

— Son numéro n'apparaîtrait pas comme inconnu. C'est sûrement une blague, affirmai-je pour mieux m'en persuader. Est-ce qu'on peut y aller maintenant ? J'ai besoin d'une aspirine.

— Il faudrait peut-être prévenir l'inspecteur Basso. Les policiers adorent ce genre de messages bizarres.

— Tu veux juste avoir l'occasion de le draguer...

Vee passa la première.

— J'essaye simplement d'être utile.

— Tu aurais pu le faire plus tôt, avant de vider mon verre sur la tête de Marcie.

— Moi au moins, j'ai le courage de réagir.

Je me retournai et la fusillai du regard.

— Est-ce que tu sous-entends que je n'ai pas su me défendre ?

— Elle t'a piqué ton copain, non ? Je te l'accorde, ce type me file une trouille bleue, mais si Marcie m'avait volé mon homme, elle aurait de mes nouvelles.

Je pointai un doigt en direction de la rue.

— Roule !

— Tu sais quoi ? Tu as vraiment besoin d'un copain ! Ce qu'il te faut, c'est une bonne vieille séance de pelotage pour te détendre.

Pourquoi voulaient-ils tous me trouver un copain ? Je n'en avais pas besoin. J'étais vaccinée pour le restant de mes jours. Je n'avais rien à y gagner, excepté un cœur brisé.

10.

Une heure plus tard, j'étais devant la télévision, après avoir grignoté un en-cas et rangé la cuisine. Mais ce mystérieux SMS me perturbait toujours. Dans la voiture avec Vee, je m'étais sentie plus en sécurité, mais seule chez moi, j'étais beaucoup moins à l'aise. Je songeai à mettre un disque de Chopin pour détendre l'atmosphère, mais je ne voulais pas prendre le risque de couvrir les bruits extérieurs. Si quelqu'un s'avisait d'entrer dans la maison…

Tu es parano, Nora, me dis-je. Personne ne va t'attaquer !

Lorsqu'il n'y eut plus rien d'intéressant, j'éteignis le téléviseur et montai à l'étage. Ma chambre étant en ordre, il semblait inutile de la ranger, aussi réorganisai-je le contenu de mon placard par couleurs. Il fallait que je m'occupe pour ne pas m'endormir. Le sommeil m'aurait rendue bien trop vulnérable et je m'efforçais de retarder cette échéance. Je passai un chiffon sur le bureau et classai mes livres par ordre alphabétique. Je tâchai de me persuader qu'il ne m'arriverait rien et que je me réveillerais probablement le lendemain en constatant à quel point j'étais ridicule.

Mais si ce SMS m'était réellement destiné, son auteur était peut-être déterminé à me trancher la gorge. Par une nuit pareille, rien ne m'aurait paru impossible.

Dans la nuit, je m'éveillai en sursaut. Les rideaux s'agitaient par intermittence dans le souffle du ventilateur. La chaleur était étouffante. Mon débardeur et mon caleçon collaient à ma peau, mais trop occupée à imaginer des scénarios de films d'horreur, j'en oubliai d'ouvrir la fenêtre. Je clignai des yeux en direction du réveil. Presque trois heures.

Une douleur lancinante se propagea dans la partie droite de mon crâne et je sentis que mon œil fermé était gonflé. J'allumai toutes les lumières dans la maison et titubai pieds nus en direction du congélateur, d'où je tirai un sachet de glaçons. Affrontant le miroir de la salle de bains, je poussai un grognement : une tache bleu et rouge s'était répandue de l'arcade sourcilière jusqu'à la pommette.

— Comment as-tu pu te laisser faire ? dis-je au reflet. Comment as-tu pu permettre que Marcie te casse la figure ?

Je pris les deux dernières aspirines dans la pharmacie et retournai me coucher. La glace brûlait ma peau et me donnait des frissons. En attendant que les cachets fassent effet, je tentai d'oublier l'image de Marcie montant dans la voiture de Patch. Mais la scène défilait en boucle dans mon esprit. Je me tournais sans cesse dans mon lit, cachant ma tête sous l'oreiller dans l'espoir d'échapper à cette vision qui m'obsédait, sans que je puisse la faire disparaître.

Une heure plus tard, j'avais épuisé les idées les plus inventives pour tuer Patch et Marcie. Mon cerveau déclara forfait et je replongeai dans les limbes.

J'ouvris les yeux en percevant le cliquettement d'une serrure.

Comme dans le rêve qui m'avait ramenée dans l'Angleterre d'autrefois, ma perception se limitait à trois couleurs sombres. Je clignais des yeux, mais demeurais enveloppée dans une atmosphère grisâtre et froide.

Au rez-de-chaussée, la porte émit un faible grincement. Ma mère ne devait pas rentrer avant samedi matin, ce qui signifiait qu'un intrus s'introduisait chez moi. Je promenai mon regard dans la pièce, à la recherche d'un objet pouvant me servir d'arme. Outre quelques cadres photo et une lampe de chevet, je ne vis rien d'utile.

Des pas légers résonnèrent dans le couloir, puis dans l'escalier. L'inconnu n'avait même pas pris la peine de tendre l'oreille. Il savait exactement où il allait. Je me glissai subrepticement hors du lit et ramassai mon collant abandonné la veille sur le sol. Je l'étirai entre mes mains et m'adossai au mur, juste derrière la porte, parcourue de sueurs froides. Dans le silence, je ne percevais plus que ma respiration.

L'inconnu franchit la porte et je bondis pour l'étrangler avec le collant. Après un bref instant de lutte, je basculai en avant et me trouvai nez à nez avec Patch.

Il regarda le collant qu'il m'avait arraché, puis me dévisagea.

— Tu m'expliques ?

— Qu'est-ce que tu fabriques ici ? m'écriai-je, le souffle court.

Soudain, tout devint clair.

— Ce SMS qui me disait de ne pas sortir, c'était toi ? Depuis quand as-tu changé de numéro ?

— J'ai dû opter pour une nouvelle ligne. Quelque chose de plus sécurisé.

Je préférais ne rien savoir. Pourquoi tant de mystère ? Qui pouvait bien surveiller ses appels ? Les archanges ?

— Ça ne t'arrive jamais de frapper ? repris-je, le cœur battant. Je t'ai pris pour quelqu'un d'autre.

— Tu attendais quelqu'un ?

— Eh bien, oui, figure-toi.

Un psychopathe qui envoie des SMS anonymes.

— Il est quatre heures du matin, remarqua Patch. Tu ne devais pas trépigner d'impatience : tu t'es endormie. Tu dors toujours, d'ailleurs, ajouta-t-il avec un sourire.

Il parut soudain satisfait, voire rassuré. Comme si un doute venait de se dissiper.

Je clignai des yeux. Comment ça, « je dormais toujours » ? Mais… bien sûr ! Cela expliquait ma vision en noir et blanc. Patch ne se trouvait pas réellement dans ma chambre. Il faisait partie de mon rêve.

Cela signifiait-il que j'avais rêvé de lui ? Ou qu'il s'était introduit dans mon esprit ? Partagions-nous un même rêve ?

— Si tu veux tout savoir, j'attendais… Scott.

Le mensonge m'avait échappé sans que je comprenne pourquoi.

— Scott, répéta-t-il.

— Ne commence pas. J'ai vu Marcie monter dans ta voiture.

— Elle m'a demandé de la ramener.

— Ben voyons.

— Ne va rien t'imaginer.

— Bien sûr. Rappelle-moi la couleur de son string, déjà ?

Il ne répondit pas, mais je lus dans ses yeux qu'il connaissait la réponse. Je me dirigeai vers mon lit, saisis un oreiller et le lui lançai à la figure. Il esquiva et l'oreiller s'écrasa contre le mur.

— Tu m'as menti. Tu m'as affirmé qu'il n'y avait rien entre vous. Mais quand il n'y a rien, on n'échange pas ses vêtements et on ne se fait pas raccompagner tard le soir vêtue d'une nuisette.

— Échanger ses vêtements ?

— Elle portait ta casquette.

— Elle avait des épis…

— C'est ce qu'elle t'a raconté ? Et tu marches ? m'exclamai-je, médusée.

— Tu ne crois pas que tu noircis un peu le tableau ?

Comment osait-il prétendre une chose pareille ? Je pointai un doigt vers mon œil.

— Dur à dire, quand on a l'œil au beurre noir : merci, Marcie. Et puis d'abord, qu'est-ce que tu fais ici ? vociférai-je, sur le point d'exploser.

Il s'appuya contre mon bureau et croisa les bras.

— Je suis venu m'assurer que tu allais bien.

— Encore une fois : j'ai reçu un coup de poing dans la figure. Merci de t'en préoccuper, répliquai-je.

— Tu veux de la glace ?

— Je veux surtout que tu sortes de mon rêve, grinçai-je en saisissant mon autre oreiller pour le lui jeter.

Cette fois, il le rattrapa.

— Tu as passé la soirée au Sac du diable. Avec un simple œil au beurre noir, tu t'en tires à bon compte, crois-moi.

Il me relança l'oreiller, comme pour conclure sa phrase.

— Est-ce que tu essaierais de défendre Marcie ?

— Je n'en ai pas besoin, répondit-il en secouant la tête. Elle s'est défendue toute seule. Toi, en revanche…

— Dehors, ordonnai-je en désignant la porte.

Il ne bougea pas et je m'approchai d'un pas décidé en le poussant à coups d'oreiller.

— J'ai dit : sors de mon rêve ! Espèce de menteur, de coureur…

Il m'arracha le coussin des mains et s'avança vers moi, m'obligeant à reculer. Acculée au mur, je sentis l'extrémité de ses bottes toucher mes orteils. Je reprenais mon souffle, à la recherche d'une insulte particulièrement humiliante, lorsqu'il glissa ses doigts dans l'élastique de mon short et m'attira à lui. Son regard était noir comme l'encre, sa respiration était lente et profonde. Prise au piège entre le mur et lui, mon pouls s'accélérait à mesure que je prenais conscience de sa proximité et de son parfum, auquel se mêlait une odeur de cuir et de menthe. Ma résolution s'évanouissait peu à peu.

Subitement, n'écoutant que mon désir, j'agrippai sa chemise et le serrai contre moi. C'était si bon de le sentir à nouveau si proche. Il m'avait horriblement manqué, mais jusque-là je n'avais pas réalisé à quel point.

— Ne me le fais pas regretter…, murmurai-je dans un souffle.

— Tu ne m'as jamais regretté.

Il m'embrassa et je répondis avec une ardeur presque féroce. Je passai mes mains dans ses cheveux, l'attirant toujours plus près. Pressant mes lèvres contre les siennes, je lui rendis un baiser chaotique, furieux, désespéré. Les sentiments contradictoires et complexes que j'avais éprouvés depuis notre rupture s'évanouissaient, noyés par un besoin farouche d'être auprès de lui.

Ses mains remontèrent sous mon débardeur et s'insinuèrent sans hésitation au creux de mon dos pour me serrer contre lui.

Je déboutonnai maladroitement sa chemise et mes doigts effleurèrent sa peau.

En faisant glisser sa chemise sur ses épaules, je bâillonnai ma raison, qui me hurlait de ne pas commettre une telle erreur. Je refusais de l'écouter, terrifiée par ce que je pourrais découvrir. J'étais tout à fait consciente d'en être quitte pour davantage de souffrance, mais j'étais incapable de lui résister. Je ne songeais qu'à une chose : si Patch s'était réellement introduit dans mon rêve, cette nuit resterait notre secret. Les archanges ne pourraient pas nous surprendre. Ici, toutes les règles disparaissaient. Ni eux ni personne n'en sauraient jamais rien.

Patch se débarrassa de sa chemise et la lança sur le côté. Je dessinai du bout des doigts son torse parfaitement sculpté, gagnée par une vague de désir. Lui ne ressentait rien de tout cela, mais je me persuadais qu'à présent seul l'amour le guidait. L'amour qu'il éprouvait pour moi. Qu'importait sa totale absence de sensations physiques ou le fait que ce moment ne représente rien pour lui. J'avais simplement envie de lui. Et tout de suite.

Il me souleva et je passai mes jambes autour de sa taille. Je le vis jeter un regard oblique à la commode, puis au lit et mon cœur bondit dans ma poitrine. Toute pensée rationnelle m'avait abandonnée. J'aurais fait n'importe quoi pour m'accrocher à cette ivresse insensée.

Tout cela était bien trop précipité, mais la certitude de l'issue agissait comme un baume qui apaisait la colère froide, destructrice de cette semaine.

Ce fut la dernière chose qui me vint à l'esprit avant que mon doigt n'effleure la jonction de ses ailes et de son dos. Incapable de résister, je fus projetée dans sa mémoire.

Mes yeux ne s'étaient pas encore habitués à l'obscurité, mais je reconnus aussitôt l'odeur du cuir et sa sensation sous ma peau. J'étais assise à l'arrière la voiture de Patch. Il était au volant et Marcie était installée sur le siège passager. Elle portait la robe ridiculement courte et les bottes que je lui avais vues quelques heures auparavant.

Cette scène s'était donc déroulée le soir même.

— Elle a détruit ma robe, gémit Marcie en frottant le Lycra qui lui moulait les cuisses. Maintenant je suis gelée. Et j'empeste le Coca.

— Tu veux ma veste ? proposa Patch sans quitter la route des yeux.

— Où est-elle ?

— Derrière.

Marcie détacha sa ceinture, appuya un genou sur l'accoudoir et saisit le blouson en cuir posé près de moi. Elle fit ensuite glisser sa robe par-dessus sa tête et la laissa tomber à ses pieds. Elle ne portait plus que ses sous-vêtements.

J'étouffai presque un cri.

Elle enfila la veste de Patch et remonta la fermeture Éclair.

— Prends la prochaine à gauche, indiqua-t-elle.

— Je connais le chemin, répondit Patch en serrant sa droite.

— Je ne veux pas rentrer. À la prochaine intersection, tourne à gauche.

Mais Patch continua tout droit.

— Tu n'es vraiment pas drôle, répliqua Marcie d'un air boudeur. Tu n'es pas curieux de savoir où je comptais t'emmener ?

— Il est tard.

— Tu me repousses ? minauda-t-elle.

— Je te dépose et je rentre chez moi.

— Je peux venir ?

— Une autre fois, peut-être.

C'est une blague ? J'avais toujours eu droit à un non catégorique !

— C'est un peu vague, ricana Marcie en posant les pieds sur le tableau de bord pour mieux exhiber ses jambes.

Patch ne répondit pas.

— Demain soir, alors.

Elle marqua une pause puis reprit d'une voix suave :

— J'imagine que tu n'as rien d'autre à faire, maintenant que Nora t'a laissé tomber.

Je vis les mains de Patch se crisper sur le volant.

— Il paraît qu'elle se console avec Scott Parnell. Tu sais, le nouveau. Il est mignon, mais elle a perdu au change.

— Je n'ai pas particulièrement envie de parler de Nora.

— Parfait, moi non plus. Je préfère parler de nous.

— Je croyais que tu avais quelqu'un.

— Le mot clé de la phrase est « avais ».

Patch prit brutalement à droite et s'arrêta devant la maison des Millar. Il ne coupa pas le contact.

— Bonne nuit, Marcie.

Elle resta quelques instants immobile, puis éclata de rire.

— Tu ne me raccompagnes pas jusqu'à la porte ?

— Tu es une grande fille.

— Si mon cher papa nous observe, il ne sera pas content, dit-elle en tendant la main pour réajuster le col de Patch.

Elle s'attarda légèrement sur son cou.

— Il ne nous voit pas.

— Comment tu le sais ?

— Tu peux me croire.

Marcie baissa encore la voix et susurra :

— Tu sais, j'admire vraiment ta volonté. Tu ne laisses rien paraître et ça me plaît. Mais que les choses soient bien claires entre nous. Je ne veux pas d'une relation. Les situations compliquées ne m'intéressent pas. Je ne veux pas de souffrance, d'incertitudes ou de jalousie, je veux seulement m'amuser et prendre du bon temps. Réfléchis.

Pour la première fois, Patch se tourna vers elle.

— Je m'en souviendrai, répondit-il.

Je vis Marcie de profil qui lui souriait. Elle se pencha par-dessus l'accoudoir et lui donna un long baiser langoureux. Il sembla hésiter, mais ne broncha pas. Il aurait pu l'interrompre à tout moment, mais il ne le fit pas.

— Demain soir, murmura Marcie en se reculant enfin. Chez toi.

— Ta robe, dit-il en désignant la masse informe à ses pieds.

— Tu n'as qu'à la laver et me la rendre demain.

Elle sortit de la voiture et courut jusqu'à la maison où elle disparut derrière la porte.

Mes bras se figèrent contre son cou. Comme giflée, je demeurai interdite. J'avais l'impression qu'il venait de me renverser un seau d'eau glacée sur la tête. Le feu de son baiser était encore sur mes lèvres, mais mon cœur était en cendres.

Patch faisait partie de mon rêve. Un même rêve que nous partagions. D'une certaine manière, tout cela était réel. Mais l'idée avait quelque chose d'absurde, d'impossible… Pourtant, s'il n'avait pas été là, s'il ne s'était pas introduit clandestinement, sans un bruit, dans mon subconscient, je n'aurais pas pu toucher son ancienne cicatrice et me propulser dans les méandres de ses souvenirs.

Or ce souvenir m'avait paru si vrai, si plausible, si palpable…

Patch sentit que quelque chose n'allait pas. Il me prit par les épaules et renversa la tête en arrière, fixant le plafond.

— Qu'est-ce que tu as vu ? demanda-t-il d'une voix calme.

Dans le silence, seuls les cognements sourds de mon cœur résonnaient.

— Tu as embrassé Marcie, soufflai-je avant de me mordre les lèvres pour stopper le flot de larmes qui montait.

Il passa ses mains le long de son visage avant de se pincer l'arête du nez.

— Dis-moi que c'est une illusion. Que c'est un jeu de l'esprit. Dis-moi qu'elle exerce un pouvoir irrépressible sur toi, que tu n'as pas le choix.

— C'est compliqué.

— Non, répliquai-je en secouant fermement la tête. Ne t'avise pas de me sortir une chose pareille. Pas après tout ce qui nous est arrivé. Qu'est-ce que tu attends d'une relation avec cette fille ?

Il baissa les yeux vers moi.

— Pas de l'amour, évidemment.

Une sensation de vide me rongeait. Tout se mit brutalement en place et, enfin, je compris : Marcie lui procurait une gratification facile. Une petite victoire. Il nous voyait bel et bien comme des conquêtes. C'était un séducteur. Chaque fille représentait un challenge, un dépaysement à courte visée pour passer le temps. Ce qui l'amusait, c'était la chasse. Il se moquait du milieu ou de la fin de l'histoire – seul le début l'intéressait. Et comme toutes les autres, j'avais fait la bêtise de tomber amoureuse de lui. Et comme toujours quand cela arrivait, il prenait la fuite. En tout cas, il n'aurait pas ce genre de problème avec Marcie. Elle n'aimait qu'elle-même, personne d'autre.

— Tu me dégoûtes, accusai-je d'une voix tremblante.

Patch s'accroupit, les coudes sur les genoux, le visage enfoui au creux de ses mains.

— Je ne suis pas venu pour te faire du mal.

— Ah non ? Pourquoi es-tu venu, alors ? Pour prendre du bon temps derrière le dos des archanges ? Pour m'humilier encore davantage ?

Je n'attendis même pas la réponse. Je saisis sa chaîne en argent, toujours accrochée à mon cou, et l'arrachai d'un coup sec sans même prendre garde à la douleur, noyée dans celle qu'il venait de m'infliger. J'aurais dû la lui rendre quelques jours auparavant, lorsque j'avais mis un terme à notre relation, mais je compris trop tard que jusque-là, je n'avais pas abandonné tout espoir. J'avais cru en nous. Je m'étais cramponnée à l'idée que nous pourrions forcer le destin et qu'il me reviendrait. Quel gâchis !

Je lui jetai sa chaîne à la figure.

— Et je veux récupérer ma bague.

Son regard noir s'attarda quelques instants sur moi, puis il se baissa pour ramasser sa chemise.

— Non.

— Comment ça, « non » ?

— Tu me l'as donnée, répondit-il d'une voix calme, mais sèche.

— Eh bien, j'ai changé d'avis.

Je tremblais de rage. Il connaissait l'importance de cet objet pour moi ! Il était peut-être devenu un ange gardien, mais son âme demeurait aussi sombre que le jour où j'avais fait sa connaissance. Et ma plus grosse erreur était d'avoir cru qu'il pourrait changer.

— J'étais assez stupide pour me persuader que je t'aimais ! Rends-la-moi, dis-je en tendant la main. Tout de suite.

Je ne supportais pas l'idée de perdre la bague offerte par mon père. Surtout pas à cause de Patch. Il ne méritait pas de conserver le dernier souvenir de mon père.

Sans me répondre, il sortit.

J'ouvris les yeux. En allumant la lampe, je constatai que mon univers avait retrouvé ses couleurs. Je m'assis dans mon lit et sentis l'adrénaline monter sous ma peau glacée. La chaîne en argent de Patch n'était plus attachée autour de mon cou. Je la cherchai à tâtons entre mes draps, songeant qu'elle s'était peut-être décrochée durant la nuit.

Mais elle avait disparu.

Ce rêve était bien réel. Patch avait découvert un moyen de s'introduire dans mon sommeil.

11.

Lundi, après les cours, Vee me déposa devant la bibliothèque. Avant d'entrer, j'en profitai pour passer mon coup de fil quotidien à ma mère. Comme toujours, elle était très prise par son travail, et moi par mon TP de chimie.

Je montai ensuite au deuxième étage pour m'installer au labo multimédia. Après avoir consulté mes mails, ma page Facebook ainsi que les derniers sites de potins, je décidai de me torturer l'esprit une fois de plus en cherchant la Main noire sur Google. La recherche généra les mêmes liens. Qu'aurait-il bien pu y avoir de nouveau ? Enfin, ne pouvant y échapper plus longtemps, j'ouvris mon livre de chimie.

Il était déjà tard lorsque, poussée par la faim, je me mis en quête d'un distributeur automatique. Par les fenêtres du bâtiment, je vis le soleil disparaître à l'horizon et la nuit tomber rapidement. Je contournai l'ascenseur, préférant me dégourdir les jambes dans l'escalier.

J'introduisis quelques pièces dans la machine au rez-de-chaussée et choisis un bretzel et un jus de fruits. En remontant, je trouvai Vee juchée sur ma table, ses escarpins jaune vif croisés sur la chaise. Son visage exprimait un mélange de moquerie et d'agacement.

Elle leva une main, une enveloppe noire glissée entre ses doigts.

— Ça, c'est pour toi, dit-elle d'un air dédaigneux en la jetant sur le bureau. Et ça aussi. J'ai pensé que tu aurais faim, ajouta-t-elle en me tendant un sac en papier où je reconnus le nom d'une boulangerie.

Je me demandai d'où pouvait provenir cette carte, mais préférai changer de sujet.

— Des cupcakes ! m'exclamai-je en ouvrant le sachet.

— La boulangère m'a assurée qu'ils étaient bio. Je comprends mal ce qu'ils peuvent avoir de « bio », si ce n'est le prix, mais bon…

— Tu es ma sauveuse !

— Tu en as encore pour longtemps ?

— Une demi-heure, maximum.

Elle déposa ses clés de voiture près de mon sac à dos.

— Rixon et moi allons manger un morceau en ville, donc tu te conduiras toute seule ce soir. J'ai garé la Neon au parking souterrain. Rangée B. Le réservoir est presque vide, alors ne fais pas de folies.

Je pris les clés et tâchai d'ignorer cette sensation désagréable que je reconnus instantanément : la jalousie. J'enviais sa nouvelle relation avec Rixon. J'enviais leurs sorties en amoureux. Je l'enviais d'être désormais plus proche de Patch que je ne l'étais, car même si elle n'y avait jamais fait allusion, j'étais certaine qu'elle le croisait constamment en retrouvant Rixon. Je les imaginais le soir, tous les trois devant un film, à discuter jusqu'au petit matin pendant que seule à la ferme, je passais mon temps à me morfondre. Je brûlais de l'interroger au sujet de Patch, même si à bien y réfléchir, je n'en avais pas le droit. J'avais rompu avec lui. J'avais pris ma décision et je devais m'y tenir.

Mais une petite question n'avait jamais fait de mal à personne...

— Vee ? demandai-je alors qu'elle passait la porte.

— Oui ?

J'ouvris la bouche, mais ma fierté me retint. Car si Vee était ma meilleure amie, c'était aussi une incorrigible pipelette. J'étais certaine que ma curiosité reviendrait aux oreilles de Patch. Et je ne voulais pas qu'il sache à quel point je souffrais.

— Merci pour les cupcakes, dis-je avec un sourire forcé.

— Pas de quoi, ma belle.

Après son départ, je mordis sans conviction dans l'un des gâteaux, avec le bourdonnement des ordinateurs pour seule compagnie. Je poursuivis mes révisions durant une demi-heure avant de poser les yeux sur l'enveloppe noire restée sur le coin du bureau, consciente de ne pouvoir l'ignorer plus longtemps.

Je la décachetai et en sortis une carte décorée d'un cœur en surimpression. Le papier était imprégné d'un parfum amer. Je l'approchai de mon nez et inspirai l'effluve capiteux que je ne parvenais pas à reconnaître. Une odeur synthétique de fruits et d'épices me prit à la gorge. Je lus le message griffonné à l'intérieur.

Je me suis conduit comme un idiot hier soir. Tu me pardonnes ?

Je repoussai la missive vers le bord de la table. *Patch.* Je ne savais quoi penser de ses excuses. Oui, il s'était conduit comme un goujat. Il pensait s'en tirer avec une carte ridicule ? Il avait embrassé Marcie – rien de moins – avant de s'inviter dans mon rêve... J'ignorais comment il avait pu s'y prendre, mais sa présence n'était pas due au hasard. S'il parvenait à se glisser dans mon sommeil, de quoi était-il capable ?

— On ferme dans dix minutes, me souffla la bibliothécaire depuis la porte du labo.

J'envoyai mon exposé sur les acides aminés à l'impression, puis rassemblai mes affaires. Après une seconde d'hésitation, je déchirai la carte de Patch en petits morceaux et la jetai dans la corbeille. S'il voulait me présenter des excuses, il pouvait le faire de vive voix. Pas par l'intermédiaire de Vee et certainement pas dans l'intimité de mes rêves.

Alors que je me dirigeais vers le fond du couloir pour récupérer mes feuilles, je perdis brusquement l'équilibre et me rattrapai à la table la plus proche. Je fis un pas en avant, mais mon genou se déroba. Comme une poupée molle, je m'effondrai. J'agrippai le bureau à deux mains et pressai ma tête entre mes coudes afin de permettre au sang de mieux circuler. Une douce chaleur s'emparait de moi.

J'étirai mes jambes et tâchai tant bien que mal de me redresser, mais quelque chose clochait dans l'aspect des murs. Le couloir s'étirait à l'infini, comme si je l'observais à travers un miroir déformant. J'eus beau cligner des yeux, la distorsion ne disparaissait pas.

Mes membres, raides comme du bois, refusaient d'obéir et la lumière fluorescente m'obligeait à clore les paupières. Prise de panique, je luttais pour garder les yeux ouverts, mais mon corps ne répondait plus. Comme sous l'effet d'une caresse, mon esprit s'abandonna à la tiédeur du sommeil.

Le parfum, pensai-je soudain. Sur la carte de Patch.

J'étais à quatre pattes sur le sol, hypnotisée par des formes géométriques qui dansaient tout autour de moi. Des portes. Des portes ouvertes jalonnaient la pièce. Plus je rampais dans leur direction, plus elles semblaient hors d'atteinte. Je perçus le vague écho d'un tic-tac. J'eus la présence d'esprit de m'en éloigner, car je savais que la pendule se trouvait sur le mur du fond, à l'opposé de la sortie.

Quelques instants plus tard, je pris conscience que mes bras et mes jambes ne bougeaient plus. Mon impression de m'enfuir n'était qu'une illusion. Je sentis la fibre râpeuse de la moquette glisser contre ma joue. Après une dernière tentative désespérée pour me relever, je fermai les yeux et la lumière disparut.

Je me réveillai dans le noir, sous le souffle glacé de la climatisation. Seule la rumeur électrique des appareils bourdonnait autour de moi. Je voulus me redresser, mais aussitôt, des taches pourpres et noires envahirent mon champ de vision. Je déglutis péniblement, la bouche pâteuse, et me retournai sur le dos.

La bibliothèque. Je ne me rappelais pas l'avoir quittée. Mais que faisais-je allongée par terre ? Comment en étais-je arrivée là ?

La carte de Patch. J'avais inhalé ce parfum épicé, amer. Et presque instantanément, j'avais perdu connaissance.

On m'avait droguée. Patch ? Inerte, le cœur battant, je clignai furieusement des paupières. J'essayai à nouveau de me lever, mais j'avais l'impression d'être plaquée au sol par une poigne de fer. D'un mouvement brusque, je réussis à m'asseoir. Je me cramponnai à la table la plus proche et me mis debout. Je fus prise de vertiges et cherchai des yeux le néon vert au-dessus de la porte du labo qui indiquait la sortie.

Je tournai la poignée. Le battant s'ouvrit sur un ou deux centimètres, puis se bloqua. Sur le point de forcer, j'aperçus alors une corde au travers de la vitre.

Je fronçai les sourcils. Bizarre, songeai-je. Elle reliait la poignée intérieure à celle de la porte opposée.

Je cognai contre la vitre.

— Hou-hou ? appelai-je d'une voix étouffée. Il y a quelqu'un ?

Je tirai de toutes mes forces, mais mes muscles entièrement relâchés ne m'étaient d'aucun secours. La corde était tendue entre les deux portes, si bien que je ne pus entrouvrir celle du labo sur plus de dix centimètres. Impossible de m'y glisser.

— Il y a quelqu'un ? criai-je dans l'entrebâillement. Je suis coincée au deuxième étage !

La bibliothèque demeura silencieuse.

Mes yeux, désormais habitués à l'obscurité, rencontrèrent la pendule accrochée au mur. Vingt-trois heures. Comment était-ce possible ? Étais-je vraiment restée inconsciente durant plus de deux heures ?

Je sortis mon téléphone portable, mais il n'indiquait aucune réception. Je tentai de me connecter à Internet depuis le poste le plus proche, mais il générait systématiquement le même message d'erreur : aucun réseau disponible.

Jetant des regards affolés autour de moi, je cherchai un objet qui aurait pu me servir. Du matériel informatique, des chaises pivotantes, des armoires à dossiers... Rien d'utile. Je m'accroupis près de la grille d'aération et hurlai à pleins poumons :

— Est-ce que quelqu'un m'entend ? Je suis bloquée dans le labo !

J'attendis une réponse, priant pour que quelqu'un se trouve encore dans le bâtiment, mais à une heure pareille, les chances étaient minces.

Dans le bâtiment principal, un craquement métallique résonna et je reconnus aussitôt le bruit de l'ascenseur qui se mettait en mouvement, à l'autre bout du couloir.

Un souvenir me revint alors en mémoire. Quand j'avais quatre ou cinq ans, mon père m'avait emmenée au parc pour m'apprendre à faire du vélo. Dès la fin de l'après-midi, j'étais capable de faire le tour du sentier sans les roulettes. Lorsqu'il fut l'heure de rentrer, je le suppliai de me laisser faire encore deux tours et il m'en accorda un dernier. Mais je perdis l'équilibre à mi-parcours et dégringolai. En redressant mon vélo, j'aperçus un énorme chien marron qui m'observait. Au même instant, une voix résonna dans ma tête. *Ne bouge pas.* Je déglutis, m'obligeant à ne pas remuer, malgré mon envie de prendre mes jambes à mon cou pour rejoindre mon père. Le molosse s'avançait, les oreilles dressées et l'air agressif. Je tremblais de peur, mais demeurai immobile. Je savais qu'à l'instant où je me mettrais à courir, l'instinct chasseur de l'animal reprendrait le dessus. Le chien sembla soudain se désintéresser et s'éloigner. Mon père m'apprit plus tard que le murmure dans ma tête était en fait mon instinct. Neuf fois sur dix, la petite voix me tirerait d'affaire.

Et à cet instant précis, l'instinct parla. *Sors d'ici.*

Je soulevai un écran d'ordinateur et le jetai contre la vitre intérieure, qui vola en éclats. Une agrafeuse oubliée sur une table me servit à casser les derniers débris et, poussant une chaise contre le mur, j'enjambai le rebord de la fenêtre et sautai dans le couloir en me précipitant vers l'escalier de secours. Je redoublai d'efforts en entendant l'ascenseur dépasser le premier étage. Je me ruai sur la porte coupe-feu et perdis de précieuses secondes en voulant la refermer sans bruit. Le mécanisme s'immobilisa et l'ascenseur s'ouvrit. Appuyée sur la rampe, je passai d'une marche à l'autre en essayant d'étouffer le claquement de mes pas. J'avais presque rejoint le rez-de-chaussée lorsque la porte de l'escalier couina au-dessus de moi.

Je me figeai, n'osant plus respirer.

Nora ?

Ma main ripa sur la rampe. C'était la voix de mon père.

Nora ? Tu es là ?

J'ouvris la bouche, prête à lui répondre, mais le souvenir de la soirée précédente m'en empêcha.

Cesse de te cacher. Laisse-moi t'aider. Montre-toi !

Sa voix était curieusement tranchante. Devant la maison abandonnée, la première fois que je l'avais entendue, elle était douce et rassurante. Il m'avait alors avertie que nous n'étions plus seuls et que je devais fuir. Puis il avait changé de ton et ses paroles m'avaient paru fausses et sournoises. Et si mon père avait véritablement tenté de me parler ? Quelqu'un aurait pu l'en empêcher et se faire passer pour lui ? Je réalisai brusquement qu'on avait pu usurper sa voix pour m'attirer dans un piège.

Des pas lourds et pressés résonnèrent dans la cage d'escalier. L'homme de l'ascenseur se lançait à ma poursuite. J'oubliai ma prudence et dévalai les étages. Plus vite, me hurlait une petite voix dans la tête, plus vite !

Il gagnait du terrain et j'avais à peine une volée d'avance sur lui. Arrivée au bas des marches, je poussai la porte du rez-de-chaussée, traversai le hall d'entrée et quittai le bâtiment. À l'extérieur, l'air était doux et tranquille. J'allais me précipiter sur le trottoir, mais je changeai brutalement de trajectoire et glissai le long de l'échelle sur le côté, qui donnait quelques mètres plus bas sur une planche de verdure. Au-dessus de moi, les portes principales s'ouvrirent. Je me tapis contre le mur, au milieu des détritus et des feuilles mortes.

À l'instant où je l'entendis descendre lentement les marches, je me mis à courir vers l'entrée du parking souterrain, commun à la bibliothèque et au tribunal. Après avoir longé la rampe d'accès, je cherchai des yeux la Neon. Quel emplacement Vee avait-elle mentionné ?

La rangée B...

Au fond de l'allée, j'aperçus la Neon. Je déverrouillai brutalement la portière, me laissai tomber derrière le volant et démarrai en trombe. Je venais de m'engager sur la voie de sortie lorsqu'une énorme voiture noire déboula sur le côté. Le conducteur accéléra pour me bloquer.

Je passai la deuxième et fonçai droit devant moi, dépassant la voiture quelques secondes à peine avant qu'elle ne me coupe la route.

Complètement déboussolée, j'ignorais où j'allais. Je grillai un stop pour rejoindre Walnut Avenue. Dans le rétroviseur, je vis le véhicule noir se lancer à ma poursuite. Je fis grimper le compteur jusqu'à quatre-vingts kilomètres/heure. Mon regard oscillait entre la route et le rétroviseur.

Au dernier moment, je bifurquai sur la droite dans une rue perpendiculaire. La grosse cylindrée rasa le trottoir pour me suivre. Je fis le tour du pâté de maisons pour revenir dans Walnut Avenue et m'insérai juste devant un coupé blanc, tentant ainsi de la distancer. Au carrefour suivant, le feu était orange. J'accélérai et dépassai l'intersection au moment où il passait au rouge. La voiture blanche ralentit pour s'arrêter et le véhicule noir pila derrière elle dans un crissement de pneus.

Le souffle court, je sentais mon pouls résonner jusque dans mes bras. Les mains tremblantes, je me cramponnai au volant et continuai sur la route qui s'éloignait du centre. Dans la descente, j'évitai le trafic en prenant à gauche. Je coupai par la voie ferrée et empruntai un chemin sinueux qui traversait une partie sombre et délabrée de la ville. Je compris aussitôt où je me trouvais. Coupe-gorge. Le quartier avait écopé de ce surnom lorsque quelques adolescents avaient réglé leurs comptes à coups de revolver dans un terrain vague tout proche, une dizaine d'années plus tôt.

Je ralentis en apercevant une maison à l'écart. Aucune lumière. Je remarquai un garage ouvert et vide. Je fis marche arrière dans l'allée devant le pavillon et parquai la Neon dans le garage. Après m'être assurée par trois fois que les portières étaient verrouillées, j'éteignis les phares. À tout instant, je redoutais de voir la voiture noire apparaître au coin de la rue. Je fouillai dans mon sac à la recherche de mon portable.

— Salut ! répondit Vee.

— À part Patch, qui d'autre avait touché cette enveloppe ? demandai-je aussitôt, articulant péniblement.

— Quoi ?

— Est-ce que Patch t'a remis la carte lui-même ? Ou Rixon ? Qui l'a eue en main ?

— Tu ne voudrais pas m'expliquer ?

— Je crois qu'on l'a imbibée de narcotiques.

Silence.

— De narcotiques ? répéta-t-elle d'un air dubitatif.

— Le papier était imprégné d'un parfum bizarre, poursuivis-je, excédée. Dis-moi qui te l'a donnée. Comment exactement est-elle arrivée jusqu'à toi ?

— J'étais en route pour t'apporter les cupcakes quand Rixon m'a appelée. Nous avons convenu de nous retrouver devant la bibliothèque. Patch était avec lui dans le pick-up. Il m'a tendu l'enveloppe en me demandant de te la remettre. Je t'ai monté sa carte, les gâteaux et les clés de voiture avant de redescendre pour rejoindre Rixon.

— Alors personne d'autre ne l'a touchée ?

— Personne.

— Moins d'une demi-heure après l'avoir ouverte, je me suis écroulée dans le labo. J'ai perdu connaissance pendant plus de deux heures.

Vee ne répondit pas immédiatement. Je pouvais presque l'entendre réfléchir et digérer la nouvelle.

— Tu es certaine que ça n'était pas de la fatigue ? Tu as passé tout l'après-midi à la bibliothèque. Je serais incapable de travailler aussi longtemps sans faire une petite sieste...

— Quand je suis revenue à moi, poursuivis-je, il y avait quelqu'un dans le bâtiment. Je suis persuadée que cette personne et celle qui a drogué la carte ne font qu'une. Il m'a poursuivie dans les couloirs et sur la route, le long de Walnut Avenue.

Vee marqua une nouvelle pause avant de répondre :

— Tu sais que je n'aime pas Patch, mais je le vois mal chercher à te droguer. C'est peut-être un cinglé, mais il a ses limites.

— Mais qui, alors ? m'exclamai-je d'une voix stridente.

— Je l'ignore. Où es-tu ?

— À Coupe-gorge.

— Quoi ? Fiche le camp de là avant de te faire attaquer ! Viens dormir chez moi. On tirera tout ça au clair.

Mais ses mots n'offraient que peu de réconfort. Vee était aussi perplexe que moi.

Une vingtaine de minutes s'écoula avant que je n'ose enfin quitter le garage. J'avais les nerfs à vif et mon imagination s'emballait. Je préférai éviter Walnut Avenue, craignant que le mystérieux véhicule noir n'arpente les rues pour retrouver ma trace. Je fis donc un détour, tellement pressée d'arriver chez Vee que j'ignorai les limitations de vitesse.

J'étais près de chez elle lorsque je remarquai les lumières d'un gyrophare dans le rétroviseur. Je me rangeai sur le côté et me cognai le front contre le volant, maudissant ma guigne. Enfreindre le code de la route n'était pas mon genre, mais la soirée avait mal commencé.

Quelques instants plus tard, une main tapota à la vitre. Je pressai le bouton pour l'abaisser.

— Ça alors, ironisa l'inspecteur Basso. Comme on se retrouve…

Ma guigne n'avait visiblement plus de bornes. Il leva son carnet de contraventions.

— Permis de conduire et papiers du véhicule. Tu connais la chanson…

Avec lui, inutile de plaider la clémence. Je ne pris donc pas la peine de feindre le repentir.

— J'ignorais que les enquêteurs s'occupaient aussi des infractions routières.

— Et où va-t-on si vite ? siffla-t-il avec un sourire carnassier.

— Est-ce que je pourrais avoir mon amende et repartir ?

— Tu as de l'alcool dans la voiture ?

— Regardez vous-même, répliquai-je en écartant les bras.

— Sors du véhicule.

— Pour quoi faire ?

— Sors et suis la ligne, ajouta-t-il en désignant le marquage sur le bord de la route.

— Vous pensez que je suis soûle ?

— Je pense surtout que tu es folle, mais tant que j'y suis, je vais vérifier ton taux d'alcoolémie.

Je sortis et claquai la portière.

— Jusqu'où ?

— Jusqu'à ce que je te dise d'arrêter.

Je me concentrai pour longer la ligne, mais chaque fois que je baissais les yeux, ma vue se brouillait. Les effets de la substance altéraient ma coordination. Plus j'essayais de marcher droit, plus je vacillais.

— On ne pourrait pas s'en tenir à l'amende ? Je voudrais rentrer chez moi.

Je tentais de masquer mon angoisse par une impertinence délibérée. Si Basso me croyait soûle, il m'enverrait directement au poste. Déjà fébrile, je n'étais pas en état de supporter une nuit derrière les barreaux. J'imaginais d'ici l'inconnu de la bibliothèque me traquer jusqu'au commissariat...

— Oh, je ne doute pas que certains flics de seconde zone te laisseraient filer. Certains accepteraient même un petit billet. Mais ça n'est pas mon genre.

— Si je vous disais qu'on m'a droguée, ça changerait quelque chose ?

— Droguée ? répéta-t-il avec un rire sarcastique.

— Mon ex-petit ami m'a fait passer une carte imprégnée de parfum. Je l'ai ouverte et j'ai perdu connaissance.

L'inspecteur Basso ne m'arrêta pas, ce qui me parut bon signe.

— J'ai dormi plus de deux heures. Quand je me suis réveillée, la bibliothèque avait fermé ses portes et j'étais prise au piège dans le labo. Quelqu'un avait attaché la poignée de la porte...

Je m'interrompis, redoutant de poursuivre. Il me fit signe de reprendre.

— Eh bien, ne me tiens pas en haleine !

Je compris un peu trop tard que je m'étais trahie. J'avais admis me trouver à la bibliothèque au beau milieu de la nuit. Demain, dès l'ouverture, les employés découvriraient la vitre brisée et préviendraient aussitôt la police. Je serais la première sur sa liste des suspects.

— Tu étais dans le labo, répéta Basso. Que s'est-il passé ensuite ?

Impossible de faire marche arrière : je devais terminer mon récit et espérer qu'il me croie. J'arriverais peut-être, à force de détails, à le convaincre que je n'étais pas responsable, que j'avais agi en état de légitime défense.

— Quelqu'un avait bloqué la porte du labo en reliant la poignée à celle de la porte opposée avec une corde. J'ai dû briser la fenêtre de la salle avec un écran d'ordinateur pour pouvoir sortir.

Il renversa la tête en arrière et éclata de rire.

— Les filles comme toi, Nora Grey, ça porte un nom. Des mythomanes. Tu es la petite bête dont personne n'arrive à se débarrasser.

Il s'approcha de son véhicule et saisit sa radio.

— Envoyez quelqu'un à la bibliothèque, au deuxième étage. Prévenez-moi si vous trouvez quelque chose.

Il s'adossa à la portière et jeta un regard à sa montre.

— D'après toi, combien de temps leur faudra-t-il pour confirmer ? J'ai tes aveux, Nora. Je pourrais t'arrêter tout de suite pour effraction et vandalisme.

— Je n'ai commis aucune effraction ! On m'a enfermée à l'intérieur du bâtiment avant sa fermeture.

Mais ma voix tremblait.

— Si quelqu'un t'a vraiment piégée à l'intérieur, tu peux m'expliquer pourquoi tu roulais à fond de train sur cette route déserte ?

— Je n'étais pas censée en sortir. J'ai réussi à m'enfuir pendant qu'il était dans l'ascenseur.

— Comment ça, « il » ? Tu l'as vu ? Voyons un peu ta description.

— Je ne l'ai pas vu, mais c'était un homme. Son pas était trop lourd pour être celui d'une femme. Il m'a coursée dans l'escalier.

— Tu bafouilles.

— Je ne mens pas ! J'étais enfermée dans le labo et il y avait quelqu'un dans l'ascenseur.

— C'est ça.

— Qui d'autre aurait pu se trouver dans le bâtiment à une heure pareille ? répliquai-je.

— Quelqu'un qui fait le ménage ? répondit-il simplement.

— Il ne portait pas d'uniforme. En jetant un regard dans l'escalier, j'ai aperçu un pantalon noir et des tennis sombres.

— Donc, quand nous irons au tribunal, tu expliqueras au juge que tu es incollable sur les habitudes vestimentaires des agents d'entretien ?

— Le type m'a poursuivie à l'extérieur. Il est monté dans sa voiture et m'a prise en chasse. Je vois mal un employé de la bibliothèque faire ça.

Son récepteur émit un crépitement. Basso se pencha pour l'attraper.

— On a fait le tour du bâtiment, crachota une voix dans la radio. Rien à signaler.

L'inspecteur leva aussitôt les yeux vers moi, l'air suspicieux.

— Rien ? Vous êtes sûrs ?

— Je répète : rien à signaler.

Rien ? Loin d'être rassurée, j'étais paniquée. J'avais fait voler cette vitre en éclats. J'en étais certaine. Je n'avais quand même pas rêvé !

Calme-toi, me repris-je. Ça n'était pas la première fois. Quelqu'un, tapi dans l'ombre, avait déjà tenté de me manipuler dans le but de me détruire. Il se pouvait que tout recommence. Mais… pourquoi ? Et surtout, comment ? Je secouai la tête, comme si j'espérais que les réponses s'imposeraient d'elles-mêmes.

L'inspecteur Basso détacha la contravention de son carnet et la déposa dans ma main. Mon regard se posa sur le coin inférieur.

— Deux cent vingt-neuf dollars ? !

— Tu dépassais de plus de trente kilomètres/heure la vitesse autorisée, à bord d'un véhicule qui ne t'appartient pas. Tu paies l'amende ou je te donne rendez-vous au tribunal.

— Je… je ne dispose pas d'une telle somme.

— Trouve-toi un job. Ça t'empêchera peut-être de faire des bêtises.

— S'il vous plaît, dis-je d'un ton suppliant. Ne faites pas ça.

Basso m'observa longuement.

— Il y a deux mois, on a retrouvé un gamin mort dans le gymnase du lycée, sans identité, sans famille et sans passé.

— La police a conclu au suicide de Jules, répondis-je du tac au tac.

Mais l'allusion n'était pas anodine. Quel était le rapport avec mon excès de vitesse ?

— Le même soir, la psychologue de l'école a tenté d'incendier ton domicile, avant de s'évanouir dans la nature. Il existe un lien entre ces deux incidents pour le moins curieux, ajouta-t-il avec un regard perçant. Ce lien, c'est toi.

— Où voulez-vous en venir ?

— Explique-moi ce qui s'est réellement passé cette nuit-là et on oublie la contravention.

— Je n'en ai pas la moindre idée.

Comment aurais-je pu lui dire la vérité ? C'était m'exposer à bien plus grave qu'une simple amende. Comment aurais-je pu lui parler des anges déchus, des néphilims ? Il me prenait déjà pour une mythomane, fallait-il lui avouer que la psychologue était en réalité un ange de la mort et que Jules était le descendant d'un déchu ?

— À toi de voir, conclut Basso en me tendant sa carte. Si tu changes d'avis, tu sais où me joindre.

J'observai la carte tandis qu'il remontait dans sa voiture et démarrait.

Inspecteur Écanus Basso
207-555-3333

La contravention pesait comme du plomb dans ma main. Elle me brûlait les doigts. Où allais-je bien pouvoir trouver deux cents dollars ? Impossible d'emprunter l'argent à ma mère, qui avait déjà du mal à boucler les fins de mois. Patch aurait eu les moyens de m'aider, mais j'avais clairement affirmé que j'étais capable de me débrouiller seule. J'avais exigé qu'il sorte de ma vie une fois pour toutes. De quoi aurais-je eu l'air en l'appelant au secours à la première occasion ? C'eût été admettre qu'il avait raison depuis le début… Admettre que j'avais besoin de lui.

12.

Mardi, je quittai le lycée pour retrouver Vee. Elle avait séché les cours pour passer la matinée avec Rixon, mais avait promis de revenir me chercher. Mon téléphone émit une brève sonnerie et j'allais lire le SMS lorsque la voix de Vee me fit lever les yeux.

— Par ici, ma belle !

Elle était au volant de la Neon, garée près du trottoir.

— Alors ? demandai-je en m'accoudant à la vitre. Ça en valait la peine ?

— De sécher ? Oh que oui ! Rixon et moi avons passé la matinée devant la Xbox à jouer à Halo 2, expliqua-t-elle en déverrouillant la portière côté passager.

— C'est romantique, ironisai-je en grimpant dans la voiture.

— Ne critique pas avant d'avoir essayé. Rien de tel qu'un jeu vidéo gore pour mettre un gars d'humeur…

— D'humeur ? Aurais-tu quelque chose de croustillant à raconter ?

Vee me sortit son sourire à cent mille volts.

— On s'est embrassés. C'était génial. Au début c'était tout gentil et mignon, puis Rixon est vraiment passé à…

— OK, ça va ! coupai-je en élevant la voix.

M'étais-je montrée aussi insupportable lorsque Patch et moi étions ensemble ?

— Qu'est-ce qu'on fait maintenant ?

Elle s'inséra dans le flot de la circulation.

— Ras le bol des révisions ! Il me faut un grain de folie dans mon quotidien et je doute de le trouver dans les bouquins.

— Qu'est-ce que tu proposes ?

— Old Orchard ? J'ai envie de soleil et il serait grand temps que je bronze un peu.

Old Orchard me tentait. Bordée par une longue jetée qui s'avançait sur l'océan, la plage possédait même son petit parc d'attractions, qui se transformait le soir en discothèque où l'on tirait des feux d'artifice. Malheureusement, Old Orchard devrait attendre.

— On a déjà quelque chose de prévu, ce soir, dis-je en levant mon portable.

Vee se pencha pour lire le SMS et fit la grimace.

— La fête de Marcie ? Tu plaisantes ?

— Il paraît que manquer sa soirée est le plus sûr moyen de saborder sa vie sociale.

— Snober cette grue serait surtout le plus sûr moyen d'illuminer ma journée.

— Tu as intérêt à changer d'attitude, parce que j'y vais. Et tu m'accompagnes.

Vee s'enfonça dans son siège, la mine renfrognée.

— Ça lui a pris comme ça ? Depuis quand Marcie t'invite chez elle ?

— C'est mon binôme en cours de chimie.

— Tu lui as vite pardonné ton œil au beurre noir, on dirait.

— Disons que je me dois de faire acte de présence, au moins pendant une heure.

— Et tu voudrais que je me farcisse sa soirée uniquement parce que vous êtes voisines de table ? reprit-elle d'un air dubitatif.

Mon excuse était pitoyable, mais la vérité l'était plus encore. Mon but était de savoir si Patch avait définitivement choisi Marcie. Le souvenir que j'avais vu deux jours plus tôt, en touchant son ancienne cicatrice, n'était pas clair. Avant qu'elle ne l'embrasse, Patch s'était montré réservé, presque froid. Je n'étais pas certaine de ses sentiments pour elle. Mais s'il avait bel et bien tourné la page, il me serait beaucoup plus facile de le haïr. Or je voulais le haïr. Ce serait plus simple pour nous deux.

— Ton nez s'allonge, Nora, répliqua Vee. Il n'est pas question de Marcie et toi, dans cette histoire, mais de Marcie et Patch. Tu cherches à savoir ce qu'il y a exactement entre eux.

— Et après ? Où est le mal ? répondis-je nonchalamment.

— Eh bien, soupira-t-elle, on peut dire que tu es maso.

— J'ai pensé qu'on pourrait jeter un œil à sa chambre. Tenter de trouver une preuve de leur relation.

— Comme quoi ? Des préservatifs usagés ?

Mon petit déjeuner faillit remonter. Je n'avais même pas songé à cela. Est-ce qu'ils couchaient déjà ensemble ? Non. Je refusais d'y croire. Patch serait incapable de me faire une chose pareille. Pas avec Marcie.

— Je sais ! s'écria Vee. Il suffit de mettre la main sur son journal !

— Celui qu'elle traîne partout depuis le collège ?

— Celui qui – d'après elle – volerait la vedette à tous les magazines à scandales, ajouta Vee, curieusement gaie. S'il y a bien quelque chose entre eux, elle l'aura forcément mentionné dans ce carnet.

— Je n'aime pas ça, Vee…

— Oh, allez ! On le lui rendra plus tard. Pas de quoi fouetter un chat.

— Comment tu comptes faire ? Le jeter par-dessus la clôture avant de filer ? Elle nous tuera si elle s'aperçoit qu'on le lui a pris.

— Ou alors, on pourrait tout simplement le remettre en place avant la fin de la soirée, andouille !

— Je ne suis pas sûre que ce soit une bonne idée.

— On ne révélera rien de nos découvertes. Ça sera notre secret. Personne n'aura d'ennuis.

Je n'étais pas emballée, mais Vee n'abandonnerait pas si facilement. Pour moi, le plus important était de la décider à m'accompagner. Je n'étais pas suffisamment courageuse pour affronter seule cette soirée, d'autant que je ne connaîtrais personne.

— Alors, dis-je enfin, tu passes me prendre tout à l'heure ?

— Compte sur moi ! Pendant que j'y pense : on en profite pour mettre le feu à sa chambre ?

— Arrête ! Elle ne doit s'apercevoir de rien !

— Certes, mais tu sais que la subtilité n'est pas mon fort.

Je détournai le regard et levai les yeux au ciel.

— Sans blague ?

Il était un peu plus de vingt et une heures quand Vee aborda la côte qui menait jusqu'au quartier des Millar. La réalité socio-économique de Coldwater se résume à une simple étude géographique. Si vous vous trouvez en haut de la colline, vous êtes dans les quartiers chics. La plaine est le secteur des classes moyennes. Si vous êtes au beau milieu d'une nappe de brouillard, incapable de vous repérer, alors vous êtes chez moi. Autrement dit, le désert.

Vee accéléra dans la côte. Ce quartier était l'un des plus anciens de la ville. Les silhouettes imposantes de grands arbres se succédaient le long de la rue, cachant presque le ciel étoilé. Chaque propriété, de style colonial, semblait posséder son jardin paysager. Dans le lointain, je distinguai le rythme lancinant d'un morceau de hip-hop.

— C'est quoi son adresse, déjà ? souffla Vee en observant les alentours. Les maisons sont tellement éloignées de la route que j'arrive à peine à distinguer les numéros.

— 1220, Brenchley Street.

Au carrefour, Vee s'engagea sur Brenchley, en suivant l'écho de la musique qui se rapprochait. Un peu plus loin, je vis des dizaines de voitures parquées les unes derrière les autres. Le niveau de décibels atteignait son comble devant une grande demeure restaurée. Quelques groupes d'adolescents traversaient la pelouse pour rejoindre l'entrée. À voir la maison de Marcie, je me demandais bien ce qui la poussait à voler dans les magasins. Le goût du risque ? Le rejet de l'image familiale, si lisse et si parfaite ?

Je n'eus pas le temps de creuser davantage la question. Je venais d'apercevoir le 4 × 4 noir de Patch garé dans l'allée des Millar. À l'évidence, il était arrivé le premier. Il avait peut-être même passé l'après-midi sur place. Préférant ne pas les imaginer seuls tous les deux, je pris une profonde inspiration et me persuadai que tout irait bien. Au fond, j'étais venue ici en quête de preuves.

— À quoi tu penses ? demanda Vee, les yeux rivés sur le 4 × 4.

— J'ai envie de vomir.

— Si tu pouvais le faire au milieu de son salon, ça me ferait plaisir. Mais sérieusement, la présence de Patch ne te gêne pas ?

J'essayai de garder la tête haute.

— Marcie m'a invitée. Je n'ai pas à m'effacer. Pas question de le laisser dicter mes sorties.

C'était pourtant déjà le cas.

La porte était ouverte sur un hall sombre dallé de marbre, où quelques personnes se déhanchaient sur du Jay-Z. L'entrée débouchait sur un immense salon, décoré dans un style victorien. Tous les meubles, y compris la table basse, servaient de sièges aux invités. Vee hésita avant d'entrer.

— Il me faut quelques instants de préparation psychologique, gémit-elle. Marcie sera partout : photos, bibelots, sans parler de son insupportable odeur. En parlant de photos, j'aimerais bien trouver quelques vieux clichés de son père. Tu l'as vu dans les pubs pour son garage ? Je n'arrive pas à comprendre si c'est la chirurgie esthétique ou des doses industrielles de maquillage qui lui donnent l'air aussi jeune.

J'agrippai son coude et l'attirai près de moi.

— Pas question que tu me laisses tomber maintenant.

— D'accord, soupira-t-elle en jetant un regard suspicieux à l'intérieur, mais je te préviens, si je vois un seul string dépasser, je lève le camp. Pareil pour les préservatifs usagés.

J'allais acquiescer mais me ravisai aussitôt. Il y avait de fortes chances pour que l'on aperçoive les deux.

Marcie interrompit notre négociation en sortant de l'ombre d'un pas léger, un grand saladier en verre à la main. Elle nous regarda l'une après l'autre.

— Je t'avais proposé de venir, me lança-t-elle, mais je n'ai jamais invité ta copine.

— Moi aussi je suis contente de te voir, siffla Vee.

Marcie l'observa des pieds à la tête.

— Tu ne suivais pas un régime débile par couleur ? Pas très efficace. Quant à toi, ajouta-t-elle en se tournant vers moi, l'œil au beurre noir te va à ravir.

— Tu as entendu ce que j'ai entendu, Nora ? s'écria Vee.

— Je crois bien que oui, répondis-je.

— On aurait dit... un chien qui pète, non ?

— C'est ça, confirmai-je.

— Ha ha, très drôle, répliqua Marcie, le regard mauvais.

— Ça recommence ! renchérit Vee. Cette pauvre bête m'a tout l'air de faire de l'aérophagie.

Marcie nous tendit son saladier.

— Participation. Personne n'entre sans payer.

— Quoi ? m'exclamai-je en même temps que Vee.

— Une par-ti-ci-pa-tion. Vous êtes bouchées ? Tu ne pensais tout de même pas être invitée sans raison. J'ai besoin d'argent. Voilà tout.

Vee scrutait comme moi le saladier rempli de billets.

— Pour... ?

— De nouveaux uniformes pour l'équipe de pom-pom girls. Les filles veulent des maillots découpés à la taille, mais l'école est trop radine pour les financer. J'ai donc organisé la soirée pour récolter des fonds.

— Des pom-pom girls avec le ventre à l'air, ironisa Vee. On se demande vraiment pourquoi tout le monde vous traite de filles faciles.

— Ça suffit, s'emporta Marcie, rouge de colère. C'est vingt dollars l'entrée, point. Un mot de plus et ça sera quarante.

Vee me donna un coup de coude.

— Désolée, mais je ne marche pas dans cette combine. Tu payes.

— Dix chacune ? proposai-je.

— Non ! Tu as insisté pour venir, l'addition est pour toi.

Je me tournai vers Marcie avec un sourire forcé.

— Vingt dollars, c'est beaucoup...

— Peut-être, mais imagine le résultat ! Je fais cent séries d'abdos tous les soirs pour perdre trois centimètres de tour de taille d'ici la rentrée. Avec un maillot échancré, pas question d'oublier le moindre millimètre de graisse...

Préférant ignorer cette vision d'horreur, j'optai pour le marchandage.

— Quinze ?

Marcie semblait déjà prête à nous claquer la porte au nez.

— Oh, ça va, le voilà ton argent, s'agaça Vee en glissant une main dans sa poche avant de la mettre dans le saladier.

Je ne pus distinguer la somme exacte.

— Tu me revaudras ça, grommela-t-elle.

— Tu étais censée me laisser vérifier d'abord, pesta Marcie en remuant les billets.

— Désolée, je ne pensais pas que tu savais compter jusqu'à vingt.

Marcie la fusilla encore une fois du regard, puis s'éloigna.

— Combien lui as-tu donné ? soufflai-je.

— Un préservatif.

— Depuis quand tu te promènes avec des préservatifs sur toi ? demandai-je en levant les sourcils.

— Je l'ai trouvé sur la pelouse en arrivant. Et puis, si elle l'utilise, j'aurai au moins la satisfaction de l'avoir empêchée de se reproduire.

Je la suivis à l'intérieur et m'adossai au mur avec elle. Plus loin, dans le salon, plusieurs couples s'étaient lovés sur une méridienne. Au centre de la pièce, les silhouettes se trémoussaient au son de la musique. Un passage voûté menait à la cuisine ouverte, où certains se servaient à boire en riant. Personne ne nous prêtait la moindre attention, ce qui me rassura. Il serait sans doute plus facile de s'introduire dans la chambre de Marcie. Mais je commençais à douter de la véritable raison de ma présence ici. Était-ce pour me prouver que Patch et Marcie sortaient ensemble ? Ou parce que j'étais certaine qu'il serait présent ? La deuxième solution semblait soudain la plus évidente. Je voulais le voir.

L'opportunité se présenta aussitôt. Il apparut à l'entrée de la cuisine, vêtu d'un polo noir et d'un jean foncé. Je n'avais pas l'habitude de l'observer de loin. Derrière ses cheveux ondulés, un peu trop longs, je distinguais à peine ses yeux sombres comme la nuit. Son physique attirait instantanément le sexe opposé, mais son attitude indiquait qu'il n'était pas disposé à bavarder. Il ne portait pas sa casquette, ce qui signifiait sans doute que Marcie l'avait gardée. Tu t'en fiches, me répétai-je. Ça n'était plus mon problème. Patch pouvait bien la donner à n'importe qui. Je n'allais pas me vexer simplement parce qu'il ne me l'avait jamais prêtée.

Jenn Martin, une fille avec qui j'avais eu un cours de maths commun, lui parlait, mais il ne paraissait pas l'écouter. Il examinait les alentours d'un œil méfiant. Il feignait l'indifférence, mais demeurait attentif, prêt à réagir. Avant que son regard n'ait croisé le mien, je me détournai. Je craignais qu'il ne surprenne mon air triste ou nostalgique.

À l'autre bout de la pièce, Anthony Amowitz me fit signe en souriant. Nous suivions le même cours d'EPS l'année précédente et bien que je n'aie jamais échangé plus de quelques mots avec lui, j'étais rassurée de trouver au moins une personne connue.

— On peut savoir pourquoi Anthony Amowitz te sort son sourire de maquereau ? demanda Vee.

— Pourquoi le traites-tu de maquereau ? répliquai-je, agacée. Simplement parce qu'il est invité chez Marcie ?

— Oui, et alors ?

— Alors il est gentil, grommelai-je en lui donnant un coup de coude. Sois aimable et dis-lui bonjour.

Anthony leva son verre en me criant quelque chose, mais le vacarme ambiant couvrit ses paroles.

— Quoi ?

— Tu es magnifique ! répéta-t-il, un sourire béat aux lèvres.

— Allons bon, renchérit Vee. Un maquereau complètement bourré, en plus.

— Il est peut-être un peu éméché.

— Éméché et tout disposé à t'entraîner dans un recoin sombre à l'étage.

Beurk.

Cinq minutes plus tard, nous n'avions toujours pas bougé du hall d'entrée. À intervalles réguliers, un fêtard mal en point passait devant nous pour se précipiter vers les buissons, à l'extérieur. On avait déjà renversé de la bière sur mes chaussures, et je craignais le pire. J'allais suggérer de changer de lieu d'observation lorsque Brenna Dubois s'approcha en me tendant un gobelet en plastique.

— Pour toi, annonça-t-elle, de la part du type à l'autre bout de la pièce.

— Je t'avais prévenue, souffla Vee.

Je jetai un regard en direction d'Anthony, qui répondit par un clin d'œil.

— Euh, merci, mais je ne suis pas intéressée.

Je n'avais pas l'habitude de ce genre de soirées, mais mieux valait éviter les boissons d'origine douteuse. Le verre aurait pu contenir n'importe quoi.

— Dis à Anthony que je préfère m'en tenir aux cannettes fermées.

Ça alors, j'avais l'air encore plus tarte que je ne le croyais.

— Anthony ? s'étonna-t-elle en fronçant les sourcils.

— Oui, Anthony Maquero-witz, le type qui te fait jouer les serveuses, intervint Vee.

— Ça ne vient pas d'Anthony, mais du grand brun, là-bas, expliqua Brenna en désignant le coin où j'avais aperçu Patch quelques minutes plus tôt. Enfin, il se trouvait par là. Plutôt canon, habillé tout en noir.

— Bon sang, grinça Vee à voix basse.

— Merci, dis-je, ne pouvant plus refuser.

Brenna disparut dans la foule et je posai le verre sur la console près de moi. Le contenu sentait le Cherry Coke et je me demandai aussitôt si je devais y voir une allusion à la soirée au Sac du diable, où Marcie m'avait aspergée de soda.

Vee me glissa quelque chose dans la main.

— Qu'est-ce que c'est ?

— Un talkie-walkie. Je l'ai emprunté à mon frère. Je fais le guet dans les escaliers. Si quelqu'un arrive, je te préviens.

— Tu veux que je fouille la chambre de Marcie maintenant ?

— Je veux surtout que tu lui piques son journal.

— Puisqu'on en parle, je ne suis plus vraiment d'accord pour faire ça.

— Tu te moques de moi ? Pas question de te défiler maintenant. Imagine un peu ce qu'il contient. C'est le moment de savoir ce qui se trame entre elle et Patch. Tu ne vas pas manquer cette occasion !

— Ça n'est pas très réglo.

— Si tu fais vite, tu n'auras pas le temps de te sentir coupable, assura-t-elle.

Je la fusillai du regard.

— Essaie la méthode Coué, alors. Répète-toi que tu ne fais rien de mal et tu finiras par le croire.

— Je ne veux pas lui prendre son journal. Simplement jeter un œil et… récupérer la casquette de Patch.

— Je t'offre le budget annuel du webzine si tu me rapportes ce carnet dans la demi-heure, ajouta Vee, qui semblait de plus en plus désespérée.

— Qu'est-ce que tu comptes faire ? Le publier par épisodes dans le webzine du lycée ?

— Réfléchis ! Ça pourrait lancer ma carrière !

— C'est non, répondis-je fermement. Et franchement, ça n'a rien de glorieux.

— Ça valait le coup d'essayer, conclut-elle avec un soupir.

J'observai le talkie-walkie.

— On ne peut pas tout bêtement communiquer par SMS ?

— Les espions n'utilisent pas les SMS.

— Comment tu le sais ?

— Et toi ?

Fatiguée d'avance par ce dialogue de sourds, je glissai le talkie dans mon jean.

— Tu es certaine que la chambre de Marcie est au premier ?

— L'un de ses ex est assis derrière moi en cours d'espagnol. Il m'a dit que tous les soirs, à dix heures précises, Marcie se déshabille devant sa fenêtre. Quelquefois, quand ses copains et lui s'ennuient, ils viennent se rincer l'œil. D'après lui, elle prend tellement son temps qu'il attrape des crampes à rester le nez en l'air. Il racontait qu'une fois, elle a...

— Ça suffit ! m'écriai-je en me bouchant les oreilles.

— Si je dois me polluer l'esprit avec ce genre de détails scabreux, il n'est que justice que tu partages ma douleur. C'est pour toi que j'écoute ces imbécillités.

Je levai les yeux vers l'escalier, l'estomac noué. Je n'avais encore rien fait et pourtant, la culpabilité me rongeait déjà. Fouiller dans les affaires des autres ne me ressemblait pas. Comment avais-je pu laisser Patch me transformer en une fille aussi pitoyable ?

— Bon, j'y vais, dis-je enfin sans conviction. Tu me couvres ?

— Affirmatif.

Arrivée en haut des marches, je découvris d'abord une salle de bains, avec sol en marbre et moulures au plafond. En suivant le couloir sur ma gauche, je rencontrai une chambre d'amis et une salle de gym, équipée d'appareils dernier cri. Je revins sur mes pas pour emprunter le corridor de droite. La première porte était entrouverte et je jetai un œil à l'intérieur. La pièce était entièrement rose : du papier peint jusqu'aux coussins en passant par les draps et les rideaux. Tout le contenu de la penderie était éparpillé sur le lit, la moquette et les meubles. Les murs étaient tapissés de photos grandes comme des affiches, où Marcie prenait des poses suggestives dans son uniforme de pom-pom girl. Proche de la nausée, je repérai soudain la casquette de Patch sur sa coiffeuse. Après avoir fermé la porte de la chambre, je roulai la casquette pour la glisser dans ma poche. Elle dissimulait une clé de voiture, vraisemblablement un double, dont je reconnus immédiatement la marque. Celle du 4 × 4.

Sans réfléchir, je ramassai la clé et l'enfouis dans ma seconde poche. Je jetai un regard à la pièce, à l'affût d'autres indices.

J'ouvris plusieurs tiroirs, regardai sous le lit, dans son coffre et sur l'étagère en haut de son placard. En passant la main entre le matelas et les lattes du sommier, je sentis quelque chose : son journal. La tentation de le lire était trop forte… Qu'avait-elle écrit au sujet de Patch ? Quels secrets renfermaient ces pages ?

Le talkie-walkie émit un crépitement.

— Oh, merde, siffla Vee dans le talkie-walkie.

Je sortis le récepteur de mon jean et pressai le bouton.

— Quoi ?

— Un chien. Un énorme cerbère. Il vient de traverser le salon, enfin, cette salle de bal qui leur tient lieu de salon. Et il me regarde. Je te jure que c'est moi qu'il observe.

— Quel genre de chien ?

— Je ne suis pas une pro, mais je pense que c'est un doberman. Il a un museau pointu et l'air agressif. La ressemblance avec Marcie est frappante. Oh, oh. Il dresse les oreilles. Il s'avance vers moi. Il a un sixième sens, j'en suis sûre. Il sent que je ne suis pas là par hasard.

— Reste calme.

— Allez, ouste, le toutou. Ouste !

Le grognement sourd du molosse résonna dans le récepteur.

— Euh, Nora, on a un problème, reprit Vee.

— Le chien n'est pas parti ?

— Pire : il vient de se précipiter à l'étage.

Au même moment, des aboiements rauques retentirent derrière la porte. Ils redoublèrent d'intensité, entrecoupés par des grognements menaçants.

— Vee ! soufflai-je dans le talkie. Débarrasse-moi de ce cabot !

Sa réponse se perdit dans le raffut du couloir. Je pressai une main contre mon oreille.

— Quoi ?

— J'ai dit : Marcie arrive ! Sors de là !

Le journal m'échappa et plusieurs feuilles volantes et photos s'éparpillèrent sur le sol. Dans la panique, je rassemblai le tout et les rangeai au hasard du carnet, bien maigre pour un journal censé contenir tant de scandales. D'un geste maladroit, je l'enfonçai avec le talkie dans la ceinture de mon pantalon et éteignis précipitamment la lumière. Je comptais le remettre à sa place plus tard. Pour l'instant, il valait mieux filer.

J'ouvris la fenêtre, pensant devoir déplacer la moustiquaire, mais Marcie s'en était déjà chargée. Elle la gênait sans doute pour faire le mur. Cette idée me rendit mon optimisme : si Marcie parvenait à l'escalader, j'y arriverais aussi. D'un autre côté, Marcie était pompom girl : elle était bien plus souple et agile que moi.

Je jetai un regard à l'extérieur. La fenêtre se trouvait juste au-dessus d'un portique, soutenu par quatre piliers. J'enjambai le rebord et pris appui sur un bardeau. Après m'être assurée que je ne risquais pas de glisser, je passai l'autre jambe. En équilibre, je refermai le battant derrière moi et m'accroupis sous la vitre qui s'illumina presque aussitôt. Le chien jouait des griffes contre les carreaux en aboyant furieusement. Je me tapis contre le mur, priant pour que Marcie ne se penche pas.

— Qu'est-ce qu'il y a ? lança-t-elle. Qu'est-ce que tu as vu, Boomer ?

Une sueur froide me parcourut le dos. Marcie allait m'apercevoir sous sa fenêtre, c'était certain. Je fermai les yeux, tâchant de ne pas penser que des dizaines de personnes se trouvaient au rez-de-chaussée. Autant de témoins qu'il me faudrait croiser quotidiennement au lycée durant les deux prochaines années. Comment pourrais-je me justifier ? Comment expliquer que je sois en possession de son journal ? La perspective de l'humiliation était trop forte.

— Tais-toi, Boomer ! cria Marcie. Est-ce que quelqu'un pourrait tenir mon chien pendant que j'ouvre la fenêtre ? lança-t-elle à la cantonade. Il est assez stupide pour essayer de sauter. Toi, dans le couloir ! Oui, toi. Attrape-le par le collier et ne le lâche pas. Allez !

Espérant que les aboiements du chien couvriraient mes mouvements, je passai sur le dos et me collai contre les bardeaux. Je refoulai mon angoisse, soudain prise de vertige. Je poussai sur mes talons pour m'éloigner du rebord et tirai le talkie de ma ceinture.

— Vee ? soufflai-je.

— Où es-tu ? répondit-elle dans le vacarme de la musique.

— Tu crois qu'un jour, tu pourras me débarrasser de ce cabot ?

— Comment ?

— Tâche d'être inventive.

— En lui donnant du poison ?

J'épongeai mon front avec le dos de ma main.

— J'imaginais plutôt l'enfermer dans le placard...

— Tu veux dire, LE TOUCHER ?

— Vee !

— Ça va, ça va. Je vais trouver une solution.

Trente secondes plus tard, la voix de Vee résonna dans la chambre de Marcie.

— Hé, Marcie, lança-t-elle par-dessus les aboiements incessants du molosse. Je ne voudrais pas me mêler de ce qui ne me regarde pas, mais la police est en bas. Apparemment, ils ont reçu des plaintes pour tapage nocturne. Je les laisse entrer ?

— Quoi ? s'écria Marcie juste au-dessus de moi. Je ne vois aucune voiture de police.

— Ils se sont sans doute garés un peu plus loin. Enfin, ça pourrait devenir tendu : on ne boit pas que du jus d'orange en bas.

— Qu'est-ce que tu racontes ? répliqua Marcie. C'est une fête, non ?

— Pour info, dans notre pays, la consommation d'alcool est illégale avant l'âge de vingt et un ans.

— Génial ! s'exclama Marcie. Qu'est-ce que je fais, maintenant ?

Elle s'interrompit, avant d'élever de nouveau la voix :

— Je parie que c'est toi qui les as prévenus !

— Qui, moi ? Alors que je m'empiffre à l'œil ?

Quelques instants plus tard, les aboiements continuels s'estompèrent et la lumière de la chambre s'éteignit.

Je me tins parfaitement immobile, puis, une fois certaine que la pièce était vide, je repassai sur le ventre et rampai jusqu'à la fenêtre. Le chien était parti, Marcie également, je n'avais donc plus qu'à…

Je pressai mes paumes contre la vitre, mais elle refusait de s'ouvrir. J'eus beau pousser de toutes mes forces, elle ne bougea pas.

Pas de problème, pensai-je. Tout va bien. Marcie avait sans doute verrouillé le battant de l'intérieur. Il me suffisait de rester plantée là pendant environ cinq heures, le temps que la soirée se termine, avant que Vee ne vienne me secourir avec une échelle.

Des bruits de pas résonnèrent devant l'entrée et je me penchai, priant pour trouver Vee sous le portique.

Horrifiée, j'aperçus Patch qui s'approchait du 4 × 4. Dos à moi, il composa un numéro sur son portable avant de le coller à son oreille. Moins de deux secondes plus tard, mon téléphone se mit à sonner dans ma poche. Avant que j'aie pu le lancer dans les buissons, Patch se retourna.

Il leva lentement les yeux et, lorsque son regard se posa sur moi, je regrettai que Boomer ne m'ait pas dévorée toute crue.

— C'est drôle, on parle toujours de voyeurs, jamais de voyeuses.

Même dans la pénombre, je devinai qu'il souriait.

— Arrête de rire, répliquai-je, les joues cramoisies. Descends moi de là.

— Saute.

— Hein ?

— Je te rattrape.

— Tu es dingue ou quoi ? Grimpe à l'étage et ouvre-moi la fenêtre. Ou va chercher une échelle.

— Je n'ai pas besoin d'échelle. Saute. Je ne te lâcherai pas.

— Tu parles.

— Tu veux mon aide, oui ou non ?

— Tu appelles ça de l'aide ? sifflai-je, excédée.

Il fit tourner ses clés autour de son doigt et feignit de s'éloigner.

— Espèce de pauvre type ! Reviens ici !

— Pauvre type ? Ça n'est pas moi qui espionne aux fenêtres des gens.

— Je n'espionnais personne, répondis-je. Je... Je...

Trouve quelque chose, Nora !

Le regard de Patch se promena vers la fenêtre et, soudain, son visage s'éclaira. Il rejeta la tête en arrière en éclatant de rire.

— Tu fouillais dans la chambre de Marcie !

— Non, répliquai-je en levant les yeux au ciel.

— Qu'est-ce que tu cherchais ?

— Rien, dis-je en tirant sa casquette de ma poche avant de la lui lancer. Tiens, ça c'est à toi.

— Tu es entrée dans sa chambre pour la récupérer ?

— Ne te fais pas d'idées.

— Alors, reprit-il en mettant la casquette, tu sautes ?

Je baissai les yeux, terrifiée par la distance qui me séparait du sol. J'éludai en demandant :

— Pourquoi tu m'appelais ?

— Je t'ai perdue de vue et je voulais m'assurer que tu allais bien.

Il parut sincère, mais je savais qu'il mentait bien.

— Et le Coca, tout à l'heure ?

— Le calumet de la paix.

Je ne pouvais plus reculer. Je glissai avec précaution vers le rebord. Mon cœur faisait des bonds dans ma poitrine.

— Si tu ne me rattrapes pas…

Patch leva les bras. Je fermai les yeux et me laissai tomber du toit. Je sentis mon corps fendre l'air et en une seconde, j'étais contre lui. Durant quelques instants, je fus incapable de bouger, étourdie par ma chute, mais pas seulement. Sa présence était familière, solide, rassurante. J'avais envie de m'agripper à lui, d'enfouir mon visage au creux de son épaule et de ne plus jamais le lâcher.

Patch passa l'une de mes mèches derrière mon oreille.

— Tu retournes à la fête ? souffla-t-il.

Je secouai la tête.

— Je te ramène, dit-il en désignant le 4 × 4 du menton.

— Je suis avec Vee. Je vais sans doute rentrer avec elle.

— Mais est-ce que Vee passera chez le traiteur chinois ?

Il comptait donc dîner avec moi. Ma mère étant absente, nous serions seuls…

Ma détermination se dissipait peu à peu. Quel mal y avait-il à cela ? Quelles étaient les chances que les archanges se trouvent à proximité ? Et puisque Patch n'était pas inquiet, pourquoi m'en faire ? Il s'agissait seulement d'un dîner. J'avais passé une journée des plus frustrantes au lycée et ma séance à la salle de sport m'avait affamée. L'idée était tentante. Et puis, un dîner semblait bien inoffensif. Partager un repas ne prêtait pas à conséquence…

— Un dîner, rien de plus, lui dis-je, comme pour mieux m'en convaincre.

Il me fit le salut scout, mais son sourire n'augurait rien de bon. C'était un sourire de voyou. Le sourire enjôleur et désarmant d'un type qui, deux jours auparavant, avait embrassé Marcie… et s'invitait à présent chez moi pour dîner, avec probablement bien autre chose en tête. S'imaginait-il parvenir à me faire oublier tout le reste ? À me faire oublier Marcie ?

Je fus soudain tirée de mes pensées. Une sensation de malaise, qui n'avait plus rien à voir avec Patch ou avec la soirée de dimanche, s'installa brutalement autour de moi. L'angoisse me glaça tandis que je scrutais les ombres tranquilles qui dansaient sur la pelouse.

Patch sentit mon inquiétude et resserra automatiquement son étreinte.

Une fois de plus, je perçus quelque chose. Un changement dans l'air. Une brume imperceptible et pesante s'insinuait partout, décrivant des cercles de plus en plus proches, comme des serpents invisibles qui guettent leur proie. Même s'il ne pouvait le ressentir directement, j'avais du mal à croire que Patch n'ait rien remarqué.

— Qu'est-ce qui se passe, mon ange ? demanda-t-il à voix basse.

— Est-ce que… nous sommes en sécurité ?

— Quelle importance ?

Je jetai un œil aux alentours. Sans savoir pourquoi, je songeai aux archanges. Ils sont ici, me répétai-je.

— Je veux dire… est-ce que les archanges… Est-ce qu'ils nous observent ? dis-je d'une voix si faible que je l'entendais à peine.

— Oui, souffla-t-il contre mon cou.

Je tentai de reculer, mais Patch m'en empêcha.

— Je me fiche de ce qu'ils verront. Cette mascarade ne m'amuse plus.

Il releva lentement la tête et je lus dans son regard une révolte désespérée. Je luttai pour me dégager.

— Lâche-moi.

— Tu ne veux pas de moi ? insista-t-il avec un sourire de loup.

— La question n'est pas là. Je ne veux pas être responsable de ce qui t'arrive. Lâche-moi.

Comment pouvait-il être aussi insouciant ? Ils cherchaient un prétexte pour se débarrasser de lui ! Il ne devait pas être surpris avec moi.

Il fit glisser ses mains le long de mes bras, mais alors que j'en profitais pour me détourner, il saisit mes doigts et sa voix résonna dans mon esprit.

Je pourrais me rebeller, Nora. Je pourrais tout abandonner et cesser d'obéir à leurs règles.

Ça n'était pas la première fois qu'il y pensait. À son expression déterminée, indifférente, je devinais qu'il y avait mûrement réfléchi.

Mon cœur battait à tout rompre. Tout quitter ? Ne plus suivre les règles ?

— Qu'est-ce que tu veux dire ?

Je vivrais constamment en fuite, dans l'ombre, en espérant que les archanges ne me retrouvent pas.

— Et s'ils te rattrapaient ?

Je serais jugé. Condamné. Mais cela nous laisserait quelques semaines ensemble, le temps qu'ils délibèrent.

Le choc se lisait sans doute sur mon visage.

— Et ensuite ?

Ils m'enverraient en enfer. Je ne le crains pas, ajouta-t-il fermement après un silence. *J'ai mérité ce qui m'arrive. J'ai menti, triché et trompé les gens. J'ai blessé des innocents. Je ne compte plus mes erreurs. D'une manière ou d'une autre, je les ai payées toute mon existence. L'enfer ne me changera pas tellement. Mais les archanges n'ont probablement pas dit leur dernier mot,* conclut-il avec un bref sourire.

Son sourire disparut, et il me dévisagea avec une sincérité que je ne lui connaissais pas.

Mais avec toi, c'était différent. Ça n'était pas une erreur. Tu es mon unique réussite. Je me fiche des conséquences. Dis-moi ce que tu veux que je fasse. Un mot de toi et j'abandonne tout. Nous pourrions partir dès ce soir.

Il me fallut quelques instants pour comprendre. Je jetai un regard à sa voiture et j'eus soudain l'impression que le mur de glace qui nous séparait se brisait. Un mur que les archanges avaient érigé. Sans eux, tout ce qui nous divisait n'avait plus aucune importance. Le problème venait d'eux. J'aurais préféré les oublier, tout laisser derrière moi, et m'enfuir avec Patch. J'aurais aimé ne prendre aucune responsabilité, ne penser qu'à l'instant présent. Me moquer des règles, des frontières et, plus que tout, du lendemain. Ne songer qu'à lui et moi… plus rien d'autre ne compterait.

Rien, excepté la certitude de ce qui se produirait une fois que les anges l'auraient retrouvé, et condamné.

J'avais le choix, mais la réponse s'imposait d'elle-même. Le seul moyen de garder Patch était d'y renoncer.

Je n'avais pas réalisé que je pleurais, jusqu'à ce que Patch glisse ses doigts sous mes yeux.

— Tout ira bien, Nora. C'est toi que je veux. Je ne peux à vivre à moitié.

— Mais ils t'enverront en enfer, balbutiai-je, incapable de retenir un sanglot.

— J'ai eu le temps de me faire à l'idée.

J'étais résolue à lui cacher mes sentiments, la douleur qui me rongeait, mais avant que j'aie pu ravaler mes larmes, ma gorge se serra. Les yeux humides, gonflés, je sentis un poids comprimer ma poitrine. Tout était ma faute. C'était ma faute s'il était devenu un gardien. C'était ma faute si les archanges avaient décidé de le détruire. J'étais responsable de la situation.

— Rends-moi un service, dis-je enfin, d'une voix que je ne reconnus pas. Préviens Vee que je suis rentrée à pied. J'ai besoin d'être seule.

— Mon ange ?

Patch chercha ma main, mais je me détournai. Je m'éloignai d'un pas mécanique, mettant machinalement un pied devant l'autre. Incapable de penser, je laissai mon corps me guider, m'entraîner de plus en plus loin de Patch.

13.

Vee me déposa devant le café Enzo au début de l'après-midi suivant. Afin de paraître présentable sans être trop stricte, j'avais choisi une robe d'été jaune à imprimé fleuri, espérant qu'elle inspirerait l'optimisme qui me faisait défaut. Face à la vitrine, je secouai ma chevelure domptée à la hâte d'un geste rigide. J'esquissai une dernière fois mon plus beau sourire, que j'avais répété toute la matinée. Le coin de mes lèvres demeura figé. Le reflet de la vitre me renvoyait une image factice et crispée. Mais après une nuit blanche, difficile de faire mieux.

Après être rentrée chez moi à pied, je m'étais recroquevillée dans mon lit, incapable de fermer l'œil. J'avais passé la nuit à ruminer des idées de plus en plus noires. Je devais faire un coup d'éclat et, dans mon état, rien ne semblait trop radical. J'avais alors songé au pire – quelque chose qui ne m'aurait jamais traversé l'esprit auparavant. Si je mettais fin à mes jours, les archanges ne pourraient l'ignorer. Je voulais les pousser au remords, les obliger à douter de leurs lois archaïques. Je voulais les rendre responsables d'avoir réduit ma vie en lambeaux, avant de me l'avoir ôtée complètement.

Un sentiment de déchirement, de refus, de colère m'avait tenue éveillée jusqu'à l'aube. J'en étais presque venue à regretter de ne pas avoir fui avec Patch. Un bonheur, même de courte durée, valait peut-être mieux que se réveiller chaque jour en sachant que nous ne serions jamais réunis.

Mais alors que le soleil commençait à poindre, je pris une décision. Il fallait que je passe à autre chose, quel qu'en soit le prix. Voilà pourquoi, ce matin-là, je m'étais obligée à me lever, à prendre une douche, à m'habiller puis à me rendre au lycée, avec une détermination que personne n'aurait pu soupçonner. J'étais anéantie, déchirée par le chagrin, mais je refusais de laisser paraître le moindre signe d'apitoiement. Les archanges ne l'emporteraient pas si facilement. J'allais me remettre, trouver du travail, payer cette amende, terminer mes cours d'été avec la meilleure note de la classe et occuper si pleinement mes journées qu'il ne me resterait que les soirées, seule dans ma chambre, pour penser à Patch.

J'entrai chez Enzo. Deux balcons semi-circulaires encadraient la salle principale desservie par quelques marches. Je les descendis avec l'impression d'entrer dans une arène. Les balcons étaient pleins, mais la fosse était vide à l'exception de quelques clients qui lisaient leur journal en buvant leur café. Je pris une grande inspiration et m'approchai du comptoir.

— Excusez-moi, dis-je à la personne derrière la caisse. J'ai cru comprendre que vous cherchiez des serveuses pour le bar ?

J'avais parlé d'une voix monocorde, que j'étais incapable de contrôler. Une femme rousse d'âge mûr, « Roberta » (d'après le badge sur sa blouse), leva les yeux vers moi.

— J'aimerais déposer ma candidature, repris-je avec un sourire, qui, je le craignais, n'avait rien de convaincant.

Roberta essuya ses mains criblées de taches de rousseur sur un torchon.

— Pour le bar ? Plus maintenant !

Tous mes espoirs s'évanouissaient. Je m'étais accrochée à ce plan comme à une bouée, sans même réfléchir à une solution de repli. J'avais besoin de travailler, de compartimenter mon existence, d'en planifier chaque seconde et de cloisonner chaque émotion.

— En revanche, il me faut quelqu'un en salle, uniquement le soir, de dix-huit heures à vingt-deux heures, ajouta Roberta.

— Ah… euh, balbutiai-je. Ça serait parfait.

— Avant, passé cinq heures, le café était désert. On a donc décidé de changer l'atmosphère du restaurant. Le soir, on mise sur un éclairage tamisé, une musique d'ambiance et un service impeccable pour attirer une nouvelle clientèle. Les temps sont rudes, poursuivit-elle. Ton rôle serait d'accueillir les clients, les placer, prendre les commandes et servir.

Je hochai vigoureusement la tête pour lui montrer à quel point j'étais motivée.

— Aucun problème, soufflai-je d'une voix rauque.

— Tu as de l'expérience ?

Non. Mais Vee et moi fréquentions cet endroit au moins trois fois par semaine.

— Je connais le menu par cœur, répondis-je avec davantage d'assurance.

Je retrouvais peu à peu mes moyens. Si je voulais tout reprendre de zéro, décrocher un boulot était indispensable.

— C'est une très bonne chose. Quand peux-tu commencer ?

— Ce soir ?

Je ne parvenais pas à le croire : j'étais incapable de feindre le moindre enthousiasme, mais elle me proposait tout de même le poste. Elle me donnait ma chance. Je lui tendis la main, réalisant quelques secondes trop tard que je tremblais. Roberta ignora mon geste et me dévisagea, la tête penchée de côté. Sous son regard, je me sentis gauche et mal à l'aise.

— Ça va ?

— Oui, oui, je… très bien, merci.

Avec un bref hochement de tête, elle repassa derrière le comptoir.

— Tâche d'arriver avant six heures. Je te trouverai un uniforme avant le service.

— Merci mille fois…, bredouillai-je, mais elle ne se préoccupait déjà plus de moi.

Je quittai le café et fis quelques calculs. Avec un salaire minimum, je pourrais payer l'amende en deux semaines de travail. En travaillant deux mois d'affilée, j'aurais l'esprit libre durant soixante nuits avant la rentrée. Une fois au lycée, je comptais bien choisir un maximum d'options. Il m'était beaucoup plus facile de gérer une quantité astronomique de travail qu'une déception amoureuse.

— Alors, me lança Vee depuis la Neon, en arrivant à ma hauteur. Ça a été ?

— Je suis prise, dis-je en grimpant dans la voiture.

— Génial ! Tu m'avais vraiment l'air à bout de nerfs tout à l'heure, mais si tout s'est bien passé, c'est formidable. Te voilà officiellement dans la vie active. Je suis fière de toi, ma belle. Tu commences quand ?

Je jetai un regard à l'horloge sur le tableau de bord.

— Dans quatre heures.

— Je viendrai ce soir et je demanderai une table dans ta section.

— J'attends un bon pourboire, ironisai-je, forcée de constater que mon sens de l'humour était en berne.

— Je suis ton chauffeur. Ça vaut tous les pourboires du monde, non ?

Six heures plus tard, la salle de restaurant était pleine à craquer. On m'avait fourni un uniforme composé d'un chemisier cintré, d'un pantalon en tweed avec veste assortie et d'une casquette gavroche. Mes cheveux refusaient de rester en place sous la casquette et des boucles rebelles se collaient en permanence à mon visage en sueur. Malgré le rythme effréné du service, j'étais soulagée d'être débordée. Je n'avais pas une seconde à consacrer à Patch.

— Hé, la nouvelle ! me cria Fernando, l'un des cuisiniers, debout derrière un comptoir qui séparait les fours du reste des cuisines. Ta commande est prête, ajouta-t-il en agitant sa spatule.

Je posai deux plats en équilibre sur mon avant-bras, en attrapai un troisième et sortis à reculons. Je traversai la salle et je croisai le regard de l'une des serveuses qui désigna du menton une table de nouveaux clients, sur l'un des balcons. Je hochai la tête tout en disposant les assiettes devant trois hommes en costumes.

— Et voilà : un sandwich au bœuf, un salami et un poulet fumé. Bon appétit, messieurs.

Je gravis les marches de la salle au pas de course et tirai mon carnet de commandes de ma poche. Alors que je rejoignais le balcon, je m'arrêtai net. Marcie Millar était assise juste en face de moi. Autour d'elle, je reconnus Addyson Hales, Oakley Williams et Ethan Tyler, ses petits camarades du lycée. Je songeai à tourner les talons et à supplier une autre serveuse de prendre cette table en échange d'une autre, n'importe laquelle, mais Marcie leva les yeux.

Elle afficha une expression sournoise et une soudaine angoisse m'étreignit. Avait-elle compris que j'avais volé son journal ? La veille, je l'avais complètement oublié et ne l'avais retrouvé qu'une fois rentrée chez moi. Je ne voyais aucun moyen de le remettre discrètement en place, mais ne pensais même plus à l'ouvrir. Au même moment, il traînait encore au pied de mon lit au milieu de vêtements froissés.

— Ton uniforme est vraiment adorable ! cria Marcie pour couvrir le morceau de jazz. Ethan, tu ne portais pas une veste comme ça à la soirée du lycée il y a deux ans ? Nora a fait tes fonds de placard, on dirait.

Toute la table éclata de rire et je tapotai mon stylo sur mon carnet.

— Je vous sers quelque chose à boire ? Ce soir nous avons des smoothies citron-noix de coco.

Pouvaient-ils déceler la culpabilité dans ma voix ? Je déglutis et rassemblai toute mon assurance.

— La dernière fois, pour l'anniversaire de ma mère, le maître d'hôtel nous a chanté *Joyeux anniversaire*, déclara Marcie.

Où voulait-elle en venir ?

— Ah… euh, non. Je ne suis pas maître d'hôtel, balbutiai-je. Je suis une simple serveuse.

— Je ne vois pas ce que ça change. Tu vas me chanter *Joyeux anniversaire*.

Hébétée, je cherchai désespérément une échappatoire. Marcie avait une fois de plus trouvé le moyen de me ridiculiser. Comment pouvais-je encore m'en étonner ? Elle comptait les points entre nous, et pour elle, la victoire n'était jamais trop écrasante. C'était une peste aussi vicieuse qu'acharnée.

— Montre-moi ta carte d'identité, demandai-je en tendant la main.

— Je l'ai oubliée, répliqua-t-elle en haussant les épaules.

Mais je n'avais pas besoin de vérifier sa date de naissance pour savoir que ça n'était pas son anniversaire.

— Il y a beaucoup de monde, ce soir, prétextai-je, et mon supérieur ne veut pas que je m'éparpille.

— Ton supérieur te dira que le client est roi. Maintenant, chante.

— Et pendant que tu y es, renchérit Ethan, apporte-nous un de ces gâteaux au chocolat gratuits.

— On donne une part pour un anniversaire, pas tout le gâteau.

— Gnagnagna, singea Addyson qui fit rire toute la tablée.

Marcie sortit son portable de son sac et le dirigea vers moi. J'aperçus le voyant rouge clignoter. Elle avait activé le mode caméra.

— Je meurs d'envie d'envoyer ça à toute l'école. C'est pratique d'avoir accès aux adresses mails de tous les élèves. Qui aurait cru que jouer les secrétaires pourrait s'avérer utile ?

Elle savait pour le journal, c'était certain. Et elle me le faisait payer. J'avais marqué des points en le volant, mais elle doublerait la mise en diffusant cette vidéo.

— Écoute, soufflai-je en désignant les cuisines. Mes commandes s'accumulent et je dois…

— Ethan, appelle cette charmante demoiselle au bout de la salle et explique-lui que j'exige de parler au directeur. Dis-lui que notre serveuse est odieuse.

Je n'en revenais pas. Les mesquineries de Marcie allaient me coûter mon job ! Je songeai à l'amende que je devais régler, à la Volkswagen décapotable qui me filerait entre les doigts. Et plus que tout, je perdrais la seule distraction qui me faisait oublier l'insupportable réalité : Patch était sorti de ma vie, et pour de bon.

— Ça suffit, grinça Marcie. Ethan, demande à voir le responsable.

— Attends, murmurai-je enfin, tu as gagné.

Marcie poussa un cri de joie en battant des mains.

— J'ai bien fait de recharger la batterie.

J'enfonçai machinalement ma casquette sur ma tête, pour dissimuler mes yeux.

— Jo-yeux a-nni-ver-saire, jo-yeux a-nni-ver-saire…

— Plus fort ! crièrent-ils en chœur.

— Jo-yeux a-nni-ver-saire, continuai-je, trop honteuse pour me rendre compte de la justesse de ma voix. Joyeux a-nni-ver-saire, Marcie. Joyeux anniversaire.

Personne ne dit un mot. Marcie referma son portable et le rangea rageusement dans son sac.

— C'était nul, cracha-t-elle, dépitée.

— C'était… normal, commenta Ethan.

Je sentis mes joues s'empourprer et leur offris un petit sourire triomphant. Cinq cents points pour Nora et son solo à peu près juste. Marcie devrait patienter pour m'humilier publiquement. J'avais repris la tête de la compétition.

— Alors ? Qu'est-ce que je vous sers ? demandai-je d'une voix presque gaie.

Je pris les commandes et tournai les talons, mais Marcie ne s'avouait pas vaincue.

— Oh, Nora ?

Quel nouveau piège cherchait-elle à me tendre ? À moins que… Oh, non. Elle s'apprêtait à me dénoncer. Là, dans le restaurant et devant ses amis, elle allait expliquer comment je m'étais abaissée à lui dérober son journal.

— Tu pourrais accélérer nos commandes ? On est attendus à une soirée.

— Accélérer vos commandes ? répétai-je d'un air ahuri.

Elle ne savait donc rien pour le carnet ?

— J'ai rendez-vous avec Patch à la plage de Delphic et je ne voudrais pas le faire attendre.

Elle plaqua sa main sur sa bouche.

— Oh, non. Quelle idiote, je suis désolée ! Je n'aurais pas dû t'en parler. Ça doit être dur de le voir avec quelqu'un d'autre.

Mon sourire disparut aussitôt. Une bouffée de chaleur me submergea tandis que mon cœur cognait sourdement dans ma poitrine. La pièce se mit à tourner et je ne voyais plus que Marcie et son air railleur. Rien n'avait changé. Lorsque j'avais refusé de lui céder, Patch s'était jeté une fois de plus dans les bras de Marcie. D'ailleurs, comment était-ce possible ? Pourquoi les archanges ne s'opposaient-ils pas à leur relation ? Ils avaient pourtant échangé un baiser ! Était-ce parce qu'aucun d'eux ne prenait cette histoire au sérieux ? J'étouffai un cri de rage. Marcie pouvait donc s'afficher avec Patch parce qu'elle ne l'aimait pas. Qu'y avait-il de mal à être amoureux ? Les anges et les humains pouvaient-ils vraiment être si différents ?

— Ne t'en fais pas, lui répondis-je froidement. Je suis passée à autre chose.

— Tant mieux pour toi, siffla-t-elle en mordillant le bout de sa paille, comme si elle n'était pas dupe.

De retour en cuisine, j'oubliai volontairement de presser leur commande. Si elle voulait retrouver Patch à Dephic, elle devrait attendre.

En emportant un plat dans la salle, je fus surprise de trouver Scott à l'entrée du restaurant. Il portait un jean baggy et un tee-shirt moulant. Les serveuses l'avaient déjà abordé et lui parlaient en minaudant. Il m'aperçut et m'adressa un petit signe. Je servis la table 15 et grimpai les marches.

— Salut, lui lançai-je en retirant ma casquette pour m'éventer.

— Ta copine m'a dit que je te trouverais ici.

— Vee ?

— Je suis obligé d'enquêter. Tu ne me rappelles jamais.

Je m'épongeai le front et rassemblai mes cheveux en chignon.

— J'ai laissé mon portable au vestiaire. Tu avais besoin de quelque chose ?

— Tu finis à quelle heure ?

— Vingt-deux heures. Pourquoi ?

— Ils organisent une soirée à la plage de Delphic. Je cherche un pigeon pour m'accompagner.

— Et tu as pensé à moi ? Comme c'est gentil. Mais chaque fois qu'on sort ensemble, ça se termine en catastrophe.

Il me regarda, abasourdi.

— La bagarre au Z. Et au Sac du diable. J'ai dû demander à quelqu'un de me raccompagner.

— Jamais deux sans trois, insista-t-il avec un grand sourire.

Et pour la première fois, son sourire me plut. Il avait quelque chose de charmant, d'enfantin qui contrastait avec sa personnalité agaçante. Se pouvait-il qu'il ait une face cachée, qu'il gagne à être connu ?

Il s'agissait sans doute de la fête à laquelle Marcie avait fait allusion. Patch serait présent. Sur cette même plage où je me trouvais avec lui moins de deux semaines auparavant, pensant mener une vie parfaite. Aurais-je pu imaginer avec quelle rapidité elle partirait en fumée ?

Je tentai de me décider, mais mes sentiments étaient contradictoires. Bien sûr, je voulais revoir Patch. J'étais incapable de m'en empêcher. Mais la question n'était pas là. Le problème était de savoir si j'étais suffisamment forte pour le voir avec Marcie. Surtout après ce qu'il m'avait avoué la veille.

— Je vais réfléchir, repris-je après un trop long silence.

— Je passe te prendre après le service ?

— Non. Si j'y vais, Vee pourra m'accompagner. Écoute, je dois retourner travailler.

— À tout à l'heure... j'espère ! ajouta-t-il avec un clin d'œil.

Quelques heures plus tard, je retrouvai Vee qui m'attendait sur le parking.

— Merci d'être venue me chercher, lançai-je en grimpant sur le siège passager.

J'avais mal aux jambes et le brouhaha du restaurant résonnait encore à mes oreilles. En cuisine comme en salle, on n'avait pas cessé de me reprendre. Je m'étais trompée deux fois de table en servant les assiettes et j'étais entrée dans les cuisines par la mauvaise porte à plusieurs reprises, manquant de télescoper les autres serveuses qui emportaient les plats. La bonne nouvelle, c'était les trente dollars de pourboires au fond de ma poche. Une fois que j'aurais réglé cette amende, tous mes pourboires iraient dans ma cagnotte pour la décapotable. Il me tardait de pouvoir aller et venir sans appeler Vee à la rescousse.

Il me tardait surtout de parvenir à oublier Patch.

— Hé, rien n'est gratuit avec moi, rétorqua Vee en souriant. Chaque fois que je te conduis quelque part, c'est autant de services que tu me dois.

— Sérieusement, Vee. Tu es vraiment la meilleure amie du monde. La meilleure des meilleures.

— Rho, il va falloir célébrer cet instant-émotion avec une glace. J'ai une soudaine envie de sucre. Et avant ça, je ne dirais pas non à un peu de gras. Rien ne me rend plus gaie qu'un hamburger calorique avec des frites bien grasses.

— On remet ça à plus tard, répondis-je. On m'a proposé une soirée à la plage de Delphic, et je serais ravie que tu m'accompagnes.

Je ne prenais sans doute pas la décision la plus sage. Pourquoi me faire du mal ? Bien sûr, je cherchais avant tout la présence de Patch, même si cette proximité n'était pas celle que je voulais. Quelqu'un de plus fort, de plus courageux que moi aurait rompu tout contact. Quelqu'un de plus raisonnable n'aurait pas forcé le destin. Patch ne faisait plus partie de ma vie et j'aurais dû l'accepter, mais ça n'était pas aussi simple.

— Avec qui ?

— Scott et quelques personnes du lycée.

Mieux valait ne pas mentionner Marcie. Vee aurait aussitôt refusé, or mon petit doigt me disait que j'aurais besoin d'elle ce soir.

— Je crois que je vais plutôt appeler Rixon et m'écrouler devant un film avec lui. Je pourrais lui demander s'il a quelqu'un d'autre à te présenter. On pourrait faire une sortie tous les quatre. Pop-corn, bonnes blagues et pelotages.

— Non merci.

Je ne voulais personne d'autre. Seulement Patch.

Il faisait nuit noire sur Delphic lorsque Vee entra dans le parking. Les puissants faisceaux des projecteurs me rappelaient ceux des stades. Braqués sur les montants du carrousel en bois, les jeux d'arcades et le mini-golf, ils créaient un curieux halo. C'était l'unique point lumineux des alentours, et le reste de la plage et des champs environnants était plongé dans l'obscurité. À cette heure-ci, la buvette, tout comme les stands de jeux, seraient déserts. Je demandai à Vee de me déposer devant le chemin qui allait vers la plage.

Je sortis de la voiture et lui dis au revoir. Elle me répondit par un signe, le téléphone collé à son oreille. Elle appelait sans doute Rixon pour fixer un lieu de rendez-vous. La chaleur de l'après-midi était encore palpable. Dans l'air, le fracas lointain de la musique qui résonnait depuis le parc d'attractions se mêlait au bruit du ressac. Je dépassai les hautes herbes qui longeaient la côte et dévalai la pente jusqu'au mince ruban de sable que la marée n'avait pas entièrement recouvert. Je croisai quelques groupes de fêtards qui jouaient dans les vagues ou s'amusaient à rejeter le bois flotté dans l'obscurité de l'océan. Je guettais Patch, Marcie ou d'autres visages connus. Un peu plus loin, les flammes orangées d'un feu de joie dansaient sur le sable. Je sortis mon portable de ma poche et appelai Scott.

— Yo.

— Je suis à Delphic. Tu es où ?

— À gauche, près du feu. Et toi ?

— À droite.

— Je te rejoins.

Deux minutes plus tard, Scott se laissa tomber sur le sable à côté de moi.

— Tu comptes faire bande à part toute la soirée ? me demanda-t-il.

Son haleine empestait l'alcool.

— Disons que la plupart des gens présents ne font pas vraiment partie de mes amis.

Il hocha la tête d'un air entendu, puis me tendit un thermos.

— Sers-toi. Je t'assure que je n'ai pas de microbes. Parole de scout.

Je me penchai juste assez pour sentir et me reculai aussitôt. L'odeur était si puissante qu'elle me prit à la gorge.

— C'est quoi ? De l'huile de moteur ?

— Ma recette. Top secret. Si je t'en parle, je serai obligé de te tuer.

— Ça ne sera pas nécessaire. Une gorgée de ce truc-là suffirait.

Scott s'allongea sur le sable en s'appuyant sur ses coudes. Il s'était changé et portait à présent un tee-shirt Metallica aux manches déchirées, un short kaki et des tongs. De mon côté, j'avais seulement troqué ma chemise d'uniforme contre une blouse.

— Dis-moi, Grey, pourquoi es-tu venue ? J'aurais parié que tu préférerais un tête-à-tête avec tes bouquins plutôt qu'avec moi.

Je m'allongeai à mon tour et lui jetai un regard las.

— Tu ne voudrais pas changer de disque ? Je suis la fille barbante de service. Et alors ?

— Les filles barbantes, c'est mon truc, répondit-il avec un grand sourire. Grâce à elles, j'aurai mon année. Surtout en anglais.

Allons bon.

— S'il s'agissait d'une question, la réponse est non. Je ne rédigerai pas tes dissertations à ta place.

— C'est ce que tu penses, mais attends un peu que je te sorte le grand jeu.

J'éclatai de rire et son sourire s'élargit.

— Quoi ? Tu ne me crois pas ?

— J'ai du mal à imaginer que tu puisses faire preuve de « charme ».

— Aucune fille n'y résiste. Je t'assure. Ça les rend dingues. Et voilà le secret : je suis bourré vingt-quatre heures sur vingt-quatre, je ne suis pas capable de garder un job, j'ai un niveau pitoyable en maths et je passe mes journées devant ma console de jeux avant de m'écrouler sur mon lit.

Je rejetai la tête en arrière, prise d'un fou rire. Scott me paraissait soudain beaucoup plus sympathique soûl que sobre. Qui aurait cru qu'il puisse se dévaloriser à ce point ?

— Arrête de baver, dit-il en refermant ma mâchoire du bout du doigt. Ça va me monter à la tête.

— Tu as une Mustang, non ? Ça doit bien compter pour quelque chose.

— Quelque chose, oui. Mais pas assez pour sortir de la zone rouge.

— Et si tu arrêtais de boire ? suggérai-je.

— Arrêter ? T'es dingue. Ma vie est déjà nulle quand je suis à moitié conscient, alors imagine ce que ça donnerait après avoir dessoûlé. Je me jetterais directement d'un pont.

Le silence retomba.

— Quand je suis bourré, je peux presque oublier qui je suis, ajouta-t-il, soudain plus sérieux. Je suis encore là, mais plus vraiment… C'est agréable.

Il leva une fois de plus le thermos, sans quitter l'océan des yeux.

— Si ça peut te rassurer, ma vie n'est pas très gaie non plus.

— À cause de ton père ? devina-t-il en s'essuyant les lèvres d'un revers de main. Mais tu n'étais pas responsable.

— Et c'est presque pire.

— Comment ça ?

— Si c'était ma faute, ça impliquerait un repentir. Le chemin serait long et douloureux, mais j'aurais la possibilité de passer à autre chose. Alors que pour l'instant, je suis obsédée par la même question : pourquoi lui ?

— Je comprends, murmura-t-il.

Une pluie tiède et lourde se mit à tomber. Je perçus alors la voix de Marcie, plus loin sur la plage, près du feu.

— Merde !

Les silhouettes se levaient une à une, mais Patch n'était pas là.

— Tout le monde chez moi ! s'écria Scott en se redressant d'un bond.

Tenant à peine debout, il tituba sur le sable.

— 72 Deacon Road. Appartement 32. C'est ouvert. Il y a de la bière au frigo. Oh, et ma mère ne rentre que demain.

Un cri enthousiaste monta de la plage et tous rassemblèrent leurs affaires avant de se diriger vers le parking.

Scott me poussa du pied.

— Je t'emmène ? Allez, je vais même te laisser conduire.

— Merci, mais je crois que ma soirée touche à sa fin.

Patch n'était pas là. J'étais venue uniquement pour lui et soudain, toute cette soirée n'était plus seulement décevante, c'était un immense gâchis. J'aurais dû être soulagée de ne pas le voir avec Marcie, mais je me sentais surtout lasse, esseulée et bourrée de regrets. Plus que tout, j'étais épuisée. Je n'avais qu'une envie : me glisser dans mon lit et tirer un trait sur cette journée.

— Allez : celui qui conduit, c'est celui qui ne boit pas, insista Scott.

— Est-ce que tu essaierais d'en appeler à mon sens du devoir ?

Il agita les clés devant mes yeux.

— Tu ne laisserais quand même pas passer la chance de conduire ma Mustang.

Je me levai et époussetai mon pantalon.

— Et si tu me la vendais pour trente dollars ? Je paye cash.

Il éclata de rire en me prenant par les épaules.

— Je suis peut-être bourré, Grey, mais pas à ce point-là.

14.

Je dépassai le centre-ville de Coldwater pour m'engager sur Deacon Road. Un sombre rideau de pluie s'abattait toujours sur nous tandis que je suivais les petites routes sinueuses bordées de conifères, immenses et menaçants. Après un virage, Scott pointa en direction d'une résidence dans le style de la Nouvelle-Angleterre, avec des bâtiments pourvus de balconnets et de toits peints. Devant les immeubles, j'aperçus un court de tennis à l'abandon. L'endroit avait besoin d'un bon coup de peinture.

Je garai la Mustang sur l'un des emplacements réservés.

— Merci pour le taxi, me dit Scott en passant un bras derrière mon siège.

J'observai son regard vitreux et son sourire de travers.

— Tu penses pouvoir rentrer seul ?

— Je ne veux pas rentrer, bafouilla-t-il. La moquette sent le pipi de chien et le plafond de la salle de bains est moisi. Je veux rester ici, avec toi.

Parce que tu es complètement ivre.

— Je dois y aller. Il est tard et je n'ai pas appelé ma mère de la journée. Elle va s'inquiéter si elle n'a pas de nouvelles.

Je me penchai vers lui pour lui ouvrir la portière et il enroula l'une de mes boucles autour de son doigt.

— Jolie, souffla-t-il.

J'écartai sa main.

— Scott, ça suffit. Tu es soûl.

— Si peu, répondit-il avec un grand sourire.

— Heureusement, tu ne te souviendras de rien demain.

— Et dire que j'avais cru partager un moment intime avec toi sur la plage.

— En effet, et c'est toute l'intimité que nous partagerons. Je suis sérieuse. Rentre chez toi.

— Et ma Mustang ?

— Je te l'emprunte pour ce soir. Je te la ramènerai en début d'après-midi.

Scott poussa un soupir d'aise et s'enfonça dans le siège.

— Je voudrais me détendre en tête à tête avec Jimi Hendrix. Ça t'ennuierait de dire aux autres que la fête est finie ?

Je levai les yeux au ciel.

— C'est toi qui leur as proposé de venir ! Pas question d'aller jouer les videurs.

Scott ouvrit la portière et se pencha pour vomir.

Beurk.

Je le rattrapai par le dos de sa chemise et remis le moteur en route. Je m'avançai un peu et serrai le frein à main. Exaspérée, je le sortis de la voiture en faisant attention où je mettais les pieds. Il passa le bras autour de mes épaules et je manquai de m'écrouler sous son poids.

— Où est ton appartement ? demandai-je.

— Numéro 32. Au dernier à droite.

Évidemment, le dernier étage. Rien ne me serait épargné, ce soir.

Je soutins Scott jusqu'en haut des escaliers et entrai dans l'appartement où régnait déjà le chaos. Les gens dansaient au son rugueux d'un rap poussé à fond qui menaçait de faire exploser ma tête.

— Ma chambre est au fond, souffla Scott à mon oreille.

Je le traînai dans le salon en écartant les fêtards et ouvris la porte au bout du couloir. Enfin, je l'assis sur un des lits superposés et passai la pièce en revue : un petit bureau dans un coin, près d'une penderie pliable, d'un pied de guitare et de quelques haltères. Les murs étaient d'un blanc fané, sommairement décorés d'un poster du *Parrain III* et d'une banderole aux couleurs de l'équipe des Patriots.

— Ma chambre, annonça-t-il en suivant mon regard. Mets-toi à l'aise, ajouta-t-il en tapotant le matelas.

— Bonne nuit, Scott.

J'allais refermer la porte derrière moi lorsqu'il me rappela.

— Tu voudrais bien m'apporter un verre d'eau ? J'ai la gorge sèche et un mauvais goût dans la bouche.

Malgré mon envie de filer au plus vite, je ne pouvais m'empêcher de le plaindre. Si je partais, il se réveillerait sans doute le lendemain dans un état lamentable. Mieux valait que je lui donne deux aspirines avant de partir.

Le salon transformé en piste de danse s'ouvrait sur une cuisine en U. Je fendis la foule et me mis à fouiller les placards à la recherche d'un verre. Je découvris un paquet de gobelets en plastique au-dessus de l'évier. Je me retournai et, aussitôt, mon cœur bondit dans ma poitrine. Patch se trouvait à quelques mètres de moi, appuyé contre une porte près du réfrigérateur. Il se tenait à l'écart, la casquette baissée, signifiant qu'il n'était pas disposé à faire la conversation. Il semblait impatient et jeta un regard à sa montre.

À moins d'escalader le bar, au centre de la cuisine, il m'était impossible de l'éviter. Je me devais d'être au moins polie. Nous étions l'un comme l'autre suffisamment adultes pour faire preuve de civilité. J'humectai mes lèvres, qui me parurent soudain affreusement sèches, et m'approchai de lui.

— Alors, tu passes une bonne soirée ?

L'expression de son visage s'adoucit.

— Il y a au moins une chose que je préférerais faire.

Si c'était une allusion, je l'ignorai. Je me juchai sur le comptoir, laissant mes jambes pendre contre le rebord.

— Tu comptes rester toute la nuit ?

— Si je dois passer la nuit ici, achève-moi tout de suite.

— Désolée, dis-je en levant les mains, je n'ai pas d'arme sur moi.

— Et c'est tout ce qui te retient ? demanda-t-il d'un air amusé.

— Ça n'arrangerait rien, poursuivis-je. L'un des inconvénients d'être immortel…

Un sourire étincelant se dessina sous la visière de sa casquette.

— Mais si tu le pouvais, tu le ferais.

J'hésitai avant de répondre :

— Je ne te déteste pas, Patch. Pas encore.

— Détester n'est pas suffisant ? Quelque chose de plus fort, peut-être ?

J'esquissai un faible sourire.

Nous savions que cette conversation ne nous mènerait nulle part, surtout dans une situation pareille. Il nous tira tous deux d'embarras en changeant de sujet :

— Et toi, tu comptes rester longtemps ?

Je descendis du comptoir.

— Le temps d'apporter ce verre d'eau à Scott et je file d'ici.

Il me rattrapa par le coude.

— Tu voudrais m'abattre mais tu ne vois aucun inconvénient à materner ce type ?

— Scott ne m'a pas brisé le cœur.

Après quelques instants de silence, il reprit d'une voix grave :

— Allons-nous-en.

À son regard, je compris qu'il ne parlait pas de la soirée. Il me demandait de m'enfuir avec lui. De défier les archanges. Qui finiraient par le retrouver.

En imaginant ce qu'il risquait, j'étais terrifiée, pétrifiée même, à l'idée de ce que les archanges pourraient lui faire subir. Patch ne m'avait jamais expliqué à quoi ressemblait l'enfer, mais j'étais certaine qu'il le savait. Et le fait qu'il n'en ait rien dit rendait la perspective plus terrible encore.

Je baissai les yeux.

— J'ai promis à Scott de lui apporter un verre d'eau.

— Tu passes beaucoup de temps avec un type pas très net. Et je sais de quoi je parle.

— J'oubliais que tu es un expert en la matière.

— Je suis content de voir que l'ironie te va toujours aussi bien, mais je suis sérieux. Sois prudente.

— Merci pour le conseil, mais je suis une grande fille.

Je le contournai pour me fondre dans la foule qui dansait au milieu du salon. Il fallait que je m'échappe. Je supportais mal de me trouver si proche de lui, de sentir ce mur de glace se dresser entre nous. De savoir que nous voulions la même chose sans jamais pouvoir l'obtenir, alors même qu'elle semblait à portée de main.

J'avais fait quelques pas seulement lorsqu'on m'attrapa par un pan de ma blouse. Je me retournai, pensant que Patch n'en avait pas fini avec moi ou, plus terrifiant encore, qu'il s'apprêtait à braver l'interdit pour m'embrasser.

Mais c'était Scott qui se tenait derrière moi, l'air béat. Il écarta une mèche sur mon visage et se pencha vers moi, posant ses lèvres sur les miennes. Son baiser avait un goût de menthol. Je voulus le repousser, mais après tout, je me moquais que Patch nous voie. Je ne faisais rien qu'il n'ait déjà fait. J'avais moi aussi le droit de passer à autre chose. Puisqu'il n'avait aucun scrupule à se consoler dans les bras de Marcie, je ferais de même avec Scott.

Je remontai mes mains le long de son torse et les croisai sur sa nuque. Saisissant l'occasion, il resserra son étreinte en dessinant la courbe de mon dos. Pour la première fois, j'embrassais quelqu'un d'autre. Patch était lent, assuré et prenait son temps. Scott, lui, était plus empressé et maladroit. C'était différent, nouveau... mais pas tout à fait désagréable.

— Ma chambre, me murmura-t-il à l'oreille en glissant ses doigts dans les miens pour m'attirer dans le couloir.

Je levai les yeux vers la cuisine et surpris le regard de Patch. La main derrière le cou, il paraissait figé dans son geste, comme si, perdu dans ses pensées, il m'avait soudain aperçue dans les bras de Scott.

Voilà ce que ça fait, pensai-je.

Curieusement, cette revanche ne me procurait aucune satisfaction. C'était petit et mesquin. Je n'aimais pas ce genre de jeux, les coups bas pour se venger ou ménager son amour-propre. Mais une douleur lancinante me rongeait, et c'est elle qui me poussa à suivre Scott.

Il ouvrit la porte de sa chambre d'un coup de pied et éteignit la lumière, nous plongeant dans l'obscurité. Je jetai un regard au lit superposé, puis à la fenêtre. La vitre était fendue. Dans un moment de panique, j'imaginai me glisser par la fente et disparaître dans la nuit. Ce qui signifiait probablement que je m'apprêtais à commettre une erreur monumentale. Avais-je réellement l'intention d'aller jusqu'au bout, uniquement dans le but de prouver quelque chose à Patch ? Était-ce le bon moyen de montrer l'ampleur de ma douleur et de ma colère ? Je ne me reconnaissais plus.

Scott me prit par les épaules pour m'embrasser plus fougueusement. J'évaluai mes options. Je pouvais expliquer à Scott que je me sentais mal, que j'avais changé d'avis. J'aurais simplement pu lui dire non…

Il retira son tee-shirt et l'envoya dans un coin de la pièce.

— Euh…, balbutiai-je.

Je promenai mon regard dans la pièce à la recherche d'une échappatoire et réalisai que la porte avait dû se rouvrir, car une ombre masquait le flot de lumière venu du couloir. Lorsque l'ombre s'avança et referma la porte, j'écarquillai les yeux.

Patch saisit le tee-shirt de Scott et le lui jeta à la tête.

— Qu'est-ce que…, bafouilla Scott en se rhabillant à la hâte.

— Ta braguette, siffla Patch.

Scott remonta d'un coup sec la fermeture Éclair.

— Qu'est-ce que tu fous là ? cria-t-il. Sors de là, tu es dans ma chambre !

— Tu es dingue ? lançai-je à Patch.

Le regard de Patch se braqua sur moi.

— Tu ferais mieux de ne pas rester là. Pas avec lui, lâcha-t-il.

— Je ne vois pas en quoi ça te regarde.

Scott se planta devant moi.

— Laisse-moi m'en occuper.

À peine avait-il fait un pas que Patch lui envoya un coup de poing. Je perçus un craquement sourd.

— Qu'est-ce que tu fais ? hurlai-je. Tu lui as cassé la mâchoire ?

— Mmmmmh, gémit Scott en pressant sa main contre sa joue.

— Je ne lui ai pas cassé la mâchoire, mais s'il pose ne serait-ce qu'un doigt sur toi, je commencerai par là.

— Dehors ! ordonnai-je en désignant la porte.

Scott ouvrit et referma la bouche et grogna :

— Je vais te démolir.

Mais au lieu d'en profiter pour filer, Patch traversa la pièce en un éclair et poussa Scott vers le mur. Scott tentait de retrouver l'équilibre, mais Patch le poussa en avant, l'écrasant contre la cloison avant de se pencher à son oreille.

— Touche-la, souffla-t-il d'un ton menaçant, et tu le regretteras le restant de tes jours.

Avant de sortir, Patch me jeta un dernier regard.

— Il n'en vaut pas la peine. Et moi non plus, ajouta-t-il après un silence.

J'ouvris la bouche, mais ne trouvai rien à répondre. C'était vrai : je n'étais pas là parce que je le voulais. Seulement par rancœur. Et il le savait aussi bien que moi.

Scott se retourna et s'appuya mollement contre le mur.

— Si je n'étais pas défoncé, j'aurais pu le réduire en bouillie, maugréa-t-il en se massant la mâchoire. Pour qui est-ce qu'il se prend ? Et puis c'est qui, ce type, d'abord ? Tu le connais ?

Visiblement, il ne l'avait pas remarqué au Z, avec le monde qui nous entourait.

— Je suis désolée, dis-je avec un geste en direction de la porte. Est-ce que ça va ?

— La grande forme, souffla-t-il en retrouvant lentement son sourire.

Mais je voyais déjà une marque bleutée sur sa joue.

— Il est un peu dingue.

— Tu m'étonnes, répliqua Scott en tamponnant le sang à la commissure de ses lèvres.

— Je ferais mieux de rentrer, je te ramènerai la Mustang demain après les cours.

Je me demandais comment sortir de cette pièce, éviter Patch et conserver un semblant de dignité. Autant aller le trouver directement et admettre qu'il avait raison.

— Ne pars pas, Nora. Pas tout de suite, lança Scott.

— Écoute…

— Dis-moi si je vais trop loin.

Pour la seconde fois, il se débarrassa de son tee-shirt. La blancheur de sa peau tranchait dans l'obscurité. À voir les muscles de ses bras, il fréquentait assidûment les salles de sport.

— Tu vas trop loin.

— Ça n'était pas très convaincant, reprit-il en écartant mes cheveux pour enfouir son visage au creux de mon cou.

— Scott, je t'aime bien, mais pas de cette façon, répondis-je, cherchant à le repousser.

J'étais fatiguée, et ma migraine se propageait dans tout mon crâne. Honteuse, humiliée, je voulais rentrer chez moi et dormir pour oublier toute cette soirée.

— Comment peux-tu en être certaine, tu n'as même pas essayé.

J'appuyai sur l'interrupteur et la lumière inonda aussitôt la pièce.

— Je m'en vais…, dis-je avant de m'interrompre, perturbée à la vue d'une forme curieuse sur son torse.

Un morceau de peau épaisse et rosâtre saillait entre sa poitrine et sa clavicule. Les paroles de Patch me revinrent alors en mémoire et je reconnus le sceau de la société secrète des néphilims. Mais quelque chose d'autre attirait mon attention. La marque représentait un poing fermé, exactement identique, dans sa forme comme dans sa taille, au chaton de la bague qui se trouvait dans l'enveloppe.

Ébloui, Scott s'était rattrapé au montant du lit.

— Qu'est-ce que c'est ? demandai-je, la gorge soudain sèche.

Scott parut d'abord surpris, puis cacha aussitôt sa cicatrice.

— Ce n'est rien. On chahutait, un soir, avec des copains et ça a dégénéré.

Comment osait-il me mentir ?

— C'est toi qui m'as fait porter l'enveloppe ?

Lorsqu'il ne répondit pas, je poursuivis d'un ton plus ferme :

— La plage, la boulangerie. L'enveloppe avec l'anneau.

Mon sentiment de sécurité s'évanouit brutalement. J'étais seule, isolée, prise au piège loin des fêtards qui s'agitaient toujours dans le salon.

Il m'observa, les paupières plissées, comme si la lumière lui brûlait les yeux.

— De quoi tu parles ? demanda-t-il d'une voix confuse, presque agressive.

— Ça t'amuse, ce petit jeu ? Je sais que c'est toi qui m'as fait passer la bague.

— La… bague ?

— Celle qui a laissé cette marque sur ta poitrine !

Il secoua légèrement la tête, comme pour sortir de sa torpeur, puis il me plaqua contre le mur d'un mouvement brusque.

— Comment tu savais, pour la bague ?

— Tu me fais mal, dis-je d'un ton venimeux.

Mais je tremblais de peur. Scott ne jouait pas la comédie. À moins qu'il n'ait de réels talents d'acteur, il n'avait pas connaissance de cette enveloppe. En revanche, il avait parfaitement compris l'allusion à la bague.

— À quoi ressemblait-elle ? insista-t-il, m'attrapant par le col de ma blouse. Comment était le type qui te l'a donnée ?

— Lâche-moi ! criai-je en me débattant.

Mais Scott était bien plus fort que moi. Les pieds fermement plantés sur le sol, il me bloquait contre le mur.

— Je ne l'ai jamais vu. Il me l'a fait remettre.

— Est-ce qu'il sait où je me trouve ? Il sait que je suis à Coldwater ?

— Qui ça, « il » ? De quoi parles-tu ?

— Pourquoi t'a-t-il donné cette bague ?

— Je n'en sais rien. Je ne sais rien de ce type ! Pourquoi tu ne m'expliques pas plutôt comment tu le connais ?

Il semblait lutter pour réprimer un frisson d'horreur.

— Que sais-tu exactement ?

Je ne voulais pas baisser les yeux, mais il me comprimait la gorge.

— La bague était dans une enveloppe, avec un mot disant que la Main noire avait assassiné mon père, et que cet anneau lui appartenait. Est-ce que c'est toi, la Main noire ? demandai-je après une hésitation.

Je voyais bien qu'il ne me croyait pas encore tout à fait. Son regard jaugeait chacune de mes paroles.

— Mieux vaut que tu oublies tout ça, crois-moi.

Je tentai de me dégager, mais il maintenait toujours mon bras.

— Sors d'ici. Et ne m'approche plus.

Cette fois, il me lâcha en me poussant vers la porte. Mais malgré ma peur, je n'en avais pas terminé avec lui.

— Je ne partirai pas avant que tu m'aies dit tout ce que tu sais.

Je craignais que sa colère ne redouble. Il me regarda d'un air dur et méprisant, comme si j'étais un insecte nuisible. Scott ramassa son tee-shirt et s'apprêtait à l'enfiler, mais il se ravisa et esquissa un affreux sourire. Il jeta le tee-shirt sur le lit, déboucla sa ceinture et enleva son short. Il cherchait à me choquer pour m'obliger à partir, mais malgré mon embarras, je ne le laisserais pas s'en tirer aussi facilement.

— Ta poitrine est marquée du sceau de la Main noire. Tu ne me feras pas croire que tu ignores comment il est arrivé là.

Il resta silencieux.

— Dès que je suis sortie d'ici, j'appelle la police. Puisque tu ne veux rien me dire, tu préféreras probablement leur parler. Ils auront peut-être vu cette marque quelque part. Il me semble évident qu'elle est liée à quelque chose de louche.

Mon calme n'était qu'apparent. En proférant ces menaces grotesques, je prenais un risque. Scott aurait pu m'empêcher de partir. Je l'avais déstabilisé, ce qui signifiait sans doute que j'en savais déjà trop. Il lui aurait été facile de se débarrasser de moi. Ma mère ignorait où je me trouvais, et tous ceux qui m'avaient vue entrer dans son appartement étaient ivres. Qui se rappellerait m'avoir aperçue demain ?

Trop occupée à imaginer le pire, je n'avais pas remarqué que Scott s'était assis sur son lit. Il cachait son visage dans ses mains, penché en avant, tremblant. Secoué de violents sanglots, il pleurait. Je crus d'abord qu'il faisait semblant, qu'il jouait la comédie pour mieux me piéger, mais les hoquets qui lui échappaient paraissaient bien réels. Je me demandai quel risque pouvait présenter ce garçon à la force surhumaine, soûl et ébranlé. Je n'osais plus bouger, craignant sa réaction au moindre mouvement.

— À Portland, j'ai accumulé les dettes en jouant, expliqua-t-il d'une voix étranglée. Le patron de la salle de billard ne me lâchait pas et je prenais des risques chaque fois que je sortais de chez moi. Je vivais dans l'angoisse, pensant que je m'en tirerais bien avec deux genoux éclatés. Un soir, alors que je rentrais du boulot, on m'a sauté dessus et traîné jusqu'à un entrepôt désert où on m'a attaché à une table. Il faisait trop sombre pour voir le type, mais j'imaginais qu'il était envoyé par le patron du billard. Je lui ai dit que je lui paierais ce qu'il voulait, mais il s'est contenté de rire. Il prétendait se ficher de mon argent et avoir déjà épongé mes dettes. J'ai cru qu'il s'agissait d'une plaisanterie douteuse, mais il m'a dit qu'on l'appelait la Main noire et qu'il n'avait absolument pas besoin d'argent. Ensuite, il a sorti un briquet, avec lequel il a chauffé son anneau à blanc. J'étais terrifié et je l'ai supplié de me détacher en promettant de faire ce qu'il me demanderait. Il a déchiré ma chemise et m'a enfoncé la bague dans la peau. J'ai hurlé comme un fou. Alors il a saisi ma main et m'a cassé un doigt en menaçant de briser les autres si je ne me taisais pas. Il disait qu'il m'avait marqué de son sceau…, poursuivit Scott dans un murmure. J'en ai mouillé mon pantalon, là sur la table. Ce type m'a filé la trouille de ma vie et je ne veux plus jamais avoir affaire à lui. C'est pour ça que nous sommes revenus à Coldwater. Je n'allais plus au lycée. Je passais mes journées à la salle de sport, à me faire des muscles pour être prêt au cas où ce malade déciderait de me retrouver.

Il s'interrompit en s'essuyant le nez du revers de la main.

J'ignorais si je pouvais lui faire confiance. Patch m'avait clairement fait comprendre que je ne le devais pas, mais Scott était méconnaissable. Livide, ruisselant de sueur, il passa nerveusement sa main dans ses cheveux en poussant un long soupir. Pouvait-il inventer une histoire pareille ? Tout concordait avec ce que je savais de lui. Il était accro au jeu. Il travaillait le soir dans une supérette de Portland et il était revenu à Coldwater pour fuir son passé. Et la cicatrice sur son torse prouvait que quelqu'un l'avait marqué. Pouvait-il vraiment mentir sur tant de détails sordides ?

— À quoi ressemblait-il ? demandai-je. À quoi ressemblait la Main noire ?

— Il faisait sombre, répondit-il en secouant la tête. Il était grand, c'est tout ce dont je me souviens.

Je cherchais désespérément un lien entre Scott et mon père, car tous les deux avaient un rapport avec la Main noire. Cet homme mystérieux avait poursuivi Scott à cause de ses dettes. Et après les avoir effacées, il l'avait marqué. Avait-il fait subir le même sort à mon père ? Contrairement à ce que la police avait affirmé, son meurtre n'était peut-être pas dû au hasard. Et si la Main noire avait réglé une dette contractée par mon père ? Il aurait pu être assassiné pour avoir refusé d'être marqué. Non, ça n'avait aucun sens... Mon père ne jouait pas et n'était pas du genre à accumuler les dettes. Il était comptable et connaissait la valeur de l'argent. Rien ne le rapprochait de Scott. Le lien devait se trouver ailleurs…

— Est-ce que la Main noire t'a dit autre chose ?

— Je fais tout pour oublier cette nuit-là.

Il passa la main sous son matelas et en tira un cendrier en plastique et un paquet de cigarettes. Il en alluma une, expira lentement la fumée et ferma les yeux.

Les trois mêmes questions me revenaient sans cesse à l'esprit. La Main noire avait-il vraiment assassiné mon père ? Qui était-il ? Comment pouvais-je le retrouver ?

Et d'autres interrogations s'imposaient aussitôt. Pouvait-il être à la tête de cette société secrète de néphilims ? Puisqu'il les marquait, cela semblait logique. Seul un chef ou une figure d'autorité pouvait se charger de recruter de nouveaux membres afin de combattre les déchus.

— T'a-t-il dit pourquoi il te marquait ? demandai-je.

La marque ne symbolisait peut-être pas seulement leur appartenance à la société secrète. Elle pourrait avoir une signification connue seulement des néphilims.

Scott secoua la tête en tirant sur sa cigarette.

— Il ne t'a donné aucune explication ? insistai-je.

— Non ! s'écria-t-il.

— Est-ce qu'il a tenté de te retrouver depuis cette nuit-là ?

— Non.

À son regard affolé, je compris que cette possibilité l'obsédait.

Je repensai à la soirée au Z et au néphil en rouge. Portait-il la même marque que Scott ? J'en étais presque certaine. Tous les membres devaient avoir un signe distinctif. Y en avait-il eu d'autres, au Z ? Ils pouvaient être partout, en nombre, recrutés par la force, mais maintenus dans l'ignorance. Qu'attendait donc la Main noire pour les réunir ? Cherchait-il à cacher leur puissance aux déchus ?

Quel rapport y avait-il entre la mort de mon père et cette société secrète ?

— Est-ce que tu as déjà vu cette marque sur quelqu'un d'autre ? demandai-je.

Je savais que mes questions l'agaçaient, mais j'avais absolument besoin de réponses.

Cependant, Scott demeura silencieux. Il était retombé sur son lit, ivre mort. La bouche ouverte, il respirait bruyamment, l'haleine chargée par l'alcool et la cigarette.

Je le secouai.

— Scott, que peux-tu me dire de cette société ?

Je tapotai doucement ses joues.

— La Main noire t'a-t-il dit que tu étais un néphilim ? T'a-t-il expliqué les conséquences ?

Mais Scott avait sombré dans un sommeil profond, comateux. J'écrasai son mégot, tirai le drap sur ses épaules, puis sortis.

15.

J'étais au beau milieu d'un rêve lorsqu'une sonnerie stridente retentit. Je passai un bras sous le drap et cherchai mon portable à tâtons sur la table de nuit.

— Allô ? soufflai-je.

— Tu as jeté un œil à la météo ? pépia Vee.

— Hein ? Quelle heure est-il ?

Je voulus ouvrir les yeux, mais replongeai aussitôt dans un demi-sommeil.

— Ciel d'azur, températures caniculaires, pas un souffle de vent ! s'écria Vee. Nous allons donc à la plage d'Old Orchard après les cours. Je mets des serviettes dans la Neon en ce moment même.

Lorsqu'elle entonna le premier couplet d'une chanson de *Grease*, j'éloignai le téléphone de mon oreille en grimaçant.

Je me frottai les yeux, tâchant de distinguer les chiffres encore flous sur mon réveil. Ça n'était quand même pas un six ?

— D'après toi, j'opte pour un bandeau rose ou un bikini doré ? Le problème, avec le bikini, c'est qu'il vaudrait sans doute mieux que je sois bronzée pour le mettre. Le doré, ça fera ressortir ma couleur cachet d'aspirine. Je devrais peut-être choisir le rose avant de brunir un peu, et puis...

244

— Pourquoi mon réveil indique-t-il six heures vingt-cinq ? demandai-je en élevant la voix.

— C'est une question piège ?

— Vee !

— Tu n'es vraiment pas matinale, toi…

Je jetai le téléphone par terre et me roulai sous les draps. La sonnerie du téléphone fixe résonna alors dans la cuisine. Je passai la tête sous l'oreiller et le répondeur finit par se déclencher. Mais Vee n'abandonnait pas si facilement. Elle rappela encore et encore.

Je saisis mon portable et composai son numéro.

— Quoi ?

— Doré ou rose ? C'est un vrai dilemme, tu comprends ? C'est juste que… Rixon sera là et c'est la première fois qu'il me verra en maillot.

— Attends un peu. Rixon nous accompagne ? Je n'ai pas l'intention de faire le trajet jusqu'à Old Orchard pour tenir la chandelle !

— Et moi, je n'ai pas l'intention de te laisser te morfondre chez toi tout l'après-midi.

— Je ne me morfonds pas

— Si. Tu te morfonds là, en ce moment même.

— Pour l'instant, je fulmine. C'est ce qui arrive quand on me réveille à six heures du matin.

Le ciel était d'un bleu profond, sans un nuage, et l'air était chargé d'embruns. Nous roulions en direction de la côte, toutes vitres baissées et cheveux au vent. Vee prit la bretelle de sortie d'Old Orchard et remonta la rue principale, en quête d'une place de parking. De chaque côté de la route, les automobilistes avançaient au pas, attendant qu'un emplacement se libère.

— C'est bondé, gémit Vee. Où va-t-on pouvoir se garer ?

Elle s'engagea dans une ruelle et s'arrêta juste devant le parking d'une librairie.

— Parfait, on a l'embarras du choix.

— C'est réservé aux employés, indiquai-je.

— Comment sauront-ils que nous ne sommes pas des employés ? Toutes ces voitures font pitié. La Neon se fond dans le décor.

— D'après le panneau, on risque la fourrière.

— Ils disent ça pour faire peur aux gens. C'est purement dissuasif. Aucune raison de s'inquiéter.

Vee fit donc un créneau et serra le frein à main. Armées d'un parasol et d'un sac contenant le nécessaire de survie à une journée de plage, nous descendîmes Old Orchard Street jusqu'au bord de mer. Les parasols multicolores émaillaient le sable et l'écume des vagues venait lécher les piliers décharnés de la jetée. Devant nous, je reconnus un groupe de terminales qui jouaient au frisbee.

— En temps normal, je t'aurais proposé d'aborder ces charmants garçons, mais Rixon est tellement canon que je ne suis même pas tentée.

— À quelle heure doit-il nous rejoindre, déjà ?

— Je ne sens pas ton enthousiasme, Nora. Je dirais même que tu transpires l'agacement.

Protégeant mes yeux du soleil, je scrutai la plage à la recherche de l'emplacement idéal.

— Je croyais te l'avoir expliqué : je déteste tenir la chandelle.

La dernière chose dont j'avais besoin, c'était de passer l'après-midi sous un soleil de plomb à regarder Vee et Rixon minauder.

— Si tu veux tout savoir, Rixon avait quelques affaires à régler avant de nous retrouver, mais il a promis d'être là vers quinze heures.

— Comment ça, des affaires ?

— Aucune idée. Patch a encore dû l'embobiner et lui demander un service. Il fait marcher Rixon à la baguette, alors qu'il est parfaitement capable de se débrouiller seul. Patch pourrait au moins proposer de le dédommager. Tu crois que je dois mettre de la crème solaire ? Parce que si je n'ai pas bronzé d'ici la fin de la journée, je pique une crise.

— Rixon n'est pas vraiment le genre de garçon à laisser les autres lui dicter son emploi du temps.

— Les autres ? Non. Patch ? Oui. Rixon le vénère, c'en est presque écœurant. Je ne tiens pas particulièrement à ce qu'il serve de modèle à mon copain.

— Ils se connaissent depuis très longtemps.

— À ce qu'il paraît. Patch trempe dans un trafic de drogue, c'est certain. Ou plutôt non, je le vois davantage magouiller dans les armes et Rixon joue les mules, en faisant des allées et venues pour passer ses cargaisons.

Derrière mes fausses Ray Ban, je levai les yeux au ciel.

— Rixon s'est déjà plaint de Patch ?

— Non, grommela-t-elle d'un air renfrogné.

— Alors laisse tomber.

Mais Vee n'avait pas l'intention d'en rester là.

— S'il ne trafique pas, d'où est-ce qu'il tire tout son argent ?

— Tu le sais bien.

— Dis-le. Dis-moi à haute voix où il prend l'argent, insista-t-elle en croisant les bras.

— Là où Rixon trouve le sien.

— Voilà, j'en étais sûre, tu as honte de le dire.

— Arrête, répliquai-je avec un regard appuyé. Tu es grotesque.

— Ah oui ?

Elle bondit et s'approcha d'une femme qui s'amusait avec ses enfants.

— Excusez-moi, madame, navrée d'interrompre votre partie de château de sable avec les petits, mais mon amie voudrait vous expliquer comment son ex gagne sa vie.

Je la rattrapai et la ramenai vers sa serviette.

— Tu vois ? Ça te fait honte. Tu ne peux même pas prononcer le mot sans vomir, ajouta-t-elle d'un ton grandiloquent.

— Au poker, au billard. Voilà, tu es contente ? Je l'ai dit et je me porte comme un charme. Je ne vois pas ce qu'il y a de si terrible. Rixon fait exactement la même chose.

— Tu es complètement à l'ouest, ma pauvre fille, répliqua Vee en secouant la tête. Tu as vu ses fringues ? Tu crois qu'on peut s'acheter ce genre de vêtements en gagnant quelques paris chez Bo ?

— De quoi tu parles, à la fin ? Il ne porte que des jeans et des tee-shirts.

— Tu sais combien ça coûte, des jeans pareils ? demanda-t-elle, le poing sur la hanche.

— Euh, non.

— Disons juste que tu ne trouveras jamais ces jeans à Coldwater. Il les commande probablement à New York. Dans les quatre cents dollars la paire ?

— T'es dingue.

— Juré. La dernière fois, je l'ai vu avec un tee-shirt des Rolling Stones signé par Mick Jagger. Et Rixon m'a assuré que c'était un vrai. Patch n'alimente pas son compte avec des jetons de poker. Avant que tu rompes avec lui, tu l'as déjà interrogé sur l'origine de cet argent ? Et comment a-t-il pu se payer son énorme 4 × 4 ?

— Patch a gagné sa voiture au poker, expliquai-je. S'il y avait un 4 × 4 en jeu, je suis sûre qu'il peut amasser suffisamment pour s'acheter des jeans à quatre cents dollars. C'est peut-être tout bêtement un as du poker.

— Ça, c'est ce que Patch t'a raconté. Rixon a une version un peu différente.

Je secouai mes cheveux d'un air détaché, cherchant à montrer que je me fichais totalement de l'issue de la conversation.

— Ah oui ? Et laquelle ?

— Je ne sais pas, il refuse d'en dire plus. Il m'a répondu que Patch voulait qu'on pense qu'il avait gagné ce 4 × 4 au jeu, mais qu'il s'était sali les mains pour l'avoir.

— Tu as sans doute mal compris.

— Oui, bien sûr, ironisa-t-elle. Ou alors Patch est un cinglé à la tête d'un trafic quelconque.

Je lui tendis, peut-être un peu violemment, le tube de crème solaire.

— Sois gentille, passe-moi ça sur le dos, et mets-en bien partout !

— Je pense que je vais m'enduire directement d'huile solaire, remarqua-t-elle. Mieux vaut un petit coup de soleil que de repartir d'ici aussi blanche que je suis venue.

Je me contorsionnai pour vérifier qu'elle s'appliquait.

— Et n'oublie pas les bretelles ! ajoutai-je.

— Tu crois qu'on m'arrêtera si j'enlève le haut ? Je déteste les marques de maillots.

J'étalai ma serviette sous le parasol et m'assurai que pas un centimètre de peau ne soit exposé. Vee s'installa un peu plus loin et s'enduisit les jambes de monoï. En la voyant faire, je ne pus m'empêcher de songer aux affiches de prévention du cancer de la peau.

— Puisqu'on parle de Patch, quoi de neuf ? Il est toujours avec Marcie ?

— Aux dernières nouvelles, oui, répondis-je d'un air las.

Cherchait-elle vraiment à me pousser à bout ?

— Tu sais ce que j'en pense.

Je le savais, mais je savais aussi qu'elle ne se priverait pas de le répéter...

— Ils sont parfaitement assortis, poursuivit-elle en se vaporisant les cheveux, parfumant l'atmosphère avec un effluve chimique. Évidemment, ça ne durera pas. Patch finira par se lasser et passera à autre chose, exactement comme avec...

— On pourrait changer de sujet ? interrompis-je en fermant les yeux, sentant la migraine poindre.

— Tu es sûre que tu ne veux pas en parler ? J'ai l'impression que tu en as gros sur le cœur.

Je poussai un soupir résigné. Pas la peine de le lui cacher. Vee manquait parfois de tact, mais elle restait ma meilleure amie. Elle avait le droit de connaître la vérité, lorsque j'étais en mesure de la lui révéler.

— Il m'a embrassée, l'autre soir. Après notre soirée au Sac du diable.

— Quoi ? !

— Dans ma chambre, poursuivis-je en me massant les paupières.

Comment lui expliquer que tout cela s'était produit dans mon rêve ? Peu importait le lieu, d'ailleurs, car les faits, eux, étaient bien réels. Et maintenant que je savais Patch capable de s'introduire dans mon inconscient, je préférais ne pas imaginer les conséquences...

— Tu l'as laissé entrer ?

— Pas vraiment, mais il s'est invité quand même.

— Je vois..., dit Vee d'un air dubitatif, comme si elle cherchait une manière polie de me traiter d'idiote. Voilà ce qu'on va faire : on va faire un pacte de sang. Ne me regarde pas comme ça, je suis sérieuse. Quand on jure sur le sang et qu'on ne tient pas parole, on s'expose à de terribles ennuis, comme... je ne sais pas, te faire grignoter les pieds par des rats dans ton sommeil ou te réveiller avec deux moignons sanguinolents. Tu as un canif sur toi ? On prend un canif, on s'entaille les paumes et on les presse l'une contre l'autre. Tu promets de ne plus jamais te trouver en tête à tête avec Patch ? Si l'occasion se présente, tu seras moins tentée.

Vee ignorait que je n'avais pas toujours voix au chapitre. Patch allait et venait à sa guise, fugace comme une ombre. S'il décidait d'être seul avec moi, rien ne l'en empêcherait. Et parfois, cela ne me déplaisait pas.

— J'aurais besoin de quelque chose d'un peu plus efficace qu'un pacte de sang.

— Ma belle, il faut sortir un peu. C'est du sérieux. J'espère que tu ne prends pas ça à la légère parce que j'y crois à fond. Je pars en quête d'un couteau, ajouta-t-elle en faisant mine de se lever.

Je la fis se rasseoir aussitôt et soufflai :

— J'ai le journal de Marcie.

— Hein ? s'étrangla-t-elle.

— Je le lui ai volé, mais je ne l'ai pas ouvert.

— Et c'est maintenant que tu me le dis ? Qu'est-ce que tu attends ? Oublions Rixon et rentrons immédiatement chez toi ! Tu sais très bien qu'elle y aura parlé de Patch.

— Je sais, oui.

— Alors qu'est-ce qui te retient ? Tu as peur de ce que tu vas trouver ? Je pourrais le lire avant toi, t'épargner les détails scabreux et te résumer l'essentiel ?

— Si je le lis, je risque de ne plus jamais reparler à Patch.

— Ça serait une excellente chose !

— Je ne suis pas certaine de vouloir en arriver là, répondis-je en évitant son regard.

— Non, ma belle, cesse de te faire du mal. J'ai vraiment de la peine à te voir comme ça. Ouvre ce fichu journal et donne-toi une chance de passer à autre chose. Tu refuses de l'entendre, mais tu trouveras quelqu'un d'autre. En matière de garçons, il n'y aura jamais de pénurie.

— Je sais.

Mais je me mentais à moi-même. Il n'y avait jamais eu personne avant Patch. Comment pourrait-il y avoir quelqu'un après ?

— Je n'ai aucune envie de le lire, repris-je. Je vais le lui rapporter. Marcie et moi poursuivons cette guerre ridicule depuis notre enfance et il est grand temps d'y mettre fin. Il faut que je passe à autre chose.

Vee me regarda, la bouche grande ouverte, et se remit à bafouiller.

— Attends… Nora. Tu ne pourrais pas passer à autre chose après lecture du journal ? Laisse-moi juste y jeter un œil. Cinq minutes, c'est tout ce que je te demande.

— Non, je ne veux pas tomber là-dedans.

— Pas moyen de te faire changer d'avis, hein ? conclut-elle en poussant un soupir.

— Non.

Une ombre se dessina autour de nous.

— Puis-je me joindre à ces ravissantes demoiselles ?

En levant les yeux, j'aperçus Rixon, en short et en débardeur, une serviette de bain négligemment jetée sur l'épaule. Il était sec et nerveux, avec un nez aquilin et une masse de cheveux noirs qui retombaient sur son front. Deux ailes noires étaient tatouées sur son épaule et sa barbe de trois jours lui donnait un petit air de voyou : charmant, joueur et prêt à tout. Un sourire illumina le visage de Vee.

— Te voilà ! s'exclama-t-elle.

Rixon se laissa tomber devant nous sur le sable, appuyé sur ses coudes, le menton posé sur la main.

— Qu'est-ce que j'ai manqué ?

— Vee veut qu'on fasse un pacte de sang, répondis-je.

Il fronça un sourcil.

— C'est sérieux, ça.

— Elle pense que ça m'aidera à tenir Patch à distance.

— Bon courage, s'esclaffa-t-il.

— Hé, intervint Vee. On ne plaisante pas avec les pactes !

Rixon posa affectueusement une main sur sa cuisse et lui sourit. Je les observai, envieuse. Quelques semaines plus tôt, Patch aurait pu avoir pour moi un geste similaire. L'ironie de l'histoire, c'était que Vee s'était alors trouvée dans la même position gênante. Sachant cela, j'aurais dû me montrer plus compréhensive, mais je n'y parvenais pas. Vee se pencha vers Rixon pour l'embrasser. Je détournai les yeux, une boule dans la gorge.

Rixon sembla remarquer mon malaise et toussota.

— Et si j'allais nous chercher un Coca ? proposa-t-il.

Vee se leva et épousseta le sable de son maillot.

— À moi l'honneur. Je crois que Nora souhaite te parler, dit-elle en mimant des guillemets. Je resterais volontiers, mais je ne suis pas une grande fan du sujet en question.

J'ignorais où Vee voulait en venir, mais j'étais certaine que j'allais le regretter. Rixon me sourit, attendant la suite.

— Patch, expliqua-t-elle.

Sa précision ne fit qu'augmenter le malaise déjà palpable. Ravie de son effet, Vee s'éloigna.

— Tu veux discuter de Patch ? demanda Rixon en se frottant le menton.

— Pas vraiment, mais tu connais Vee. Elle n'a pas son pareil pour embarrasser son entourage.

— Heureusement que je ne suis pas facilement intimidé, répondit-il en riant.

— J'aimerais pouvoir en dire autant.

— Quoi de neuf ?

— Avec Patch ? Ou d'une manière générale ?

— Les deux.

— Ça n'est pas brillant.

Réalisant que Patch aurait certainement vent de cette conversation, je m'empressai d'ajouter :

— Mais ça s'arrange. Je peux te poser une question indiscrète ? Ça concerne Patch, mais si ça te gêne de répondre, je comprendrai tout à fait.

— Vas-y.

— Est-il encore mon gardien ? Il y a quelques jours, après une dispute, je lui ai dit que je ne voulais plus de lui. Mais je ne sais pas où en sont les choses. Est-ce que mes paroles ont pu suffire à changer la situation ?

— Il est toujours responsable de ta sécurité.

— Alors comment se fait-il que je ne le voie jamais ?

— Tu as rompu avec lui, non ? répliqua-t-il, le regard malicieux. C'est embarrassant. En général, on préfère éviter ses ex. Et puis, il y a les archanges qui, à ce qu'il m'a raconté, ne le lâchent pas d'une semelle. Il se met en quatre pour que tout se passe au mieux.

— Donc il me protège toujours.

— Bien sûr. Seulement, il agit dans l'ombre.

— Qui a décidé qu'il serait mon ange gardien ?

— Les archanges.

— Existe-t-il un moyen d'en changer ? C'est devenu... compliqué.

Intenable aurait été plus proche de la vérité. À sans cesse croiser Patch, consciente que je n'obtiendrais jamais ce que je voulais, j'en perdais la raison.

Rixon passa distraitement un doigt sur ses lèvres.

— Je peux te dire ce que je sais, mais ça date. Je ne suis plus dans le secret depuis un bout de temps. Tu vas rire mais – reste assise – tu dois faire un pacte de sang.

— C'est une plaisanterie ?

— Tu dois entailler ta paume et verser quelques gouttes de sang sur le sol. Attention, il doit absolument toucher la terre. Ensuite, tu prononces un serment afin de prouver au ciel que tu ne crains pas de verser ton propre sang. Par cette proclamation, tu renonces à la protection d'un ange gardien et tu déclares accepter ton destin, sans que le ciel n'interfère. Mais je ne te le conseille pas. On ne t'a pas attribué un gardien sans raison. Quelqu'un là-haut pense que tu es en danger. Et à mon avis, ça n'est pas une simple précaution.

Il ne m'apprenait rien. J'étais bien consciente qu'une présence sombre cherchait à s'introduire dans mon monde et à le faire disparaître. La menace qui planait derrière le fantôme de mon père en était la preuve. Soudain, une idée me traversa l'esprit :

— Et si la personne qui me poursuivait était aussi mon gardien ?

— Patch ? s'étrangla Rixon, avant d'éclater de rire.

Évidemment, jamais il ne l'aurait désavoué. Ces deux-là avaient tout partagé, et même si Patch avait été responsable, la loyauté aveugle de Rixon l'aurait empêché de l'admettre.

— Mais s'il me voulait du mal, est-ce que quelqu'un s'en rendrait compte ? insistai-je. Les archanges, peut-être, ou bien les anges de la mort ? Dabria savait où et quand la mort allait frapper. L'un d'eux pourrait-il l'arrêter avant qu'il ne soit trop tard ?

— Si tu suspectes Patch, tu te trompes, répondit Rixon plus froidement. Je le connais mieux que toi et il ne prend pas son rôle de gardien à la légère.

Pourtant, si Patch avait décidé de m'éliminer, son crime serait absolument parfait. En tant que gardien, il était censé me protéger… et donc au-dessus de tout soupçon.

Mais les occasions de passer à l'acte n'avaient pas manqué et il n'en avait pas saisi une seule. Patch avait même renoncé à ce qu'il désirait le plus – une apparence humaine – pour me sauver. Pourquoi avoir fait cela s'il avait l'intention de se débarrasser de moi ? Ou alors…

Rixon avait raison : ma théorie ne tenait pas debout. À ce stade, il paraissait ridicule de le soupçonner.

— Est-ce qu'il est heureux avec Marcie ?

Je me mordis aussitôt les lèvres. La question m'avait échappé et je rougis. Rixon m'observa longuement, comme s'il cherchait ses mots.

— Patch est l'unique personne dont je sois proche, expliqua-t-il. Il est comme un frère pour moi, mais il ne te convient pas. Je le sais, il le sait et je crois qu'au fond, tu le sais aussi. Ça n'est sûrement pas agréable à entendre, mais Marcie et lui sont pareils. Ils sont faits sur le même moule. Patch a mérité de s'amuser un peu et, avec elle, c'est possible. Marcie ne l'aime pas. Elle n'éprouve rien qui puisse alerter les archanges.

Dans un silence pesant, je luttai pour me contenir. En d'autres termes, j'avais averti les archanges. Mes sentiments pour Patch nous avaient trahis. Rien de ce que Patch avait pu dire ou faire n'était en cause. C'était entièrement ma faute. Et à en croire Rixon, il ne m'avait jamais aimée. Il n'avait jamais partagé mes sentiments, et cela, je ne pouvais l'accepter. J'aurais voulu qu'il tienne à moi comme je tenais à lui. N'avais-je été qu'un passe-temps, une distraction ? Je refusais de l'admettre.

Il restait une question que je brûlais de lui poser. En d'autres circonstances, j'aurais interrogé Patch, mais la situation ne le permettait pas. D'ailleurs, Rixon en savait autant que lui sur les déchus ou les néphilims, et serait en mesure de m'apporter des réponses, voire de les chercher pour moi. À présent, mon seul espoir de retrouver la Main noire, c'était Rixon.

— As-tu déjà entendu parler de la Main noire ? demandai-je.

D'abord déstabilisé, il me dévisagea quelques instants d'un air amusé.

— C'est une blague ? Je n'avais pas entendu ce nom-là depuis des années. Je croyais que Patch n'aimait pas qu'on l'appelle comme ça. C'est donc lui qui t'a tout raconté ?

La surprise me glaça. J'étais sur le point de lui parler de l'enveloppe, de l'anneau et du message qui dénonçait la Main noire comme l'assassin de mon père, mais la discussion venait de prendre une tout autre tournure.

— La Main noire, c'est le surnom de Patch ?

257

— Personne ne l'a utilisé depuis des lustres. Pas depuis que j'ai commencé à l'appeler Patch. La Main noire ne lui a jamais vraiment plu.

Il se gratta le menton avant de poursuivre :

— Ça remonte au XVIIᵉ siècle. Nous étions des mercenaires à la solde du roi de France. La grande époque. Pas mal d'action et beaucoup d'argent.

Sa révélation me fit l'effet d'une gifle. Ses paroles se perdirent dans un flou grandissant, comme si je ne le comprenais plus. Le monde avait basculé et le doute m'envahit aussitôt.

Pas lui. Il n'avait pas pu assassiner mon père. N'importe qui, mais pas lui.

Pourtant, les faits s'imposèrent rapidement à moi. J'analysai chaque situation, à l'affût du moindre indice. Comme cette soirée où je lui avais offert ma bague. En apprenant qu'il s'agissait d'un cadeau de mon père, il avait refusé de l'accepter, presque obstinément. Et ce nom, la Main noire. Tout concordait. Presque trop. Dominant mes émotions, je choisis mes mots avec soin :

— Tu sais ce qui m'embête le plus ? dis-je d'un air aussi détaché que possible. C'est vraiment idiot, et tu vas sûrement te moquer de moi…

Je me surpris moi-même en forçant un éclat de rire pour paraître plus convaincante.

— J'ai laissé mon pull préféré chez lui. Il vient d'Oxford – c'est la fac de mes rêves. Et mon père me l'avait ramené d'un voyage en Angleterre, alors j'y tiens beaucoup.

— Patch t'a emmenée chez lui ? s'étonna Rixon.

— Une fois seulement. Ma mère était à la maison et on est allés chez lui regarder un film. J'ai oublié mon pull sur le canapé.

Je prenais des risques en inventant cette histoire. Il y avait de fortes chances pour qu'elle ne concorde pas. D'un autre côté, Rixon se méfierait si je restais trop vague.

— Eh bien, je suis impressionné. Il n'est pas du genre à donner son adresse.

Je me demandais bien pourquoi. Que cachait-il ? Pourquoi Rixon était-il l'unique personne à être admise dans ce sanctuaire ? Que partageaient-ils qu'ils ne pouvaient révéler aux autres ? Peut-être que Patch ne m'avait jamais emmenée chez lui parce que j'aurais pu y voir un signe, un indice prouvant qu'il avait tué mon père ?

— J'aimerais beaucoup récupérer ce pull, poursuivis-je.

Je n'étais plus moi-même. Quelqu'un de plus fort, de plus intelligent que moi avait pris ma place tandis qu'intérieurement, je m'effondrais, broyée comme le sable sous mes pieds.

— Vas-y demain matin. Patch sort tôt, mais si tu peux y être avant six heures et demie, il y sera sûrement.

— Je préférerais éviter de lui parler.

— Tu veux que je le récupère la prochaine fois que je passerai chez lui ? J'y serai probablement demain soir, ou ce week-end au plus tard.

— J'aimerais le reprendre le plus vite possible. Ma mère n'arrête pas d'y faire allusion. Patch m'avait laissé une clé et, s'il n'a pas fait changer la serrure, je devrais pouvoir entrer sans problème. L'ennui, c'est que je ne me rappelle plus exactement le chemin. Il faisait nuit et je n'ai pas vraiment fait attention à la route. Je n'imaginais pas devoir y retourner en cachette…

— Du côté de Swathmore, répondit Rixon. Près de la zone industrielle.

Je pris note de l'information.

S'il habitait près de la zone industrielle, son appartement se trouvait forcément dans l'un des immeubles en brique en périphérie de la vieille ville. À moins qu'il ne se soit établi dans l'une des usines désaffectées ou l'un des campements sauvages au bord de la rivière, ce dont je doutais fortement.

Je souris, d'un air que j'espérais détendu.

— Il me semblait bien que c'était près de la rivière. Au dernier étage, non ?

J'avais lancé ça au hasard, mais connaissant Patch, il n'aurait voulu personne au-dessus de lui.

— Exact, confirma Rixon. Numéro 34.

— Tu penses qu'il sera chez lui ce soir ? Je n'aimerais pas le croiser, surtout avec Marcie. Je veux juste prendre mon pull et filer.

— Euh, non, ça devrait aller, balbutia Rixon en toussotant discrètement.

Il me jeta un regard gêné, presque compatissant.

— Pour tout te dire, poursuivit-il, Vee et moi sommes censés le retrouver au cinéma, avec Marcie.

Une douleur aiguë me comprima la poitrine. Et alors que je me croyais incapable de jouer la comédie plus longtemps, je m'entendis répondre, parfaitement calme et détachée :

— Vee est au courant ?

— Je cherche toujours comment lui annoncer la nouvelle.

— Quelle nouvelle ?

Rixon se retourna en même temps que moi sur Vee, qui apportait trois Coca sur un support en carton.

— Une… euh, une surprise. J'ai prévu quelque chose, pour ce soir.

— Allez, un indice, un indice ! s'exclama Vee avec un grand sourire.

Rixon me lança un regard embarrassé, mais je détournai aussitôt les yeux. Je ne voulais pas me mêler de cette histoire, et d'ailleurs, mes pensées m'entraînaient déjà loin. Automatiquement, je répétai le scénario : Patch et Marcie. Rendez-vous au cinéma. L'appartement de Patch vide.

Et moi, je devais y entrer.

16.

Trois heures plus tard, les cuisses cramoisies et le visage gonflé par la chaleur, Vee décida d'en rester là. Rixon était parti depuis une heure et je l'aidai à traîner notre sac de plage le long de la ruelle perpendiculaire à Old Orchard Street.

— Je ne me sens pas très bien, déclara-t-elle. J'ai l'impression que je vais tomber dans les pommes. J'aurais peut-être dû y aller plus doucement sur le monoï.

La tête me tournait aussi, mais pas pour les mêmes raisons. Une migraine infernale me martelait le crâne. Je ne parvenais pas à me débarrasser de ce mauvais goût, qui finissait par me donner la nausée. Les mots « Main noire » dansaient dans mon esprit, et plus j'essayais de les oublier, plus la douleur s'intensifiait. Je ne pouvais pas remuer tout cela, pas devant Vee, alors que j'étais à deux doigts de craquer. Il me faudrait repousser l'échéance encore quelques heures et jongler avec la souffrance. Je me cramponnais au vide qu'avaient provoqué ces révélations, pour mieux tenir l'impensable à distance. *Patch. La Main noire.* C'était impossible.

Vee s'arrêta brusquement.

— C'est quoi, ça ?

Nous arrivions devant la librairie, à quelques mètres de la Neon. Un morceau de métal était attaché à la roue arrière.

— Je crois que c'est un sabot.

— J'ai vu, merci. Qu'est-ce qu'il fait accroché à ma voiture ?

— Apparemment, les panneaux ne sont pas purement dissuasifs.

— Épargne-moi l'ironie, grinça-t-elle. Qu'est-ce qu'on va faire maintenant ?

— Prévenir Rixon ? proposai-je.

— Il ne sera pas ravi de refaire la route. Et ta mère ? Elle n'est pas rentrée ?

— Pas encore. Et tes parents ?

Vee se laissa tomber sur le trottoir, cachant son visage dans ses mains.

— Cette histoire va me coûter une fortune. Là c'est la goutte d'eau, je vais finir mes jours chez les nonnes.

Je m'assis près d'elle pour tenter de trouver une solution.

— Il n'y a donc personne à appeler ? demanda soudain Vee. Quelqu'un qu'on n'aurait aucun scrupule à faire venir jusqu'ici ? Marcie, par exemple. Mais je doute qu'elle accepte. Pas pour nous dépanner, en tout cas. Surtout pas si elle sait que c'est nous. Il reste Scott : vous êtes amis. Tu crois qu'il viendrait nous chercher ? Hé, attends un peu, ça ne serait pas le 4 × 4 de Patch, là-bas ?

Je suivis le regard de Vee à l'autre bout de la rue. Un peu plus loin, dans Imperial Street, je reconnus le 4 × 4 rutilant de Patch, dont les vitres teintées reflétaient les rayons du soleil déclinant.

Je sentis les battements de mon cœur s'accélérer. Il ne fallait pas que je le voie. Pas maintenant, pas ici. Pas alors que je risquais de fondre en larmes à tout instant et que ma frêle carapace se brisait peu à peu.

— Il doit être dans le coin, dit Vee. Tu ne veux pas lui envoyer un message en lui expliquant qu'on est coincées ? Je ne l'aime pas, mais je me servirais volontiers de lui pour rentrer.

— Je préférerais supplier Marcie plutôt que Patch, sifflai-je, espérant qu'elle ne remarquerait pas la curieuse note d'angoisse mêlée de haine dans ma voix.

La Main noire... La Main noire... pas lui... tout, mais pas ça... une erreur, un malentendu...

La migraine lancinante reprit de plus belle, comme pour m'empêcher de penser.

— Qui d'autre peut-on appeler ?

Mais nous connaissions toutes deux la réponse. Absolument personne. Nous étions pathétiques : sans un ami pour nous tirer d'embarras. La seule personne capable de tout laisser tomber pour me venir en aide était assise à côté de moi. Et vice versa.

Je me tournai vers le 4 × 4. Sans comprendre comment, je m'étais levée.

— On va rentrer avec le 4 × 4.

Quel message voulais-je envoyer à Patch ? Une pique ? Une revanche ? Œil pour œil ? Ou peut-être un avertissement. S'il avait un quelconque rapport avec la mort de mon père...

— Il risque de ne pas apprécier, remarqua Vee.

— Ça m'est égal. On ne va pas moisir ici toute la soirée.

— Écoute, cette idée ne m'emballe pas. Patch ne m'inspire déjà pas en temps normal, je ne tiens pas vraiment à le voir en colère.

— Et ton goût du risque, alors ?

Animée d'une obstination acharnée, j'étais décidée à le provoquer. J'imaginais d'ici lui emboutir sa voiture. C'était peut-être dérisoire, mais ce serait le début d'une confrontation.

— Mon goût du risque s'arrête là où la mission suicide commence. Lorsqu'il s'apercevra que c'est toi, ça risque d'être explosif.

Habituellement, j'y aurais réfléchi à deux fois, mais toute logique m'avait abandonnée. S'il avait fait du mal à ma famille, s'il l'avait détruite, s'il avait osé me mentir...

— Comment tu comptes faire démarrer un véhicule sans la clé ? répliqua Vee.

— Patch m'a montré comment faire.

— Tu veux dire que tu l'as vu à l'œuvre..., reprit-elle d'un air peu convaincu. Et tu as l'intention de l'imiter ?

Je me dirigeai d'un pas décidé vers Imperial Street, Vee sur les talons. Je traversai la rue et m'approchai du 4 × 4, mais la portière était verrouillée.

— Personne, déclara Vee en se penchant à la vitre. Il vaudrait mieux qu'on fiche le camp. Allez, Nora. Oublie ça.

— Pas le choix, on est coincées ici !

— Il nous reste nos deux jambes. Et les miennes ont besoin d'exercice. Elles sont d'humeur pour une longue... Hé ! T'es dingue ? s'écria Vee alors que je pointais le manche du parasol en direction de la vitre.

— Quoi ? Il faut bien l'ouvrir, non ?

— Pose ce parasol. Si on nous entend, on aura de gros ennuis. Qu'est-ce qui te prend ? souffla-t-elle en me regardant, éberluée.

Une vision me traversa soudain l'esprit. Je vis Patch debout, devant mon père, un revolver à la main. L'écho du coup de feu déchira le silence.

Les mains sur les genoux, je me courbai en deux, incapable de retenir mes larmes. Tout tournait autour de moi et la nausée me gagnait. Je sentais la sueur ruisseler sur mon visage. J'avais l'impression d'étouffer. Plus j'essayais de respirer, plus mes poumons se comprimaient. Vee criait, mais ses paroles semblaient voilées, lointaines.

Puis, brusquement, le monde se remit en place. Je pris trois brèves inspirations. Vee m'ordonnait de m'asseoir, et disait quelque chose à propos d'une insolation. Je me débattis et l'arrêtai d'une main lorsqu'elle s'approcha de nouveau.

— Ça va, lui soufflai-je. Ça va aller.

Pour le lui prouver, je ramassai mon sac que j'avais dû laisser tomber, et c'est là que je l'aperçus. Le double de la clé du 4 × 4, au fond de la poche. Je l'avais complètement oublié depuis le soir de la fête chez Marcie.

— J'ai la clé du 4 × 4 ! m'exclamai-je.

— Patch ne te l'a jamais réclamée ? s'étonna Vee en fronçant les sourcils.

— Il ne me l'avait pas donnée. Je l'ai trouvée dans la chambre de Marcie.

— Tu plaisantes ?

Sans réfléchir, j'introduisis la clé dans la serrure et grimpai sur le siège. Je démarrai et serrai le volant. Mes mains tremblantes étaient glacées.

— Tu me jures de ne rien avoir d'autre en tête ? s'enquit Vee en s'installant à côté de moi. La veine sur ta tempe menace d'exploser, et la dernière fois que je t'ai vue comme ça, tu t'es jetée sur Marcie, au Sac du diable.

Je me mordis les lèvres.

— Il a donné sa clé à Marcie. Si je m'écoutais, elle finirait au fond de l'océan.

— Patch avait peut-être une très bonne raison, argua Vee, embarrassée.

Un éclat de rire strident m'échappa.

— Ne t'inquiète pas, je ne ferai rien avant de t'avoir raccompagnée chez toi.

Je braquai à gauche et quittai la place de parking.

— Tu jures de répéter ça à Patch quand tu lui expliqueras pourquoi tu as volé sa voiture ?

— Je ne vole rien du tout. On était coincées. J'appelle ça un emprunt.

— Moi, j'appelle ça de l'hystérie.

Vee commençait à douter de ma santé mentale. Elle me regardait comme si j'étais folle à lier. Peut-être l'étais-je. Peut-être allais-je trop loin. Après tout, ce surnom était peut-être une simple coïncidence. C'était possible, probable, plausible. Mais en dépit de tous mes efforts, mes certitudes étaient ébranlées.

— Partons d'ici, me supplia Vee d'une petite voix terrifiée que je ne lui connaissais pas. J'ai de la limonade à la maison. On pourrait regarder un film, faire une sieste… Tu ne devais pas travailler, ce soir ?

J'allais lui répondre que Roberta n'avait pas besoin de moi aujourd'hui, lorsque mes yeux se posèrent sur le tableau de bord.

— C'est quoi, ça ? m'écriai-je en pilant.

Vee suivit mon regard et se pencha pour attraper un morceau de tissu rose. Elle me tendit un haut de bikini. Je la dévisageai et vis qu'elle pensait à la même chose que moi.

Marcie.

Plus aucun doute : Patch se trouvait avec elle à la plage.

Une colère soudaine et vicieuse s'empara de moi. Je le haïssais. Et je m'en voulais d'être une idiote de plus sur la longue liste de filles qu'il avait séduites, puis trahies. J'éprouvais un désir rageur de rectifier la situation. Non, je ne serais pas qu'une conquête de plus. Il ne pouvait pas me faire disparaître. S'il était vraiment la Main noire, je finirais par le savoir. Et s'il était impliqué dans la mort de mon père, il le paierait.

— Il se débrouillera pour rentrer, dis-je d'une voix tremblante.

J'écrasai la pédale d'accélérateur.

Quelques heures plus tard, chez moi, j'examinais le contenu du réfrigérateur, à la recherche de restes pouvant faire office de dîner. Dépitée, je fermai la porte et passai en revue les étagères dans l'arrière-cuisine. En dernier ressort, j'optai pour des pâtes et un pot de sauce tomate.

Puisque nous n'avions plus de parmesan, du cheddar ferait l'affaire. Lorsque le minuteur sonna, j'égouttai les pâtes et versai la sauce. En me retournant pour me servir, je manquai de lâcher mon assiette.

Appuyé sur la table, Patch m'observait.

— Comment es-tu entré ? soufflai-je.

— Tu ferais mieux de fermer la porte à clé. Surtout quand tu es seule.

Il feignait un air détaché, mais son regard, dur et froid comme le marbre, ne trompait pas. Il savait que j'avais volé le 4 × 4. Évidemment, puisqu'il était encore garé devant la maison. Il m'aurait été difficile de le cacher et, d'ailleurs, je n'y avais même pas songé. Obnubilée par le choc, par l'horreur de la situation, je n'avais réfléchi qu'à une chose : ses mots enjôleurs, ses yeux sombres et impénétrables, sa maîtrise de la séduction et du mensonge. J'étais tombée amoureuse du diable.

— Tu as pris le 4 × 4, dit-il d'une voix calme mais agacée.

— Nous étions coincées. J'ai vu ta voiture de l'autre côté de la rue...

Je réprimai l'envie de frotter mes paumes moites sur mes vêtements. Ce soir, il paraissait différent. Grave, endurci. La lumière blafarde de la cuisine accentuait ses pommettes et ses cheveux en bataille retombaient sur son front, touchant presque ses cils outrageusement longs. Son sourire en coin ne m'avait jamais semblé si froid.

— Tu n'aurais pas pu appeler pour me prévenir ?

— Je n'avais pas mon téléphone.

— Et Vee ?

— Elle n'a pas ton numéro. Et je n'ai pas mémorisé le nouveau. Impossible de te joindre.

— Tu n'as pas la clé. Comment as-tu fait ?

Je me retins de le fusiller du regard.

— J'ai utilisé le double.

Il me dévisageait, cherchant où je voulais en venir. Nous savions tous les deux qu'il ne m'avait jamais confié de clé. J'attendais qu'il saisisse l'allusion à Marcie, mais il ne laissa rien paraître. Tout chez lui était toujours si mystérieux, impénétrable...

— Quel double ? demanda-t-il enfin.

Sa question ne fit que m'agacer davantage. Faisait-il semblant, ou distribuait-il ses clés à tour de bras ? Combien de filles se promenaient avec un double dans leur sac ?

— Ta petite amie ? Ou ça aussi, c'est trop vague ?

— Si je comprends bien, tu cherchais à te venger de moi pour avoir donné un double à Marcie ?

— J'ai pris le 4 × 4 parce que Vee et moi n'avions pas d'autre solution, répliquai-je froidement. Avant, tu étais là lorsque j'avais besoin de toi. Je pensais que ce serait encore le cas, mais apparemment je me trompais.

Patch ne me quittait pas du regard.

— Tu voudrais m'expliquer le vrai problème ?

Je ne répondis pas et il tira une chaise avant de s'y installer, les bras croisés, les jambes nonchalamment étendues devant lui.

— J'ai tout mon temps, ajouta-t-il.

La Main noire. Voilà où était le problème. Mais je craignais de le confondre. D'abord parce que j'avais peur de la vérité, et ensuite de sa réaction. J'étais persuadée qu'il ne se doutait de rien. Si je lui parlais de la Main noire, il serait impossible de faire marche arrière. Il me faudrait assumer des révélations susceptibles de me briser.

— Rétention d'informations ? demanda-t-il en levant un sourcil.

— Le vrai problème, c'est la franchise. Une qualité dont tu n'as jamais fait preuve.

— Pardon ? Depuis que je te connais, je ne t'ai jamais menti. Tu n'appréciais pas toujours ce que j'avais à dire, mais pas une fois je ne t'ai caché la vérité.

— Tu m'as laissé croire que tu m'aimais.

— Je suis navré que tu aies pris ça pour un mensonge.

Il était tout sauf navré. La colère se lisait dans son regard. Je refusais de m'effacer, de disparaître gentiment du paysage comme toutes les autres filles, et cela l'agaçait.

— Si tu avais eu des sentiments pour moi, tu ne te serais pas jeté dans les bras de Marcie aussi vite.

— Et toi, avec Scott ? Tu préfères ce demi-monstre à moi ?

— Demi-monstre ? Non, mais tu t'écoutes ?

— C'est un néphilim, dit-il avec un geste en direction de la porte. J'attache plus d'importance à ce 4 × 4.

— Il pense probablement la même chose des anges.

— Ça m'étonnerait, répliqua-t-il d'un air détaché et arrogant. Sans nous, son espèce n'existerait pas.

— La créature du Dr Frankenstein ne l'aimait pas, que je sache.

— Et alors ?

— Alors, les néphilims cherchent à prendre leur revanche sur les déchus. Ça n'est peut-être qu'un début.

Patch retira sa casquette et passa nerveusement sa main dans ses cheveux. À son expression, je compris que la situation était bien plus grave que je ne l'aurais cru. Les néphils seraient-ils déjà en mesure de renverser les déchus ? Non ! Pas pour le prochain Heshvan. Patch ne pouvait tout de même pas sous-entendre que d'ici cinq mois, une horde de déchus s'emparerait de dizaines de milliers d'humains ? Mais son attitude, son regard avaient changé, et me faisaient à présent imaginer le pire.

— Et qu'est-ce que tu vas faire ? m'exclamai-je, horrifiée.

Il saisit mon verre et but une gorgée d'eau.

— On m'a demandé de ne pas m'en mêler.

— Qui ? Les archanges ?

— Les néphils sont une perversion. Ils n'auraient jamais dû exister, mais les déchus en ont décidé autrement. Les archanges ne veulent pas en entendre parler et ils n'ont pas l'intention d'intervenir.

— Ils comptent laisser périr les humains ?

— Ils ont leur propre plan. Parfois, des catastrophes terribles précèdent un renouveau.

— Un plan ? Quel plan ? Un massacre d'innocents ?

— Les néphilims se dirigent droit dans un piège qu'ils se sont eux-mêmes tendu. Si c'est au prix de quelques vies humaines qu'ils peuvent se débarrasser d'eux, les archanges n'hésiteront pas.

J'en eus la chair de poule.

— Et tu les approuves ?

— Je suis un gardien à présent. Je suis soumis à l'autorité des archanges.

Son regard s'anima brutalement d'une haine féroce. L'espace d'un instant, je crus en être l'objet. Comme s'il me tenait pour responsable de son nouveau rôle. Je m'enflammai aussitôt. Avait-il tout oublié de cette nuit-là ? J'avais donné ma vie pour lui et il avait refusé mon sacrifice. Il ne pouvait s'en prendre qu'à lui-même.

— Les néphilims sont donc si puissants ? demandai-je.

— Ils le sont suffisamment, répondit-il avec détachement.

— Ils pourraient combattre les déchus dès le prochain Heshvan ?

Il hocha la tête et je réprimai un frisson d'horreur.

— Tu dois faire quelque chose.

Il ferma les yeux.

— Si les déchus ne peuvent plus habiter les néphils, ils tenteront d'utiliser les humains, insistai-je, cherchant à provoquer une réaction. C'est bien ce que tu m'avais dit. Des dizaines de milliers d'humains. Peut-être même Vee. Ma mère. Ou moi.

Il demeura silencieux.

— Tu t'en moques, c'est ça ?

Il regarda sa montre.

— Désolé de filer comme un voleur, mais je suis en retard, déclara-t-il en se levant.

La clé du 4 × 4 se trouvait dans un vide-poches sur le bar. Patch la saisit au passage.

— Merci pour la clé. Et j'ajoute l'emprunt du 4 × 4 à ton ardoise.

Je lui barrai aussitôt la route.

— Mon ardoise ?

— J'ai fait en sorte que tu rentres saine et sauve après la soirée au Z, je t'ai descendue du toit chez Marcie et, ce soir, je t'ai laissée m'emprunter le 4 × 4. Je ne rends pas de services gratuitement.

J'étais presque certaine qu'il ne plaisantait pas. Il était même très sérieux.

— On pourrait se débrouiller pour que tu me rembourses au coup par coup, mais j'ai pensé qu'une ardoise serait plus simple.

Il me servit son sourire le plus odieux.

— Ça t'amuse, pas vrai ? répliquai-je.

— Un de ces jours, je viendrai réclamer mon dû, et ça m'amusera énormément.

— Tu ne m'as pas prêté le 4 × 4, rétorquai-je. Je l'ai volé. Ça n'était pas un service puisque je ne t'ai rien demandé.

Une fois de plus, il consulta sa montre.

— Il faudra remettre ça à plus tard. Je dois filer.

— Ah oui, grinçai-je. Un ciné avec Marcie. Va prendre du bon temps alors que mon monde est condamné.

C'est ça, me répétai-je. Va-t'en. Tu ne mérites pas mieux que Marcie.

J'étais tentée de lui jeter quelque chose à la tête, de lui claquer la porte au nez... mais je n'allais pas le laisser partir avant d'avoir posé la question qui me brûlait les lèvres. Pour ne pas flancher, je me mordis la joue.

— Tu sais qui a tué mon père ?

Je ne reconnus pas ma propre voix, froide et distante. La voix de quelqu'un rongé par la haine, la désolation et le doute. Patch s'arrêta devant la porte, sans se retourner.

— Que s'est-il passé, cette nuit-là ? poursuivis-je sans même dissimuler ma rage.

— Tu sous-entends que je sais quelque chose, répondit-il après un silence.

— Tu es la Main noire, soufflai-je en fermant les yeux.

Il me jeta un regard par-dessus son épaule.

— Qui t'a dit ça ?

— Alors c'est vrai ? repris-je en serrant les poings, tremblant de tous mes membres. Tu es la Main noire.

Je guettai sa réaction, espérant qu'il nierait. Au même instant, le carillon de l'horloge retentit, sonore et vibrant.

— Sors d'ici, sifflai-je.

Je ne pleurerais pas. Pas devant lui. Je ne lui ferais pas ce plaisir.

Il me faisait face et, dans l'ombre, son visage me parut diabolique.

L'horloge ponctuait le silence.

Un, deux, trois.

— Je te le ferai payer, menaçai-je d'une voix curieusement lointaine.

Quatre, cinq.

— Je trouverai un moyen. Tu mérites d'aller en enfer. Je serais simplement déçue que les archanges t'y envoient avant que j'en aie fini avec toi.

Son regard se durcit.

— Tu mérites tout ce qui t'arrive, ajoutai-je. Pour toutes les fois où tu m'as embrassée et prise dans tes bras en sachant ce que tu as fait à mon père…

Les sanglots que je voulais tant retenir m'échappèrent et je me détournai.

Six.

— Va-t'en.

Je levai les yeux vers lui, espérant que la haine et la colère qu'il y verrait le persuaderaient de partir, mais j'étais seule dans l'entrée. Je jetai un regard autour de moi. Il avait disparu. Un étrange silence retomba dans la pénombre et je réalisai soudain que l'horloge avait cessé de sonner.

Les aiguilles, figées sur le six et le douze, s'étaient arrêtées au moment même où Patch était parti pour de bon.

17.

Après le départ de Patch, je troquai ma tunique de plage pour un jean sombre et un tee-shirt. Au fond de mon placard, je dénichai un coupe-vent de marque, que j'avais gagné l'année précédente à la soirée de Noël du webzine, et le passai avant de sortir. En dépit de mon malaise grandissant, je devais fouiller l'appartement de Patch. Après ce soir, il serait trop tard.

Je n'aurais jamais dû lui parler de la Main noire. Dans un accès de colère, j'avais perdu toute chance de le surprendre, même si pour lui, j'étais insignifiante. Mes menaces l'avaient sans doute amusé. Si les archanges étaient aussi présents et vigilants que Patch le prétendait, l'assassinat de mon père n'avait pas dû être facile à dissimuler. Je n'avais certes pas le pouvoir de détruire Patch, mais les archanges, eux, en avaient la possibilité. Il me suffisait de trouver le moyen d'entrer en contact avec eux et de dénoncer son crime. Ils cherchaient un prétexte pour l'envoyer en enfer et j'allais le leur servir sur un plateau.

Je chassai aussitôt les larmes qui montaient. Jamais je ne l'aurais cru capable d'avoir tué mon père. Quelques jours auparavant, l'idée m'aurait semblé grotesque, inconcevable, presque insultante. Je réalisais à présent avec quel machiavélisme il s'était joué de moi.

J'étais certaine que son appartement de Swathmore renfermait tous ses secrets. C'était son point faible. Personne, à l'exception de Rixon, n'était invité à y pénétrer. J'en voulais pour preuve la réaction de Rixon quelques heures plus tôt. « Il n'est pas du genre à donner son adresse », m'avait-il confié, surpris par ma révélation. Patch était-il parvenu à la cacher même aux archanges ? Cela paraissait improbable, voire impossible, mais Patch avait plus d'une fois démontré qu'aucun obstacle ne lui résistait. S'il existait un être capable d'échapper à leur surveillance, c'était bien lui. La perspective de ce que je pourrais découvrir là-bas me terrifiait. Une sinistre appréhension m'envahit et je songeai à renoncer, mais il était trop tard. Je devais la vérité à mon père.

Sous mon lit, je retrouvai une lampe torche que je glissai dans mon coupe-vent. En me redressant, j'aperçus soudain le journal de Marcie sur mon étagère, appuyé contre une rangée de livres. La conscience troublée, j'hésitai quelques instants, avant de fourrer le carnet dans ma poche avec la lampe. Je descendis, fermai la porte à clé derrière moi et me mis en route.

Il me fallut parcourir deux kilomètres pour rallier Beech Street, d'où je pris un bus qui me déposa dans Herring Street. Trois pâtés de maisons plus loin, un second bus m'emmena de Keate à Clementine Street. De là, il ne me restait plus qu'à gravir la colline venteuse qui dominait toute la ville pour rejoindre le quartier où résidaient les Millar, le plus chic de tout Coldwater. La circulation y était pratiquement inexistante. Un parfum d'hortensia et d'herbe fraîchement coupée flottait dans l'air. Chaque propriété était pourvue d'un garage et les rues désertes semblaient plus grandes et plus propres. Les larges fenêtres des bâtisses de style colonial reflétaient les teintes flamboyantes du couchant. À l'intérieur, j'imaginai les familles achevant leur repas et me mordis aussitôt les lèvres, éprouvant soudain un terrible regret. Ma famille ne se réunirait jamais plus autour d'une table. Trois jours par semaine, je prenais mes repas seule ou chez Vee. Lorsque ma mère était chez nous, nous mangions sur un plateau, devant la télé.

Par la faute de Patch.

Je m'engageai sur Brenchley Street, cherchant des yeux la maison de Marcie. Sa Toyota rutilante était garée dans l'allée, mais je savais qu'elle n'était pas chez elle. Patch serait probablement passé la prendre. Je traversai la pelouse et comptais laisser le carnet sur le perron, lorsque la porte d'entrée s'entrouvrit.

Marcie, sac à l'épaule et clés en main, semblait sur le point de sortir. Elle se figea sur le seuil en m'apercevant.

— Qu'est-ce que tu fais là ? demanda-t-elle.

J'ouvris la bouche, mais il me fallut trois bonnes secondes pour articuler un mot.

— Je… je ne pensais pas te trouver chez toi.

— Eh bien, comme tu le vois, répliqua-t-elle, j'y suis.

— Je croyais que… Patch et toi…

Mes paroles paraissaient à peine cohérentes. J'avais son journal en main, elle ne tarderait pas à le remarquer.

— Il a annulé, coupa-t-elle impatiemment, me faisant sentir que tout cela ne me regardait pas.

Je l'entendis à peine. Elle apercevrait le carnet et me démasquerait. Aujourd'hui plus que jamais, j'aurais aimé pouvoir revenir en arrière, réfléchir à deux fois avant de me déplacer jusque-là. J'aurais dû me montrer plus prudente. Je me retournai, cherchant désespérément une échappatoire. Trop tard. Marcie poussa une exclamation de surprise.

— Qu'est-ce que tu fais avec mon journal ?

Je me détournai, les joues en feu. Elle descendit les marches du perron, m'arracha le carnet des mains et, instinctivement, le serra contre elle.

— Tu… tu me l'as volé ?

Je sentis mes bras retomber mollement le long de mon corps.

— Je l'ai pris l'autre jour, le soir de la fête. C'était stupide de ma part et je suis vraiment désolée…

— Tu l'as lu ?

— Non.

— Menteuse ! cracha-t-elle. Évidemment que tu l'as lu. Je te déteste ! Ta vie est donc si pitoyable que tu dois fouiller dans la mienne ? Tu l'as lu en entier, ou seulement les passages qui te concernaient ?

Je m'apprêtais à nier farouchement, mais les paroles de Marcie m'interrompirent.

— Qui me concernaient ? Qu'est-ce que tu as bien pu écrire à mon sujet ?

Elle jeta le journal derrière elle sur la balustrade puis se redressa, relevant les épaules.

— Et puis au fond, je m'en fiche, déclara-t-elle les bras croisés, en me fusillant du regard, au moins maintenant tu connais la vérité. Qu'est-ce que ça fait de savoir que ta mère se tape des hommes mariés ?

Je laissai échapper un rire ironique, contenant difficilement mon indignation.

— Pardon ?

— Tu t'imagines vraiment que ta mère s'absente pour travailler ?

À mon tour, je croisai les bras.

— Eh bien, oui, figure-toi.

Qu'essayait-elle d'insinuer ?

— Alors comment expliques-tu que sa voiture soit garée dans cette rue, un soir par semaine ?

— Tu dois te tromper, grinçai-je, sentant la colère monter en moi.

Je commençais à comprendre ses intentions. Comment osait-elle accuser ma mère d'avoir une liaison, uniquement pour se venger ? Et avec son père, rien de moins ! Il aurait pu être le dernier homme sur terre, ma mère n'aurait pas fréquenté un type pareil. Elle savait à quel point je haïssais Marcie. Jamais elle ne m'aurait trahie. Jamais elle n'aurait trahi mon père.

— Une Taurus beige, immatriculée X4I24 ? poursuivit Marcie d'une voix glaciale.

— Tu as mémorisé sa plaque d'immatriculation, rétorquai-je, ignorant la sensation désagréable qui s'insinuait en moi. Ça ne prouve rien.

— Ouvre les yeux, Nora. Nos parents se connaissent depuis le lycée. Ta mère et mon père. Ils étaient ensemble.

— Tu mens, répondis-je. Ma mère ne m'a jamais parlé de lui.

— Elle ne veut pas que tu sois au courant, ajouta-t-elle, le regard meurtrier. Parce qu'ils sont toujours ensemble. C'est son sale petit secret.

Je secouai frénétiquement la tête, comme une poupée désarticulée.

— Ils sortaient peut-être ensemble au lycée, mais c'était bien avant qu'elle ne rencontre mon père. Tu te trompes de personne. C'est une autre voiture que tu as vue dans ta rue. Quand ma mère n'est pas là, elle est en déplacement pour son travail.

— Je les ai surpris, Nora. Et j'ai reconnu ta mère, alors ne lui cherche pas d'excuses. Ce jour-là, je suis arrivée à l'école et j'ai tagué ton casier avec un message pour elle. Tu n'as donc pas compris ? siffla-t-elle. Ils couchent ensemble depuis toujours. Ce qui veut dire que mon père pourrait être le tien et que tu pourrais être... ma sœur.

Elle cracha ces paroles comme du venin. Je ramenai mes bras contre ma poitrine et me détournai. Le cœur au bord des lèvres, je sentis les larmes monter et ma gorge se serrer. Sans un mot, je m'éloignai de cette horrible maison. Je crus qu'elle n'en resterait pas là, qu'elle s'apprêtait à crier quelque chose de pire encore, mais j'avais tort. Il n'y avait rien de pire.

Je n'allai pas chez Patch.

J'avais dû refaire le chemin inverse jusqu'à Clementine Street, laissant derrière moi l'arrêt de bus, le parc et la piscine municipale, car lorsque je repris finalement mes esprits, j'étais assise sur un banc devant l'entrée de la bibliothèque, sous la pâle lueur d'un lampadaire. Malgré la douceur de la soirée, je dus ramener mes genoux contre ma poitrine pour faire cesser mes tremblements. Mes pensées n'étaient plus qu'un amas d'hypothèses hasardeuses.

Mon regard se perdait dans le vague. Dans l'obscurité, deux phares m'éblouirent momentanément, puis s'éloignèrent. Par une fenêtre ouverte de l'autre côté de la rue s'échappaient les rires enregistrés d'une série télé. Lorsqu'une légère brise caressa ma peau, elle me donna la chair de poule. L'herbe encore brûlante que pénétrait l'humidité du soir dégageait une odeur capiteuse et entêtante.

Je m'appuyai contre le dossier du banc et, sous une nuée d'étoiles, fermai les yeux en croisant mes doigts gelés, rigides sur mon ventre. Pourquoi ma vie volait-elle en éclats ? Pourquoi les gens que j'aimais étaient-ils ceux qui me décevaient le plus ? À cet instant, je ne savais plus qui haïr : Marcie, son père ou ma propre mère.

Au fond, j'espérais que Marcie se soit trompée. J'avais envie de lui faire ravaler ses calomnies. Pourtant, l'impression de déroute qui me tenaillait ne me laissait que peu d'illusions.

Un souvenir refit alors surface. Je ne parvenais pas à le situer avec précision, mais il devait remonter à quelques jours avant la mort de mon père. Ou plutôt non. Peu de temps après. C'était au printemps, par une belle journée… Nous l'avions déjà enterré et, après quelques jours de deuil, j'étais retournée au lycée. Mais ce jour-là, Vee m'avait convaincue de sécher un cours. À cette époque, je ne disais pas non à grand-chose. Je me contentais de vivre au jour le jour, de survivre. Pensant que ma mère serait au bureau, nous étions rentrées chez moi à pied, ce qui avait dû nous prendre l'heure que nous avions manquée.

Alors que nous approchions de la ferme, Vee m'avait attirée vers le bas-côté.

— Il y a une voiture garée devant chez toi, avait-elle soufflé.

— Qui ça pourrait être ? On dirait un Land Cruiser.

— Une chose est sûre, ça n'est pas la voiture de ta mère.

— C'est peut-être quelqu'un de la police, avais-je suggéré.

J'imaginais mal un simple inspecteur se payer ce genre de voiture, mais après la mort de mon père, les policiers avaient défilé chez nous.

— Allons voir d'un peu plus près, avait proposé Vee.

Nous étions presque devant l'allée lorsque la porte s'était ouverte. Les voix portaient et j'avais reconnu celle de ma mère et une autre, plus grave. Celle d'un homme. Vee m'avait entraînée derrière la maison et nous avions observé Hank Millar grimper dans son énorme véhicule et démarrer.

— Ça alors, avait repris Vee. Habituellement, je dirais qu'il y a anguille sous roche, mais il n'y a pas plus réglo que ta mère. Je suis sûre qu'il essayait de lui fourguer une nouvelle voiture.

— Il serait venu jusqu'ici pour ça ?

— Évidemment, ma belle. Les concessionnaires n'ont aucune limite.

— Elle a déjà une voiture.

— Une Ford, oui. Or lui travaille pour Toyota. C'est pour ainsi dire leur pire ennemi. Le père de Marcie ne dormira pas tant qu'il n'aura pas équipé toute la ville de voitures japonaises...

Le reste du souvenir s'évapora. Mais j'imaginais maintenant qu'il n'était peut-être pas venu pour lui vendre une voiture. Et s'ils étaient... amants, songeai-je en avalant péniblement ma salive.

Que pouvais-je faire à présent ? Rentrer chez moi ? Soudain, la ferme ne semblait plus être mon refuge. C'était un lieu de tromperie. Mes parents m'avaient offert un simulacre d'amour et de famille. Et si, comme je le craignais, Marcie disait bien la vérité, ce qui restait de ma famille n'était qu'une vaste blague. Un énorme mensonge que je n'avais même jamais suspecté. N'aurais-je pas dû remarquer certains signes ? N'aurais-je pas dû soupçonner quelque chose et voir dans cette révélation une confirmation de mes doutes ? J'étais punie d'avoir accordé ma confiance aveuglément. Punie d'avoir cru à la bonté des autres. Patch me répugnait, mais je lui enviais son indifférence, sa froideur qui le protégeaient. Pour lui, les autres étaient capables du pire. Quelle que soit leur bassesse, il n'était jamais surpris. Son expérience l'avait endurci et on le respectait pour cela.

Mais lui aussi m'avait menti.

Je me relevai brusquement et composai le numéro de ma mère sur mon portable. J'ignorais ce que je pourrais lui dire, seulement poussée par ma colère et mon sentiment de trahison. Les larmes roulaient sur mes joues à mesure que les sonneries se succédaient. Je les essuyai aussitôt. Tremblante de rage, les muscles tendus à l'extrême, je songeai aux mots durs, haineux, que j'allais lui jeter à la figure. J'imaginais l'interrompre chaque fois qu'elle essaierait de se défendre, revenir à la charge, et si elle se mettait à pleurer... je n'éprouverais aucune pitié pour elle. Elle devrait subir les conséquences de ses choix. Lorsque son répondeur se déclencha, je me retins de lancer mon portable dans les buissons.

Au lieu de cela, j'appelai Vee.

— Salut, ma belle. Je peux te rappeler ? Je suis avec Rixon...

— Je ne peux plus rester chez moi, soufflai-je sans prendre la peine de déguiser ma voix étranglée par les sanglots. Est-ce que je peux passer quelques jours chez toi ? Le temps de savoir où j'irai ensuite.

— Qu'est-ce que tu as dit ? demanda-t-elle, le souffle court.

— Ma mère doit rentrer samedi, et il faudra que je sois partie d'ici là. Est-ce que je peux rester chez toi jusqu'à la fin de la semaine ?

— Tu peux au moins me raconter ce qui...

— Non, coupai-je.

— D'accord, pas de problème, répondit-elle, cherchant à dissimuler sa surprise. Aucun problème, tu peux venir chez moi. Tu m'expliqueras tout quand tu te sentiras prête.

Je sentis de nouveau les larmes monter. Désormais, Vee était l'unique personne sur laquelle je pouvais compter. Elle se montrait parfois indélicate, insupportable et paresseuse, mais elle ne m'avait jamais menti.

Il était plus de vingt et une heures lorsque je regagnai enfin la ferme et enfilai un pyjama. L'air n'était pas froid, mais l'humidité du soir me glaçait les os. Je me glissai dans mon lit avec une tasse de lait chaud. Cependant, il était encore tôt et, de toute façon, j'étais incapable de dormir. Ma tête bourdonnait. Les yeux rivés au plafond, j'essayais d'imaginer un moyen d'effacer les seize dernières années et de repartir de zéro. Mais malgré toutes mes tentatives, je ne pus chasser Hank Millar de mon esprit. Je refusais d'admettre qu'il puisse être mon père.

Je me relevai et entrai dans la chambre de ma mère d'un pas décidé. Je fouillai dans sa vieille malle à la recherche de l'annuaire de ses années de lycée. J'ignorais si elle l'avait conservé, mais je ne voyais pas où chercher sinon. Si Hank Millar avait fréquenté la même école, sa photo y serait forcément. S'ils étaient amoureux à cette époque, il y aurait laissé un mot affectueux. Cinq minutes plus tard, j'avais retourné le contenu de la malle sans rien y dénicher d'intéressant. Je descendis machinalement à la cuisine pour trouver quelque chose à grignoter, mais réalisai en ouvrant le placard que je n'avais plus faim. Ma famille n'était qu'une imposture. Mon regard se braqua sur la porte. Fuir, mais où ? Je me sentais perdue dans cette maison, pressée de partir, cependant je n'avais nulle part où aller. Je demeurai quelques minutes dans l'entrée avant de regagner ma chambre. Dans mon lit, les draps jusqu'au menton, je fermai les yeux et laissai une suite de visages défiler dans ma tête. Celui de Marcie... Celui de Hank Millar, que je connaissais si peu et dont j'avais du mal à me rappeler les traits, et celui de mes parents. Les visions se mélangeaient, de plus en plus vite, jusqu'à se fondre dans un flou incohérent.

Puis les images semblèrent repartir en sens inverse et remonter le temps. Les couleurs s'effacèrent peu à peu pour faire place au noir et blanc, caractéristique de cet autre monde. Celui du rêve.

Je me tenais dans le jardin. Des bourrasques projetaient les feuilles mortes contre mes jambes. Un curieux nuage en forme d'entonnoir tournoyait dans le ciel, mais demeurait à distance, comme s'il attendait son heure pour frapper. Patch était assis sur la balustrade, devant la maison, la tête baissée, les mains nonchalamment jointes entre ses genoux.

— Sors de mon rêve ! hurlai-je contre le vent.

— Pas avant de t'avoir expliqué ce qui se passe, répondit-il en secouant la tête.

Je tirai nerveusement sur ma veste de pyjama.

— Je n'ai pas envie de t'écouter.

— Les archanges ne peuvent pas nous entendre.

— Alors tu ne m'as pas suffisamment manipulée dans la réalité, soufflai-je avec un petit rire amer, tu comptes continuer ici ?

— Te manipuler ? répéta-t-il en se redressant. J'essaye simplement de t'avertir.

— Tu t'introduis dans mes rêves, répliquai-je. Tu l'as fait après la soirée au Sac du diable et tu recommences.

Les rafales redoublaient de violence, et je fis un pas en arrière. Autour de nous, le vent s'engouffrait dans les arbres qui grinçaient et gémissaient. J'écartai mes cheveux de mon visage.

— Après la bagarre au Z, me rappela-t-il, tu m'avais dit avoir rêvé du père de Marcie. Cette nuit-là, j'avais pensé à lui. Je me remémorais exactement la même scène, cherchant un moyen de t'expliquer la vérité. J'ignorais alors que j'avais découvert une manière de communiquer avec toi.

— Tu t'es arrangé pour que j'aie cette vision dans mon sommeil ?

— Ça n'était pas un rêve, mais un souvenir.

J'essayai de comprendre. Si ce rêve était réel, cela signifiait que Hank Millar avait vécu en Angleterre, plusieurs siècles auparavant. *Cours avertir l'aubergiste*, m'avait supplié Hank. *Dis-lui que l'homme n'est pas là. Que c'est l'un des anges du diable, venu prendre mon corps et expédier mon âme en enfer.*

Hank Millar pouvait-il être un… néphilim ?

— J'ignore comment ma mémoire a pu se greffer sur ton inconscient, poursuivit-il, mais dès lors, j'ai tenté de communiquer avec toi par le même moyen. J'y suis parvenu le soir où je t'ai embrassée, après le Sac du diable, mais depuis, je me heurte à des murs. J'ai eu de la chance de réussir, aujourd'hui. Je crois que ça vient de toi. Tu m'en empêches.

— Parce que je ne veux pas de toi dans mon esprit.

Il sauta de la balustrade et s'avança vers moi.

— Laisse-moi entrer, s'il te plaît.

Je me détournai.

— On m'a réassigné à Marcie, ajouta-t-il.

Plusieurs secondes s'écoulèrent avant que je ne réalise. L'ignoble nausée qui ne m'avait pas quittée depuis ma visite chez elle se propagea dans tout mon corps.

— Tu es le gardien de Marcie ?

— Ça n'est pas une partie de plaisir.

— Ce sont les archanges qui en ont décidé ?

— Lorsque je suis devenu ton gardien, on m'a clairement signifié que je devais agir dans ton intérêt. Notre histoire n'était pas dans ton intérêt. Je le savais mais je n'avais pas l'intention de laisser les archanges me dicter mes choix. Ils nous surveillaient le soir où tu m'as donné ta bague.

Dans le 4 × 4, la veille de la rupture. Je m'en souvenais parfaitement.

— Dès que j'ai compris qu'ils nous observaient, je suis parti. Mais le mal était fait. Ils m'ont averti que je serais remplacé et, entre-temps, ils m'ont confié Marcie. Ce soir-là, je suis allé chez elle pour assumer mes erreurs.

— Pourquoi Marcie ? Pour me punir ?

Il passa une main sur sa mâchoire.

— Son père est un néphil de première génération. Marcie a atteint l'âge de seize ans et elle pourrait être sacrifiée. Il y a deux mois, j'ai d'abord cherché à t'éliminer pour obtenir une apparence humaine, puis j'ai fini par te sauver. À ce moment-là, peu de déchus pensaient pouvoir changer leur condition. Depuis, ils ont eu vent de mon retour en grâce. Et tous se prennent à vouloir tromper le destin. Soit en protégeant un humain pour récupérer leurs ailes, soit en supprimant leur vassal néphil.

Je me remémorai tout ce que je savais des déchus et des néphils. D'après le Livre d'Énoch, un ange déchu pouvait prendre forme humaine après avoir anéanti son vassal néphilim, en sacrifiant la dernière de ses descendantes. À présent, si le déchu qui avait soumis Hank Millar décidait de devenir humain, il lui faudrait...

Se débarrasser de Marcie.

— Tu dois donc t'assurer que le déchu ne s'approche pas de la fille d'Hank Millar ?

Patch crut deviner ma question suivante et répondit :

— Marcie ne sait rien. Elle n'a aucune idée de ce qui se trame.

Je ne voulais pas parler de tout cela et je ne voulais pas de Patch dans mon rêve. Il avait tué mon père. Il m'avait arraché un être cher, et pour toujours. C'était un monstre. Et quoi qu'il puisse dire, cela n'y changerait rien.

— C'est Chauncey qui a créé la société secrète des néphilims.

— Quoi ? Comment l'as-tu appris ?

Il parut hésiter.

— J'ai eu accès à certains souvenirs. Ceux d'autres personnes.

— D'autres personnes ?

Cela n'aurait pas dû me surprendre. Comment pouvait-il se justifier ? Il osait me raconter qu'il épiait les pensées, la mémoire la plus intime des gens. Attendait-il que je le félicite ? Que j'accepte de l'écouter ?

— Quelqu'un a repris la suite de Chauncey. J'ignore encore le nom du successeur, mais à en croire la rumeur, la mort de Chauncey l'a rendu furieux. Ce qui n'a aucun sens. Son ascension au pouvoir aurait dû étouffer ses remords. Voilà pourquoi je me demande s'il pourrait s'agir d'un proche ou d'un ami de Chauncey.

— J'en ai assez entendu, dis-je en secouant la tête.

— Son héritier veut retrouver l'assassin de Chauncey. Il a juré sa perte.

Sa révélation m'interrompit dans mes protestations. Nous échangeâmes un regard lourd de sous-entendus.

— Il cherche à le venger, ajouta-t-il.

— Il a l'intention de me tuer ? soufflai-je d'une voix tremblante.

— Personne ne sait que tu as supprimé Chauncey. Lui-même ignorait que tu étais sa descendante jusqu'à ses derniers instants. Il est donc peu probable que d'autres soient au courant. Son successeur essaiera sans doute de retracer sa descendance, mais je lui souhaite bon courage. Il m'a fallu du temps pour te retrouver.

Il fit un pas dans ma direction, mais je reculai.

— Quand tu te réveilleras, tu vas demander que je redevienne ton gardien. Tu le crieras haut et fort pour que les archanges l'entendent et, avec un peu de chance, acceptent ta demande. Je fais tout ce qui est en mon pouvoir pour te protéger, mais j'ai des restrictions. Je dois avoir accès à ton entourage, à tes émotions, à ton univers.

Qu'essayait-il d'insinuer ? Que les archanges m'avaient finalement attribué un nouveau gardien ? Était-ce pour cette raison qu'il s'était introduit dans mon inconscient ce soir ? Parce qu'on l'avait empêché de me surveiller à sa guise ?

Je sentis ses mains glisser sur mes hanches, et m'attirer contre lui d'un geste protecteur.

— Je ne laisserai rien ni personne te faire de mal.

Je me raidis et me dégageai aussitôt. Ses paroles inquiétantes résonnaient encore dans ma tête. *Il cherche à le venger*. Impossible de me défaire de cette pensée, de l'idée que quelqu'un était déterminé à m'éliminer. Je ne voulais pas être ici, ni savoir toutes ces choses. Tout ce qui m'importait, c'était d'être à nouveau en sécurité.

Comprenant que Patch n'avait pas l'intention de quitter mon rêve, je décidai de tenter quelque chose. Je luttais pour franchir les frontières invisibles du sommeil et m'éveiller.

Ouvre les yeux, me répétai-je. Ouvre les yeux.

— Qu'est-ce que tu fais ? me cria Patch en m'attrapant par le coude.

Je reprenais peu à peu conscience. Je sentais la chaleur de mes draps, mon oreiller contre ma joue, les odeurs familières et rassurantes de ma chambre…

— Ne te réveille pas, mon ange.

Il passa ses mains dans mes cheveux, relevant mon visage vers lui.

— Il y a autre chose que tu dois savoir. Tu dois absolument voir tous ces souvenirs, c'est très important. Je tente de te montrer quelque chose que je ne peux t'expliquer autrement. Il faut que tu comprennes ce que j'essaie de te dire. Tu dois cesser de me bloquer.

Je me débattis et, soudain, mes pieds semblèrent décoller du sol. Je m'élevai dans les airs en direction du nuage noir. Patch jura en cherchant à m'attraper, mais il n'avait plus aucune emprise sur moi.

Réveille-toi ! Réveille-toi, Nora, pensai-je une dernière fois avant dc laisser le nuage m'engloutir.

18.

Je me réveillai le souffle court. L'obscurité régnait dans ma chambre et, par la fenêtre, j'aperçus le globe cristallin de la lune. Mes draps humides étaient en bataille et le réveil indiquait vingt et une heures trente.

Je me levai et me dirigeai vers la salle de bains pour me verser un verre d'eau glacée que je vidai d'un trait, avant de m'adosser au mur. Il ne fallait pas que je me rendorme. Patch ne devait sous aucun prétexte pénétrer une nouvelle fois dans mon sommeil. Pour me tenir éveillée, je fis les cent pas dans le couloir. J'étais de toute façon incapable de retourner me coucher. Au bout de quelques minutes, mon cœur retrouva un rythme plus normal, même si je demeurais très troublée. Je ne pensais qu'à une chose : la Main noire. Ce nom mystérieux, menaçant, obsédant. Et je ne parvenais pas à envisager sa signification sans que mon univers tout entier bascule. Au fond, je repoussais le moment où je déciderais de faire savoir aux archanges que Patch était la Main noire et le meurtrier de mon père, et ce pour une simple raison. Je refusais d'accepter la terrible vérité : j'étais tombée amoureuse d'un assassin. Je l'avais laissé me séduire, me mentir et, enfin, me trahir. Même dans mes rêves, il n'avait qu'à me toucher pour que ma détermination s'évanouisse et que je sois prise au piège. Et la plus grande trahison de toutes, c'était la mienne, car je me retrouvais une fois de plus à sa merci. Quel genre de fille étais-je pour protéger celui qui avait tué mon père ?

Selon Patch, il me fallait annoncer haut et fort aux archanges que je voulais à nouveau de lui comme gardien pour qu'ils m'entendent. Suffirait-il de leur crier que Patch était coupable du meurtre de mon père pour que leur justice s'exerce ? Il serait envoyé en enfer et je pourrais commencer à me reconstruire. Il semblait néanmoins que je sois incapable de prononcer ces mots.

Trop de choses ne collaient pas. Pourquoi Patch, un ange, serait-il impliqué dans une société secrète de néphilims ? S'il était vraiment la Main noire, pourquoi marquer ses nouvelles recrues ? Et d'ailleurs, quelle raison aurait-il de les recruter ? Ça n'était pas seulement bizarre – ça n'avait tout simplement aucun sens. Les néphilims haïssaient les anges, qui le leur rendaient bien. Et si le meneur de cette organisation était véritablement le successeur de Chauncey, comment aurait-il pu s'agir de Patch ?

Je me massai les tempes, impuissante devant ces mêmes interrogations qui me hantaient. Pourquoi toutes les théories concernant la Main noire débouchaient-elles sur des impasses ?

Pour l'instant, Scott restait mon unique lien fiable avec ce personnage. Il en savait plus long qu'il n'en disait, j'en étais certaine, mais il était trop effrayé pour parler. En me racontant sa rencontre avec son bourreau, il paraissait terrorisé. Je devais le faire avouer, mais comment l'y pousser alors qu'il était si déterminé à fuir son passé ? Je me pris la tête entre les mains, cherchant une solution.

Finalement, j'appelai Vee.

— Bonne nouvelle ! s'exclama-t-elle avant même que j'aie pu placer un mot. J'ai persuadé mon père de m'accompagner jusqu'à Old Orchard et de payer l'amende pour que je puisse récupérer la voiture. Me voilà de retour parmi les vivants.

— Tant mieux, parce que j'ai besoin de ton aide.

— « Aide » est mon deuxième prénom.

Il me semblait que son deuxième prénom c'était déjà « ennuis », mais je poursuivis sans relever.

— Je dois jeter un coup d'œil à la chambre de Scott. S'il existait une preuve de son implication dans l'organisation des néphils, il l'aurait probablement bien cachée, mais je n'avais pas d'autre choix. Il était parvenu à rester spectaculairement flou et, après notre dernier échange, j'étais certaine qu'il ne voudrait plus me revoir. Pour découvrir ce qu'il savait, il me faudrait fouiller moi-même le terrain.

— Apparemment, Patch a annulé le ciné. Je suis donc libre comme l'air, répondit-elle avec un peu trop d'enthousiasme.

Elle ne m'avait même pas demandé ce que je comptais trouver chez Scott.

— Je te préviens : ça n'aura rien de dangereux ni de fascinant, m'empressai-je d'ajouter pour la calmer. Tout ce que tu auras à faire, c'est m'attendre dans la voiture en faisant le guet. Je monterai seule.

— Ça reste quand même excitant ! Ça sera comme dans les films. Sauf qu'à l'écran, le héros n'est jamais vaincu, tandis que dans la réalité, tu as toutes les chances de te faire surprendre. Tu vois ce que je veux dire ? Le quotient frisson est maximal !

Personnellement, je trouvais qu'elle s'emballait un peu trop.

— Rassure-moi : tu comptes m'avertir si tu aperçois Scott ?

— Bien sûr, ma belle. Je te couvre !

Je raccrochai et composai le numéro fixe de Scott. Mme Parnell décrocha.

— Nora, je suis ravie de t'entendre ! J'ai cru comprendre que les choses évoluaient entre Scott et toi, non ? ajouta-t-elle d'un air complice.

— Eh bien, euh…

— Tu sais, je craignais vraiment que Scott rencontre une fille qui ne soit pas du coin. Imagine un peu qu'il tombe sur des beaux-parents givrés… Alors que ta mère et moi sommes si proches ! On s'amuserait comme des petites folles à organiser un beau mariage. Mais je m'emballe… Chaque chose en son temps, comme on dit…

Au secours.

— Euh, madame Parnell, est-ce que Scott est là ? J'ai une nouvelle qui va probablement l'intéresser.

Je l'entendis presser une main contre le récepteur et crier :

— Scott ! Décroche, c'est Nora !

Quelques instants plus tard, je perçus la voix de Scott, qui trahissait une note d'agacement.

— Tu peux couper, maman.

— Je vérifiais que c'était bon, chéri.

— C'est bon.

— Nora a quelque chose à te dire, ajouta-t-elle.

— Alors raccroche.

Elle laissa échapper un soupir résigné, puis reposa le combiné.

— Je croyais t'avoir dit de m'oublier, lâcha Scott.

— Est-ce que tu as finalement trouvé un groupe ? repris-je, espérant attiser sa curiosité et prendre le contrôle de la conversation avant qu'il ne me raccroche au nez.

— Non, répondit-il sur le même ton méfiant.

— J'ai parlé de toi à un ami, en lui expliquant que tu étais guitariste.

— Je joue de la basse.

— Bref, il a fait passer le mot et a fini par contacter un groupe qui aimerait t'entendre ce soir.

— C'est quoi, le nom du groupe ?

La question me déstabilisa.

— Les euh… Les Pigmen.

— Ça sonne comme un groupe des années 60.

— Alors, tu veux tenter, oui ou non ?

— À quelle heure ?

— Vingt-deux heures. Au Sac du diable.

Si j'avais pu l'envoyer plus loin, je l'aurais fait, mais je ne connaissais pas d'autre endroit plausible pour une répétition improvisée. Le trajet aller-retour ne lui prendrait pas plus d'une vingtaine de minutes, et je devrais m'en contenter.

— Il me faut un nom et un contact.

Ça, il n'était pas censé me le demander.

— J'ai proposé à mon ami de te transmettre l'info, mais je n'ai pas pensé à lui demander plus de précisions.

— Pas question de gâcher ma soirée avant de savoir qui sont ces types, leur style de musique et où ils se sont produits. Ils sont quoi ? Punk ? Pop indé ? Métal ?

— Et toi ?

— Punk.

— Je vais tâcher de trouver leur numéro.

Je rappelai aussitôt Vee.

— J'ai raconté à Scott que je lui avais obtenu une audition ce soir avec un groupe du coin. Mais il veut connaître leur style et les endroits où ils ont joué. Je vais lui donner ton contact. Tu n'auras qu'à te faire passer pour la copine d'un des membres. N'en dis pas trop, tu t'en tiens à l'essentiel : c'est un groupe de punk sur le point de percer et il serait stupide de laisser filer une chance pareille.

— Toute cette histoire d'espionnage commence vraiment à me plaire. Je sais quoi faire si je m'ennuie : je t'appelle.

J'étais assise sur les marches du perron quand Vee s'arrêta devant chez moi.

— Et si on faisait un détour par le fast-food avant d'entamer notre mission ? proposa-t-elle alors que je montais dans la voiture. Je ne sais pas pourquoi, mais un bon hot-dog me met vraiment d'aplomb. Après un hot-dog, je suis d'attaque pour n'importe quelle situation.

— C'est sans doute les toxines qui te tournent la tête, expliquai-je.

— Peut-être, mais j'aurais vraiment besoin d'un hot-dog.

— J'ai déjà mangé. Des pâtes.

— Ça ne te remplit pas l'estomac, ça.

— Je crois qu'on trouve difficilement plus nourrissant.

— Si : un hot-dog.

Quinze minutes plus tard, nous quittions le fast-food avec deux hot-dogs, une grosse portion de frites et deux milk-shakes à la fraise.

— J'ai horreur de ces trucs-là, dis-je en examinant la graisse qui imprégnait ma main au travers du papier. C'est mauvais pour la santé.

— Exactement comme Patch, pourtant ça ne t'a jamais posé problème.

Je préférai ne pas répondre.

Vee s'arrêta sur le bas-côté, à environ cinq cents mètres de la résidence où habitaient les Parnell. L'endroit, à mon sens, était trop exposé. Deacon Street se terminait en impasse à l'entrée des bâtiments. Si Scott apercevait Vee dans la Neon, à proximité de son appartement, il se méfierait aussitôt. Je savais qu'il ne reconnaîtrait pas sa voix au téléphone, mais je craignais qu'il n'identifie son visage. Il nous avait vues ensemble plusieurs fois, notamment lorsque nous l'avions suivi sur le bord de mer, dans cette même voiture.

— Mieux vaut quitter la route et te garer derrière les buissons.

— Monter sur le talus ? Tu plaisantes ? s'exclama Vee en s'avançant pour jeter un œil.

— Ça n'est pas si haut, fais-moi confiance. Ça va aller.

— Nora, regarde-moi. Je conduis une Neon, pas un tank.

— La Neon n'est pas très lourde. Si on reste coincées dans le caniveau, on poussera.

Vee remit le contact et passa la première. La Neon grimpa sur le dénivelé et je sentis des branchages racler la carrosserie.

— Accélère ! lui dis-je, sentant mes dents claquer alors que nous cahotions sur le bas-côté.

La voiture pencha vers l'avant et s'enfonça dans le fossé.

— On n'y arrivera pas, gémit Vee en écrasant la pédale d'accélérateur, sans résultat. Il faut que j'essaye de monter de biais.

Elle braqua sur la gauche et accéléra une nouvelle fois.

— Voilà, ça marche, reprit-elle tandis que la Neon repartait vers le monticule.

— Attention au rocher ! criai-je, trop tard.

Vee roula droit sur une large pierre dentelée qui saillait sur le talus. Elle freina brusquement et coupa

le contact. Je sortis en même temps qu'elle pour vérifier l'état du pneu avant gauche.

— Il y a quelque chose qui cloche, observa-t-elle.
Le caoutchouc semble mal en point.

Je me cognai la tête contre le tronc d'arbre le plus
proche.

— Bon, on a un pneu crevé. Qu'est-ce qu'on fait
maintenant ?

— On fait comme prévu. Je file chez Scott pour
fouiller sa chambre pendant que tu fais le guet. Au
retour, tu appelleras Rixon.

— Pour lui dire quoi ?

— Qu'un chevreuil a déboulé sur la chaussée et que
tu as donné un coup de volant pour l'éviter. C'est là
que la Neon est sortie de la route et que tu as crevé
sur cette pierre.

— Excellent, approuva Vee. En plus, je passe pour
une amie de la nature. Rixon sera ravi.

— D'autres questions ?

— Non, tout est sous contrôle. Je te préviens dès
que Scott part de chez lui et je t'avertis si je le vois
revenir. Tu as l'intention d'escalader la façade et de
rentrer par la fenêtre ? demanda-t-elle en observant
mes pieds. Des tennis seraient plus adaptées. Tes ballerines sont très jolies, mais peu pratiques.

— Je compte entrer par la porte.

— Qu'est-ce que tu vas dire à sa mère ?

— Aucune importance. Elle m'adore. Elle
m'accueillera à bras ouverts.

Je lui tendis mon hot-dog déjà froid.

— Tu le veux ?

— Certainement pas. Tu en auras besoin. Si ça
tourne mal, mords dedans et, dix secondes plus tard,
tu te sentiras toute guillerette.

Je parcourus le reste de Deacon Street au pas de course, me fondant dans l'ombre des arbres chaque fois qu'une silhouette se profilait devant la fenêtre illuminée du deuxième étage. Je distinguais Mme Parnell dans la cuisine, qui allait et venait de l'évier au réfrigérateur. Dans la chambre de Scott, les rideaux étaient tirés. La lumière s'éteignit, puis je le vis passer dans la pièce attenante et déposer un baiser sur la joue de sa mère.

Durant cinq longues minutes, je demeurai tapie dans l'obscurité à chasser les moustiques. Scott sortit enfin du bâtiment, un étui à guitare à la main. Il le rangea dans le coffre de sa Mustang, s'installa au volant et quitta le parking. Quelques instants plus tard, la sonnerie de mon téléphone retentit.

— L'aigle quitte le nid, articula Vee.

— J'ai vu. Ne bouge pas. J'y vais.

Je gravis les deux étages et sonnai à la porte. En m'apercevant, Mme Parnell m'adressa un grand sourire.

— Nora ! s'exclama-t-elle en me prenant affectueusement par les épaules. Tu manques Scott à quelques secondes près. Il est parti auditionner pour un groupe. Tu ne peux pas savoir à quel point ça lui a fait plaisir. Dire que tu as pris la peine de mettre tout ça sur pied ! Il va les épater, tu vas voir, ajouta-t-elle en me pinçant la joue.

— À vrai dire, Scott vient juste de m'appeler. Il a oublié quelques-unes de ses partitions et m'a demandé de les lui apporter. Il craignait d'être en retard au rendez-vous.

— Oh, oui, naturellement. Eh bien, entre. T'a-t-il précisé quelles partitions, exactement ?

— Il m'a donné deux ou trois titres.

— Je vais te montrer sa chambre, répondit-elle en m'ouvrant grand la porte. Scott sera très déçu si l'audition se déroule mal. Habituellement, il est très attentif aux morceaux qu'il choisit mais ce soir, tout s'est passé si vite. Il doit être complètement déboussolé, le pauvre chéri.

— Oui, il avait vraiment l'air embêté, renchéris-je. Je fais le plus vite possible.

Mme Parnell me précéda dans le couloir. En entrant dans la pièce, je réalisai soudain qu'elle avait radicalement changé. La première chose que je remarquai, ce furent les murs, peints en noir. Lors de sa soirée, ils étaient blancs. L'affiche du *Parrain* et la banderole des Patriots avaient disparu et une forte odeur de peinture et de désodorisant flottait dans la chambre.

— Désolée pour l'ambiance lugubre, intervint Mme Parnell. Scott a eu un petit coup de déprime ces derniers temps. Le déménagement ne lui a pas réussi. Il faudrait qu'il sorte davantage, ajouta-t-elle avec un regard entendu.

Je fis semblant de ne pas saisir l'allusion.

— C'est donc là qu'il... range... ses partitions, demandai-je en désignant un amas de feuillets sur le sol.

— Veux-tu que je t'aide à chercher ? proposa-t-elle en s'essuyant les mains sur son tablier.

— Ne vous en faites pas, je vais me débrouiller. Je ne voudrais pas vous embêter. Ça ne me prendra que quelques minutes.

Dès qu'elle eut tourné les talons, je fermai la porte, déposai mon portable sur le bureau et fouillai la penderie. Une paire de baskets montantes dépassait d'une pile de jeans et de tee-shirts posés à même le sol. Sur les cintres, seules subsistaient trois chemises à carreaux – probablement un cadeau de sa mère, Scott n'était pas un adepte du look « bûcheron ».

Sous le lit, je découvris une batte en aluminium, un gant de base-ball et une plante en pot. J'appelai Vee.

— C'est comment, la marijuana ?

— Cinq feuilles.

— Alors Scott en fait pousser dans sa chambre.

— Ça t'étonne ?

Non, mais s'il paraissait plausible qu'il fume, je le voyais mal organiser son propre trafic. D'un autre côté, je savais qu'il avait besoin d'argent.

— Je te rappelle si je trouve autre chose, conclus-je avant de laisser tomber le téléphone sur le lit.

Je fis lentement le tour de la pièce. Elle ne comportait que peu de cachettes possibles. Rien sous le bureau. Les bouches d'aération étaient vides. Rien dans la doublure de la couette. Mais quelque chose en haut de la penderie attira mon attention. Le mur était abîmé.

Je tirai la chaise et grimpai pour mieux l'examiner. On avait découpé un large carré dans la cloison et replacé le morceau de plâtre pour dissimuler l'orifice. Je déplaçai le morceau de plâtre à l'aide d'un cintre et aperçus une boîte à chaussures orange estampillée Nike dans le compartiment secret. J'eus beau tenter de l'attraper avec le cintre, je ne réussis qu'à l'enfoncer davantage.

Je réalisai alors qu'un bourdonnement résonnait dans la pièce et compris qu'il s'agissait de mon portable. Les vibrations du téléphone étaient étouffées par les couvertures.

Je sautai au bas de la chaise.

— Vee ?

— Fiche le camp de là, siffla-t-elle dans un murmure paniqué. Scott m'a rappelée pour connaître l'adresse du hangar. Mais tu ne m'avais pas dit où tu l'avais envoyé, alors j'ai bafouillé, en expliquant que je ne savais pas où le groupe organisait ses auditions. Il m'a demandé où les musiciens répétaient habituellement, et je n'ai pas pu lui répondre. La bonne nouvelle, c'est qu'il a raccroché, donc je n'ai pas eu le temps de m'enfoncer davantage. La mauvaise, c'est qu'il est en chemin.

— J'ai combien de temps ?

— Il vient de passer devant moi à trois cents à l'heure. Environ une minute. Peut-être moins.

— Vee !

— Ça n'est pas ma faute ! C'est toi qui ne décroches pas quand j'appelle !

— Poursuis-le et distrais-le. Il me faut encore deux minutes.

— Le poursuivre ? Comment ? La Neon a un pneu crevé !

— Avec tes jambes !

— Tu veux dire courir ?

Le téléphone coincé sous l'oreille, je tirai un morceau de papier de mon sac et cherchai un stylo sur la table.

— C'est moins de cinq cents mètres, à peine plus qu'un tour de stade. Cours !

— Qu'est-ce que je vais lui raconter ?

— Fais comme les agents secrets : improvise !

Je raccrochai aussitôt. Où rangeait-il ses stylos ? Comment pouvait-il n'avoir aucun crayon sur son bureau ? J'en sortis finalement un de mon sac et griffonnai quelques mots sur le papier, que je laissai sur la table.

J'entendis le moteur rugissant de la Mustang résonner au-dehors tandis que Scott manœuvrait sur le parking. Je grimpai une nouvelle fois sur la chaise et me hissai sur la pointe des pieds pour tenter d'attraper la boîte à chaussures. La porte d'entrée claqua.

— Scott ! s'exclama Mme Parnell depuis la cuisine. Qu'est-ce que tu fais déjà là ?

Je réussis à glisser le crochet du cintre sous le couvercle et l'attirai jusqu'à moi. La boîte me tomba dans les mains. Je venais juste de la dissimuler au fond de mon sac et de repousser la chaise à la hâte lorsque la porte s'ouvrit brutalement.

Le regard noir de Scott se posa aussitôt sur moi.

— Qu'est-ce que tu fais là ?

— Je… je ne m'attendais pas à ce que tu reviennes aussi vite…, bredouillai-je.

— Ton audition, c'était du bidon ?

— Euh…

— Tu voulais m'obliger à quitter l'appartement.

Il traversa la chambre en deux enjambées et me saisit violemment par le bras.

— Tu as fait une grosse bêtise en entrant ici.

Mme Parnell apparut.

— Que se passe-t-il, Scott ? Mais enfin, lâche-la ! Elle est simplement venue chercher les partitions que tu avais oubliées.

— Elle ment. Je n'ai rien oublié du tout.

— C'est vrai, Nora ? demanda Mme Parnell en se tournant vers moi.

— J'ai menti, avouai-je d'une voix tremblante.

Je déglutis, tâchant de retrouver mon calme.

— En fait, je… je voulais inviter Scott à la soirée du Solstice, au parc de Delphic, mais je n'osais pas le lui proposer. C'est… vraiment idiot.

Je m'approchai du bureau et lui tendis le morceau de papier que j'avais posé quelques instants plus tôt.

— « Ne sois pas une poule mouillée. Accompagne-moi à la soirée du Solstice », lut-il.

— Alors ? insistai-je avec un sourire forcé. Qu'est-ce que tu en dis ?

Scott me dévisagea, puis relut les deux lignes.

— Quoi ?

— Est-ce que ça n'est pas adorable ? s'extasia Mme Parnell. Scott, tu ne vas quand même pas refuser !

— Maman, tu nous accordes une minute ?

— Est-ce que c'est une soirée habillée ? demanda Mme Parnell. Je pourrais me débrouiller pour te louer un costume.

— Maman !

— Je vous laisse. Je serai dans la cuisine. Nora, tu m'as bien eue. Je n'aurais jamais imaginé que tu allais dissimuler une invitation. Très ingénieux !

Avec un clin d'œil, elle ferma la porte derrière elle.

Soudain seule avec Scott, toute mon assurance s'évanouit.

— Qu'est-ce que tu faisais vraiment ici ? demanda-t-il sur un ton nettement plus froid.

— Je te l'ai dit…

— Je ne te crois pas.

Il embrassa la pièce du regard.

— Qu'est-ce que tu as touché ?

— Je suis simplement venue pour te laisser ce papier, je t'assure. J'ai cherché un stylo sur ton bureau pour l'écrire, mais c'est tout.

Scott s'approcha de la table et ouvrit les tiroirs les uns après les autres en remuant leur contenu.

— Je sais que tu mens.

— Tu sais quoi ? demandai-je en reculant lentement vers la porte. Oublie cette invitation. Je voulais seulement être sympa… et me faire pardonner pour l'autre soir. Tu t'es fait casser la figure et je me sentais en partie responsable. Oublie tout ça.

Il me dévisagea sans un mot. J'ignorais s'il avait avalé mon baratin, mais je ne pensais plus qu'à une chose : ficher le camp.

— Je te surveille, lâcha-t-il finalement d'un ton menaçant.

Jamais il n'avait fait preuve d'une telle agressivité.

— Rappelle-toi, poursuivit-il. Chaque fois que tu te croiras seule, regarde derrière toi. Je serai là. Et si un jour je te revois fouiller ma chambre, tu es morte. C'est clair ?

Je repris mon souffle.

— Limpide.

En quittant l'appartement, je croisai Mme Parnell, accoudée à la cheminée, sirotant un thé glacé. Elle posa le verre et me fit signe de m'arrêter.

— Scott est un sacré numéro, pas vrai ?

— C'est une façon de voir les choses, répliquai-je.

— Je parie que tu as pris les devants parce que tu craignais que toutes les filles se jettent sur lui.

La soirée du Solstice avait lieu le lendemain – un peu tard pour prendre les devants... Mais je me contentai d'un sourire. Elle l'interpréterait comme elle le voudrait.

— Faudra-t-il lui trouver un costume ? demanda-t-elle.

— À vrai dire, ça n'est pas une soirée habillée. Un jean et une chemise feront parfaitement l'affaire.

Elle sembla se décomposer. Je laissai donc à Scott le soin de lui annoncer que la fête était annulée.

— Enfin, il reste toujours le bal de fin d'année. Tu comptes l'inviter ?

— C'est encore un peu tôt pour en parler. Et puis Scott n'aura peut-être pas envie de m'accompagner.

— Ne sois pas ridicule ! Vous vous connaissez depuis si longtemps. Il est fou de toi !

Ou bien il était fou tout court.

— Je dois y aller, madame Parnell. J'ai été ravie de vous voir.

— Sois prudente sur la route, lança-t-elle en agitant la main.

Sur le parking, je retrouvai Vee courbée en deux, haletante, la chemise trempée de sueur.

— Bravo pour la diversion.

Elle releva la tête, le visage cramoisi.

— T'as déjà essayé de courir après une voiture ? souffla-t-elle.

— Je n'ai pas fait tellement mieux. Je n'ai rien trouvé d'autre que faire semblant de l'inviter à la soirée du Solstice.

— Qu'est-ce que tu as inventé ?

— Que j'étais trop timide pour lui demander directement et qu'il m'avait surprise en train de lui laisser un petit mot sur son bureau.

— Si j'avais su, j'aurais couru plus vite. J'aurais adoré voir ça.

Quarante-cinq minutes et un dépannage plus tard, la Neon roulait de nouveau et Vee me raccompagna chez moi. Sans même prendre le temps de débarrasser la table de la cuisine, je sortis la boîte à chaussures de Scott de mon sac. Elle était scellée par une épaisse couche de scotch, enroulé autour du couvercle. Scott n'avait manifestement pas l'intention de la rouvrir.

Je découpai l'adhésif à l'aide d'un couteau et ouvris le carton. Au fond, je ne vis qu'une chaussette blanche.

Déçue, je scrutai l'objet incongru, puis fronçai les sourcils. Je la saisis et l'écartai pour regarder à l'intérieur. Aussitôt, je sentis mes jambes faiblir. Elle contenait un anneau. Celui qui portait le sceau de la Main noire.

19.

Bouche bée, j'observai la bague, incapable de penser clairement. Pouvait-il y avoir deux anneaux identiques ? Ma découverte venait de le prouver, mais pourquoi Scott l'avait-il en sa possession ? Et pourquoi prendre tant de peine pour le dissimuler ?

Et si la Main noire lui répugnait tant, pourquoi conservait-il l'objet qui avait servi à le marquer ?

Une fois dans ma chambre, je sortis mon violoncelle du placard et rangeai la bague dans la poche de l'étui, là où j'avais caché son double, celle qu'on m'avait fait remettre dans une enveloppe la semaine précédente. Je ne savais plus quoi penser. Je m'étais rendue chez Scott, croyant trouver des réponses, et à présent, j'étais plus troublée que jamais. J'avais beau m'interroger au sujet de ces anneaux, échafauder des théories, je n'étais guère plus avancée.

L'horloge sonna les douze coups et, après avoir vérifié que je m'étais enfermée à double tour, je montai me glisser sous ma couette. Je redressai mon oreiller et entrepris de me vernir les ongles en bleu nuit. Je me vernis ensuite les orteils, puis allumai mon iPod. Je lus ensuite quelques chapitres de mon manuel de chimie. Je savais que je ne pourrais pas rester indéfiniment éveillée, mais j'étais décidée à retarder ce moment autant que possible. Je craignais que Patch ne me rejoigne dans mon sommeil.

Je m'étais endormie sans même m'en rendre compte. Un bruit de frottement me réveilla en sursaut. Figée dans mon lit, je tendis l'oreille pour identifier l'origine du son. Mes rideaux étaient tirés et la pièce, plongée dans l'obscurité. Je me levai et m'approchai doucement de la fenêtre. Le jardin était désert. Tranquille. Curieusement calme.

Un grincement résonna au rez-de-chaussée. Attrapant mon portable sur la table de nuit, j'entrouvris la porte de ma chambre et risquai un regard dans le couloir. Je ne vis personne, mais m'avançai vers les escaliers. Mon cœur cognait si fort dans ma poitrine qu'il semblait prêt à éclater. J'étais en haut des marches lorsqu'un cliquettement m'avertit qu'on tournait la poignée de la porte.

Elle s'ouvrit et une silhouette se glissa dans la pénombre de l'entrée. Scott se tenait au bas de l'escalier, à quelques mètres de moi. Je serrai mon téléphone dans ma main déjà moite.

— Qu'est-ce que tu fais là ? m'exclamai-je.

Surpris, Scott leva les yeux. Il me montra ses paumes pour prouver qu'il n'était pas armé.

— Il faut qu'on parle.

— La porte était fermée à clé. Comment es-tu entré ? demandai-je d'une voix suraiguë et tremblante.

Il ne dit rien, mais je connaissais la réponse. Scott était un néphil, doté d'une force surhumaine. J'étais presque certaine qu'en jetant un regard au verrou, je le trouverais défoncé, portant encore la marque de ses doigts.

— Tu sais qu'il est interdit de s'introduire chez quelqu'un par effraction ?

— Et toi, tu sais qu'il est interdit de subtiliser les affaires des autres ?

Je me mordis les lèvres.

— Tu avais l'un des anneaux de la Main noire.

— Il n'est pas à moi. Je... je l'ai volé.

Son hésitation le trahit.

— Rends-le-moi, ordonna-t-il.

— Pas avant que tu m'aies tout raconté.

— Je peux utiliser la manière forte, si tu préfères, reprit-il en posant le pied sur la première marche.

— N'avance plus ! criai-je en pianotant le numéro des secours sur mon portable. Si tu fais un pas de plus, j'appelle la police.

— Il leur faudrait une bonne vingtaine de minutes pour arriver jusqu'ici.

— C'est faux.

Mais je ne trompais personne. Scott grimpa sur la deuxième marche.

— Arrête, ou je les préviens. Je ne plaisante pas.

— Pour leur dire quoi ? Que tu t'es introduite dans ma chambre ? Que tu y as dérobé un bijou de valeur ?

— Ta mère m'a laissée entrer, bredouillai-je.

— Elle ne l'aurait pas fait si elle avait su que tu venais me voler.

Il avança et l'escalier grinça sous son poids. Je cherchais à gagner du temps, tout en le poussant à me faire des révélations une bonne fois pour toutes.

— Tu m'as menti au sujet de la Main noire. Ce soir-là, dans ta chambre, quel numéro d'acteur ! Tes larmes étaient presque convaincantes.

Je sentais qu'il réfléchissait, qu'il tentait de discerner ce que je savais exactement.

— C'est vrai, j'ai menti, concéda-t-il enfin, mais j'essayais de te préserver. Mieux vaut ne pas t'approcher de la Main noire.

— Trop tard. Il a assassiné mon père.

— Ton père n'est pas le seul sur sa liste, Nora. J'ai besoin de cette bague.

Et soudain, il était sur la cinquième marche.

Que voulait-il dire ? La Main noire ne pouvait pas le tuer. Il était immortel. S'imaginait-il que je l'ignorais ? Et pourquoi tenait-il tellement à récupérer cet anneau ? J'avais d'abord pensé que cette marque lui faisait horreur. Et brusquement, un nouvel indice me sauta aux yeux.

— La Main noire ne t'a pas marqué de force, n'est-ce pas, Scott ? C'est toi qui l'as voulu. Tu voulais rejoindre cette société secrète. Tu as librement prêté serment. Voilà pourquoi tu as gardé la bague. C'est un objet sacré, pas vrai ? La Main noire te l'a-t-il donné après t'avoir marqué ?

Sa main se crispa sur la rampe.

— Non, on m'a forcé.

— Je ne te crois pas.

— Tu penses réellement que je laisserais un psychopathe m'enfoncer un anneau chauffé à blanc dans la poitrine ? grinça-t-il en fronçant les sourcils. Si j'étais si fier de cette marque, pourquoi la dissimulerais-je ?

— Parce qu'il s'agit d'une société « secrète », justement. Je suis persuadée que cette cicatrice t'a semblé un faible prix à payer pour le privilège d'appartenir à une organisation occulte.

— Le privilège ? Tu t'imagines que la Main noire rend des services, peut-être ? poursuivit-il d'un ton rageur. C'est la mort ! Impossible de lui échapper, pourtant, crois-moi, ça n'est pas faute d'avoir essayé.

Je l'écoutais, mais devinais un nouveau mensonge.

— Il est donc revenu, pensai-je à voix haute. Tu m'as menti lorsque tu prétendais ne jamais l'avoir revu.

— Évidemment qu'il est revenu ! Il m'appelait au milieu de la nuit, ou m'attendait quand je rentrais du boulot avec des lunettes de ski.

— Qu'est-ce qu'il voulait ?

Scott me dévisagea.

— Si je parle, tu me rendras la bague ?

— Ça dépend. Si je suis certaine que tu me dis la vérité.

Il se frotta nerveusement le sommet du crâne.

— La première fois que je l'ai vu, c'était le jour de mes quatorze ans. Il m'a expliqué que je n'étais pas humain. Que j'étais un néphilim, comme lui. Il m'a ordonné de rejoindre l'organisation à laquelle il appartenait. Selon lui, tous les néphilims devaient se regrouper ; c'était l'unique moyen de se libérer du joug des… anges déchus.

Scott leva vers moi un regard plein de défi, mais aussi craintif, comme s'il redoutait que je le traite de fou.

— Je le prenais pour un malade. Un illuminé. Je l'évitais, mais il revenait toujours. Alors il a commencé à me menacer. Il prétendait que les déchus chercheraient à me soumettre une fois que j'aurais atteint l'âge de seize ans. Il me suivait partout, après le boulot, après les cours… Soi-disant pour me protéger. Et j'aurais dû lui en être reconnaissant. Peu après, il a découvert mes dettes de jeu. Il les a remboursées, pensant que cela me pousserait à rejoindre sa société secrète. Mais il ne se doutait pas que je voulais simplement le voir disparaître de ma vie. Lorsque j'ai essayé de le dissuader en le menaçant d'avertir mon père – qui travaillait dans la police –, il m'a traîné jusqu'au hangar désaffecté, m'a attaché et marqué. Il répétait que c'était l'unique moyen de me mettre à l'abri. Il disait qu'un jour, je comprendrais et je le remercierais.

Au son de sa voix, je devinais que ce jour n'arriverait sans doute jamais.

— Il semblerait que tu l'obsèdes.

— Il pense que je l'ai trahi, répondit Scott en secouant la tête. Ma mère et moi sommes revenus ici pour tenter de le fuir. Elle ignore tout des néphilims ou de la marque qu'il m'a faite, elle croit qu'il s'agit simplement d'un malade qui me harcèle. Nous avons déménagé, mais lui craint que je disparaisse ou, pire, que je ne tienne pas ma langue et que je parle de sa société secrète.

— Il sait que tu es à Coldwater ?

— Je n'en ai aucune idée. Voilà pourquoi j'ai besoin de cette bague. Après m'avoir marqué, il me l'a donnée en me disant que je devais la conserver pendant qu'il cherchait de nouvelles recrues. Je ne devais la perdre sous aucun prétexte, ou quelque chose de terrible se produirait..., ajouta-t-il d'une voix qui trembla légèrement. C'est un dingue, Nora. Il est capable de tout.

— Il faut que tu m'aides à le retrouver.

— Pas question, répliqua-t-il. Je ne vais pas me jeter dans la gueule du loup. Maintenant, rends-moi cet anneau. Et pas d'histoires. Je suis certain qu'il est ici.

D'instinct, je fis demi-tour et m'enfuis. Je fermai la porte de la salle de bains derrière moi et poussai le verrou.

— Ça commence à bien faire ! cria-t-il depuis le couloir. Ouvre !

Après un silence, il ajouta :

— Tu crois vraiment qu'un simple morceau de bois va m'arrêter ?

Non, mais je ne savais plus quoi faire d'autre. Adossée à la cloison, je posai soudain les yeux sur un petit couteau, qui m'avait servi quelques jours plus tôt à ouvrir des emballages de cosmétiques. Je m'en saisis.

Scott enfonça la porte, qui claqua contre le mur.

Nous étions face à face et je le menaçais. Scott s'approcha, m'arracha l'arme des mains et la pointa vers moi.

— On fait moins la maligne, hein ? s'amusa-t-il.

Le couloir était plongé dans la pénombre. La lumière de la salle de bains révélait à peine le papier peint aux teintes fanées. Une ombre s'y promena si furtivement que je la remarquai à peine. Armé d'un pied de lampe en cuivre, Rixon se dressa derrière Scott et l'assomma d'un geste brusque.

Scott poussa un cri étouffé et se retourna, chancelant. Par réflexe, il tenta de frapper Rixon avec le couteau, mais le manqua.

Ce dernier en profita pour désarmer Scott et le plaquer contre le mur. D'un coup de pied, il envoya le couteau dans le couloir avant de frapper Scott au visage. Un filet de sang gicla sur le papier peint. Rixon enchaîna les coups et Scott glissa le long de la cloison puis s'effondra sur le sol. Rixon l'empoigna par le col et le redressa pour le frapper à nouveau. Je vis les yeux révulsés de Scott…

— Rixon !

Le cri hystérique de Vee me tira de ma torpeur. Elle grimpait les escaliers quatre à quatre.

— Rixon, arrête ! Tu vas le tuer !

Rixon lâcha Scott et recula d'un pas.

— Si je ne le fais pas, c'est Patch qui me tuera. Est-ce que ça va ? demanda-t-il en se tournant vers moi.

Je fixai le visage ensanglanté de Scott, l'estomac retourné.

— Ça va, répondis-je automatiquement.

— Tu es sûre ? Tu veux un verre d'eau ? Une couverture ? T'allonger par terre ?

Je levai les yeux vers lui, puis vers Vee.

— Qu'est-ce qu'on va faire, maintenant ?

— Je vais commencer par prévenir Patch. Il aimerait sans doute assister à ça.

Trop hébétée pour protester, je me tus.

— On devrait appeler la police, intervint Vee avec un bref regard à Scott, encore inconscient. Est-ce qu'il faut l'attacher ? Au cas où il reviendrait à lui et essaierait de s'enfuir ?

— Je le ligote à l'arrière du pick-up dès que j'aurai raccroché, répondit Rixon.

— Viens, ma belle, me souffla Vee en me prenant dans ses bras et en m'attirant vers l'escalier. Est-ce que tout va bien ?

— Oui, articulai-je, toujours étourdie. Qu'est-ce que vous faisiez ici ?

— Rixon est passé chez moi. Nous étions dans ma chambre et, brusquement, j'ai eu une prémonition qui m'a poussée à venir jusqu'ici. Rixon m'a accompagnée et, en arrivant, on a aperçu la Mustang de Scott devant la maison. J'ai tout de suite su que quelque chose clochait, surtout après notre petite expédition chez lui. Rixon m'a dit d'attendre dehors. Je suis soulagée que nous soyons intervenus à temps. Bon sang, mais il est devenu dingue ? Te menacer avec un couteau !

Avant que j'aie pu lui expliquer que je l'avais menacé la première, Rixon dévala les marches.

— J'ai laissé un message à Patch, il ne devrait pas tarder. J'ai aussi prévenu la police.

Vingt minutes plus tard, la voiture de l'inspecteur Basso s'arrêta devant l'allée, toutes sirènes hurlantes. Scott, poings liés, le visage tuméfié, reprenait peu à peu connaissance à l'arrière du pick-up de Rixon. Basso le fit descendre avant de lui passer les menottes.

— Je n'ai rien fait, protesta-t-il, les lèvres enflées et tachées de sang.

— Alors pour toi, entrer par effraction chez quelqu'un, ça n'est rien ? grinça Basso. Dommage, car la loi ne l'entend pas de cette oreille.

— Elle m'a volé quelque chose, répliqua Scott avec un signe de tête dans ma direction. Demandez-le-lui. Elle s'est introduite dans ma chambre tout à l'heure.

— Et qu'est-ce qu'elle t'a pris ?

— Je… je ne peux pas en parler.

Basso se tourna vers moi.

— Elle a passé la soirée avec nous, affirma Vee. Pas vrai, Rixon ?

— Exactement.

Scott me lança un regard accusateur.

— On joue les saintes-nitouches, hein ?

— Parlons un peu de cette agression.

— C'est elle qui m'a agressé la première.

— Tu es entré par effraction chez moi. Légitime défense, non ? répondis-je.

— J'exige un avocat, lâcha Scott.

L'inspecteur Basso sourit, mais il semblait agacé.

— Un avocat ? Ça sent la culpabilité, Scott. Pourquoi avoir sorti un couteau ?

— Je n'en avais pas l'intention. C'est elle qui le pointait vers moi, et je l'ai désarmée.

— Il ment vraiment bien, il faut le lui reconnaître ! s'exclama Rixon.

Basso le conduisit vers sa voiture.

— Scott Parnell, tu es en état d'arrestation, récita Basso en lui faisant baisser la tête pour l'asseoir sur le siège arrière. Tu as le droit de garder le silence. Tout ce que tu diras pourra être retenu contre toi.

Scott avait toujours l'air hargneux, mais sembla pâlir sous les bleus et les coupures.

— Tu commets une grosse erreur, siffla-t-il en me regardant droit dans les yeux. Si je suis enfermé comme un rat dans une cage, il me retrouvera. Et il me tuera. La Main noire me tuera.

Il paraissait absolument terrifié. J'hésitais entre le féliciter pour ses talents d'acteur... et croire qu'il ignorait ce que sa nature de néphilim impliquait. Comment avait-il pu intégrer cette organisation sans savoir qu'il était immortel ? La Main noire aurait-il omis ce détail ?

Scott ne me lâchait pas des yeux. D'un ton suppliant, il me dit :

— Nora, c'est fini. Si on m'emmène, je suis mort.

— Blablabla, singea l'inspecteur Basso qui se tourna alors vers moi. Tu penses pouvoir éviter les ennuis pour le reste de la soirée ?

20.

J'ouvris la fenêtre de ma chambre et m'assis sur le rebord, avec la brise fraîche et un concert de grillons pour seule compagnie. À l'autre bout du champ, je voyais une lumière briller dans une maison. J'étais étrangement rassurée de savoir que je n'étais pas la seule encore debout à cette heure tardive. Après le départ de l'inspecteur Basso, Vee et Rixon avaient examiné le verrou de la porte.

— Waouh ! s'était exclamé Vee devant la serrure broyée. Comment a-t-il pu plier le métal ? Avec un chalumeau ?

Rixon et moi avions échangé un regard entendu.

— Je passerai demain pour changer le verrou, avait-il alors proposé.

Après leur départ, je restai seule avec mes pensées. Deux heures plus tard, malgré toutes mes tentatives pour me distraire, je ne pus m'empêcher de songer à Scott. Avait-il exagéré ou le retrouverait-on le lendemain dans sa cellule, mystérieusement roué de coups ? De toute façon, il ne pouvait pas mourir. Au pire, il serait blessé. Je n'osais imaginer que la Main noire irait plus loin… s'il représentait bien une menace. Scott n'était pas certain qu'il soit au courant de sa présence à Coldwater.

Je me persuadai qu'au fond je n'y pouvais rien. Scott s'était introduit chez moi, m'avait menacée. S'il était à présent derrière les barreaux, c'était uniquement par sa faute. Maintenant qu'il était enfermé, j'étais en sécurité. Aussi surprenant que cela puisse paraître, j'aurais préféré me trouver dans sa cellule. Si Scott servait d'appât, j'aurais enfin pu voir le véritable visage de la Main noire.

La fatigue altérait ma réflexion, mais une fois de plus, je passai en revue les détails dont je disposais. Scott avait été marqué par la Main noire, un néphil. D'après Rixon, Patch utilisait le même surnom. Il semblait que je sois en présence de simples homonymes, deux personnes bien distinctes...

Minuit avait déjà sonné, mais je ne pouvais toujours pas dormir. Je craignais de me trouver à la merci de Patch, d'être prise au piège de ses mots enjôleurs, de ses caresses envoûtantes. Plus que le sommeil, c'était des réponses que je voulais. Et je savais où les trouver : dans l'appartement de Patch. J'enfilai un jean sombre et un tee-shirt ajusté. Le ciel était menaçant, j'optai donc pour des tennis et mon coupe-vent.

Je pris un taxi pour me rendre aux abords de Coldwater, d'où j'aperçus la rivière qui sinuait comme un long serpent irisé. La silhouette imposante des cheminées d'usine dessinait dans le ciel des ombres chinoises effrayantes. Je laissai derrière moi la zone industrielle et atteignis bientôt deux bâtiments résidentiels, haut de deux étages. J'entrai dans le premier. Dans le hall, tout était calme. Les occupants dormaient sans doute profondément. Au fond de l'entrée, je jetai un œil aux boîtes aux lettres, mais aucune n'indiquait Cipriano. Ce qui n'avait rien de surprenant. Si Patch cherchait véritablement à se cacher, il n'aurait pas affiché son nom. Je gravis les escaliers jusqu'au dernier

niveau. Trois appartements se trouvaient sur le palier :
3A, 3B et 3C. Aucun numéro 34. Je redescendis les
marches et traversai la rue pour rejoindre le second
immeuble.

Derrière la double porte, je découvris un hall
encombré au carrelage usé et dont les murs, malgré
une couche de peinture récente, portaient encore des
traces de graffitis. Comme dans le premier bâtiment,
les boîtes aux lettres étaient installées au fond du
hall d'entrée. De l'autre côté, le climatiseur ronflait
bruyamment et les grilles entrouvertes d'un vieil
ascenseur ressemblaient à des mâchoires de fer, prêtes
à me broyer. J'optai pour les escaliers. Le bâtiment semblait désert et abandonné. Le genre d'endroit où l'on
ne fourre pas le nez dans les affaires du voisinage et où
il est facile de garder ses secrets.

Un silence de mort régnait au deuxième étage. Je
parcourus le couloir, dépassant les appartements 31,
32 et 33. Enfin, au bout du couloir, j'aperçus le
numéro 34. Je me demandai soudain ce que je ferais
si Patch était chez lui. À ce stade, il ne me restait plus
qu'à espérer qu'il soit parti. Je frappai. Aucune réponse.
Je tournai la poignée et, à ma grande surprise, la porte
s'ouvrit.

À l'intérieur, tout était sombre. Immobile, je tendis
l'oreille, attentive au moindre mouvement.

J'appuyai sur l'interrupteur, près de la porte, mais
soit il ne fonctionnait plus, soit l'électricité avait été
coupée. Je sortis la lampe de la poche de mon coupe-
vent, entrai dans la pièce et refermai la porte.

Une odeur de pourriture me prit à la gorge. Je braquai la lampe en direction de la cuisine, où j'aperçus
une poêle qui contenait un reste d'œufs brouillés et
une bouteille de lait périmé depuis si longtemps qu'il
avait tourné. Je n'aurais jamais imaginé Patch vivant

dans un pareil taudis, ce qui prouvait à quel point je le connaissais mal.

Je déposai mon sac et mes clés sur le bar et me couvris le nez avec le col de mon tee-shirt dans l'espoir de masquer cette insupportable puanteur. Les murs étaient nus et les meubles rares. Je comptai un poste de télé à antenne, si vieux qu'il était probablement en noir et blanc, ainsi qu'un canapé décati. On les avait installés loin des fenêtres, camouflées par du papier d'emballage.

La torche braquée au sol, je poursuivis mon chemin le long du couloir vers la salle de bains. Elle était vide, à l'exception d'un rideau de douche beige, qui avait dû être blanc un jour, et d'une serviette humide brodée au nom d'un hôtel accrochée dans un coin. Je ne vis ni savon, ni rasoir, ni crème de rasage. Le lino commençait à s'écailler et l'armoire à pharmacie, au-dessus du lavabo, était complètement vide.

Je continuai jusqu'à la chambre, tournai la poignée et poussai la porte. Une forte odeur de sueur et de draps sales flottait dans la pièce. Les lumières étant éteintes, je me risquai à ouvrir la fenêtre pour laisser entrer un peu d'air frais. La lueur d'un lampadaire projetait des ombres grisâtres.

Sur le chevet, des assiettes contenant des restes de nourriture s'empilaient. Sur le lit, les draps étaient froissés et sales. À en juger par l'odeur, ils n'avaient pas été changés depuis des mois. Dans un coin se trouvait un écran d'ordinateur posé sur un bureau étroit. L'unité centrale avait disparu. Je songeai que Patch voulait sans doute effacer toutes ses traces.

Penchée sur la table, je fouillai les tiroirs. Rien d'extraordinaire : des crayons, un annuaire… J'allais sortir lorsqu'une petite boîte à bijoux, scotchée sous le bureau, attira mon attention. Je passai une main sous le plateau, ôtant à l'aveuglette les morceaux de scotch, puis j'ouvris le couvercle. Un frisson me parcourut.

La boîte contenait six anneaux représentant la marque de la Main noire. Au même moment, à l'autre bout du couloir, la porte d'entrée gémit.

Je me redressai aussitôt. Patch était-il rentré ? Il ne fallait pas qu'il me trouve ici, alors que je venais de découvrir les bagues de la Main noire dans son appartement.

Je cherchai une cachette autour de moi. En contournant le lit pour tenter d'atteindre le placard, je risquais d'être vue. Si je grimpais sur le lit, les ressorts du sommier grinceraient.

La porte d'entrée se referma avec un faible cliquettement. Un pas décidé résonna sur le lino de la cuisine. N'ayant plus d'autre choix, j'enjambai le rebord de la fenêtre et me laissai glisser sur l'escalier de secours. Je tirai de toutes mes forces sur la fenêtre pour la fermer de l'extérieur, mais elle refusa de bouger. Je me cachai sous la fenêtre, contre le mur, les yeux rivés sur la pièce.

Une ombre se dressa dans le couloir et grandit à mesure que l'intrus se rapprochait. Je baissai aussitôt la tête. Persuadée que j'allais me faire prendre, je réalisai alors que le bruit des pas s'éloignait. Quelques secondes plus tard, j'entendis à nouveau la porte d'entrée claquer. Un silence assourdissant retomba dans l'appartement.

Lentement, je me remis debout et, après m'être assurée qu'il n'y avait plus personne, j'enjambai à nouveau la fenêtre. Brusquement, je me sentais exposée, vulnérable. En regagnant l'entrée, je tentai de tirer les choses au clair. Quelque chose m'échappait, mais quoi ? Si j'avais la preuve que Patch était la Main noire, j'ignorais toujours quel rôle il pouvait tenir au sein d'une organisation néphilim. Que se tramait-il derrière tout cela ? Je saisis mon sac au passage et sortis.

J'avais la main sur la poignée quand je pris conscience qu'un son étrange rompait le silence. Un tic-tac. Le battement régulier d'une pendule. Je me retournai vers la cuisine en fronçant les sourcils. Lorsque j'étais entrée, j'étais certaine de n'avoir rien entendu. Je suivis le bruit étouffé jusqu'au placard situé sous l'évier.

J'ouvris les portes et, malgré mon angoisse, je compris aussitôt ce qui se trouvait là, à quelques centimètres de mon genou : des bâtons de dynamite maintenus par un adhésif. Des fils blancs, bleus et jaunes.

D'un bond, je me précipitai vers la sortie. L'urgence de mes pas résonna dans l'escalier désert tandis que je me cramponnais à la rampe pour ne pas tomber. Une fois dans le hall, je me ruai vers le trottoir et poursuivis ma course. Je me retournai brièvement et j'eus à peine le temps d'apercevoir un éclair avant que le feu ne pulvérise les fenêtres du deuxième étage. Une colonne de fumée s'éleva dans la nuit, accompagnée d'une averse de débris brûlants qui retombaient derrière moi.

Quelques instants plus tard, l'écho des sirènes retentit entre les immeubles et je ralentis, hésitant entre l'urgence de fuir et la crainte d'être remarquée. En atteignant le coin de la rue, je me lançai dans une course effrénée. Je ne savais plus où j'allais, mon cœur battait à tout rompre et j'étais incapable de réfléchir. Si je m'étais attardée quelques minutes de plus dans cet appartement, je serais morte.

Un sanglot convulsif m'échappa et de terribles crampes me paralysaient le ventre. J'essuyai mes larmes et me concentrai sur les ombres qui jaillissaient autour de moi : des panneaux de signalisation, des

323

véhicules ou des trottoirs, tous déformés par la lumière trompeuse que projetaient les lampadaires sur les fenêtres des bâtiments. En quelques secondes, tout mon univers s'était métamorphosé en un gigantesque labyrinthe où la vérité, comme un mirage, s'évanouissait sitôt que j'essayais de la saisir.

Quelqu'un avait-il tenté d'effacer les preuves laissées dans son repaire ? S'agissait-il des anneaux de la Main noire ? Patch était-il derrière tout cela ?

Devant moi, j'aperçus une station-service. Je titubai jusqu'aux toilettes situées à l'extérieur et m'y enfermai. Les jambes flageolantes, je tremblais si fort que j'eus du mal à ouvrir le robinet. J'aspergeai mon visage d'eau glacée, tâchant de retrouver mon calme. Appuyée sur le rebord du lavabo, je peinais à reprendre mon souffle.

21.

Je n'avais pas dormi depuis près de trente-six heures, si l'on omettait ma brève tentative durant laquelle Patch m'avait rejointe dans mon rêve.

Malgré tout, je n'avais eu aucun mal à rester éveillée. Chaque fois que mes paupières se fermaient, l'image de l'explosion me faisait aussitôt sursauter. N'ayant pu dormir, j'avais comme d'habitude songé à Patch.

En identifiant Patch comme la Main noire, Rixon avait semé le doute dans mon esprit. L'incertitude s'était propagée comme une traînée de poudre, attisant mon sentiment de trahison. Mais cette impression ne l'avait pas totalement emporté sur le chagrin. J'éprouvais toujours l'envie de hurler, de pleurer en imaginant que Patch puisse être l'assassin de mon père. Je me mordis les lèvres, cherchant à noyer dans la douleur le souvenir de son doigt sur ma bouche, ou de ses baisers sur ma peau. Je devais oublier tout cela.

J'avais ignoré la sonnerie du réveil et le début des cours. Au lieu de cela, j'avais passé la journée à tenter de joindre Basso. Toute la matinée, l'après-midi et la soirée, à chaque heure ronde, je lui avais laissé un message. Il n'avait jamais daigné rappeler. Je me persuadais que j'appelais pour prendre des nouvelles de

Scott, mais je voulais surtout m'assurer que la police n'était pas loin, car je commençais à me demander si les événements de la veille avaient réellement pour but de détruire des preuves.

Et si c'était moi qu'on avait voulu éliminer ?

Au cours de la nuit précédente, j'avais examiné toutes les pièces du puzzle, m'efforçant de les assembler entre elles. Le seul élément qui semblait faire sens était la société secrète néphilim. D'après Patch, le successeur de Chauncey cherchait à venger sa mort. Il m'avait juré que personne ne pourrait remonter jusqu'à moi, mais je n'en étais plus si sûre. Si l'héritier de Chauncey me savait responsable de sa disparition, la soirée de la veille ressemblait fort à une première tentative de vengeance. Il semblait peu probable que l'on m'ait suivie jusque chez Patch à une heure si tardive, mais les néphilims étaient tout sauf prévisibles.

Lorsque mon portable vibra, je le sortis de ma poche immédiatement.

— Allô ?

— On va faire un tour à la soirée du Solstice ? lança Vee sans préambule. Barbe à papa, tours de manèges et, qui sait, si on nous hypnotise, on vivra peut-être des aventures dignes des plus grands romans.

Mon cœur se calma aussitôt. Basso ne m'avait toujours pas rappelée.

— Salut.

— Alors, qu'est-ce que tu en dis ? Un peu de sensations fortes ? Delphic nous attend !

À dire vrai, je n'en avais aucune envie. J'étais déterminée à harceler Basso jusqu'à ce qu'il me réponde.

— La terre appelle la belle.

— Je ne me sens pas très bien.

— Comment ça ? Tu as mal au ventre ? À la tête ? Intoxication alimentaire ? Delphic est justement le remède à toutes ces choses.

— Merci, mais je préfère m'abstenir.

— C'est à cause de Scott ? Il est derrière les barreaux, hein. Il ne pourra plus te causer d'ennuis. Allez, viens t'amuser un peu. Rixon et moi, on évitera d'être démonstratifs si c'est ça ce qui t'inquiète.

— J'avais l'intention de me mettre en pyjama et de regarder un film.

— Sous-entendrais-tu qu'un film est plus divertissant qu'une soirée avec moi ?

— Ce soir, oui.

— Merci, mais oublie ! Tu sais que je ne vais pas te lâcher jusqu'à ce que tu changes d'avis.

— Je sais.

— Alors fais-nous gagner du temps et dis oui.

Je poussai un soupir. Je pouvais rester chez moi et attendre que l'inspecteur Basso daigne se manifester, ou je pouvais faire une petite pause et reprendre mes appels une fois rentrée. De toute façon, il avait mon numéro de portable.

— Bon, d'accord, cédai-je. Donne-moi dix minutes.

Dans ma chambre, je choisis un jean slim, un tee-shirt imprimé et un cardigan que j'assortis avec des mocassins en daim. J'attachai mes cheveux en une queue-de-cheval basse. Après avoir dissimulé mes cernes sous une touche de mascara et d'ombre à paupières, je laissai un mot aussi bref que possible dans la cuisine à l'intention de ma mère. Elle ne devait pas rentrer avant le lendemain matin, mais il n'était pas rare qu'elle arrive plus tôt que prévu. Si elle avait l'intention de me faire une surprise, elle allait sûrement le regretter. J'avais préparé mon discours. Je la regarderais droit dans les yeux et lui dirais que je savais tout de son aventure avec Hank Millar. Et je ne lui laisserais pas l'occasion de m'interrompre avant de lui avoir annoncé que je quittais la maison. J'imaginais partir immédiatement, et ainsi lui faire comprendre qu'il était inutile de discuter : elle avait eu seize ans pour tout avouer. À présent, il était trop tard.

Je fermai la porte à clé et me dépêchai de rejoindre Vee qui m'attendait.

Une heure plus tard, elle finit par se garer sur un emplacement en timbre-poste, coincé entre deux énormes pick-up, si bien qu'il nous fallut sortir par les vitres ouvertes de crainte d'abîmer la carrosserie.

Je la suivis le long du parking jusqu'aux caisses du parc d'attractions. Ce soir, il semblait plus bondé que d'habitude, sans doute à cause de la soirée, qui célébrait le jour le plus long de l'année. Je me trouvais au milieu d'une mer d'inconnus, à l'exception de quelques têtes familières. La plupart des badauds portaient des masques – sans doute y avait-il eu une promotion au stand de farces et attrapes.

— Par quoi on commence ? demanda Vee. Les arcades ? La maison hantée ? La buvette ? On devrait d'abord par croquer un morceau. On mangera moins.

— Tu veux m'expliquer ton raisonnement ?

— La soirée va nous ouvrir l'appétit. Mieux vaut se remplir l'estomac d'abord.

Je me fichais de notre itinéraire. Je cherchais simplement à me changer les idées durant une heure ou deux. En vérifiant mon portable, je constatai que je n'avais reçu aucun appel. Pourquoi Basso ne me rappelait-il pas ? Lui serait-il arrivé quelque chose ? Le mauvais pressentiment qui ne me quittait pas s'accentuait à mesure que les heures passaient.

— Tu es toute pâlotte, fit remarquer Vee.

— Je te l'ai dit : je ne me sens pas très bien.

— C'est parce que tu n'as rien avalé. Assieds-toi là, je vais nous chercher de la barbe à papa et des hot-dogs. Rien que de songer aux oignons frits et à la moutarde, j'en ai le cœur qui bat.

— Vee, je n'ai pas faim.

— Bien sûr que si, tu as faim. Tout le monde a faim. Pourquoi crois-tu qu'il y a toujours la queue au snack ?

Avant même que j'aie pu l'en empêcher, elle avait disparu dans la foule.

Je faisais les cent pas en attendant son retour lorsque la sonnerie de mon portable retentit. « BASSO » s'afficha sur l'écran.

— Enfin ! soufflai-je avant de répondre.

— Nora, dit-il au moment où je décrochais, où es-tu ?

À son ton pressant, je compris que quelque chose n'allait pas.

— Scott s'est évadé, reprit-il. Il a filé. Tous nos effectifs sont à ses trousses, mais je ne veux surtout pas qu'il te retrouve. Je viens te chercher et je garderai l'œil sur toi jusqu'à ce qu'on lui ait mis la main dessus. Je suis en route.

Je sentis ma gorge se serrer et répondis avec difficulté :

— Quoi ? Comment s'est-il enfui ?

Basso parut hésiter :

— Il a tordu les barreaux de sa cellule.

Évidemment. C'était un néphil. Deux mois plus tôt, j'avais vu Chauncey réduire mon téléphone en poussière rien qu'en serrant le poing. Comment avais-je pu penser que de simples barreaux pourraient retenir Scott ?

— Je ne suis pas chez moi, articulai-je enfin. Je suis au parc d'attractions de Delphic.

Sans même y penser, je me surpris à chercher Scott dans la foule. Mais comment pouvait-il savoir que je m'y trouvais ? En sortant du commissariat, il se serait probablement rendu chez moi. Je remerciai silencieusement Vee de m'avoir convaincue de sortir. Scott se trouvait sans doute chez moi en ce moment même...

Je faillis lâcher le téléphone. Le papier. Celui que j'avais laissé à ma mère sur la table de la cuisine, où je la prévenais que j'étais à Delphic.

— Je crois qu'il sait où je me trouve, dis-je, sentant la panique me gagner. Dans combien de temps pouvez-vous être là ?

— À Delphic ? D'ici trente minutes. Rends-toi au poste de sécurité. Et quoi que tu fasses, garde ton portable sur toi. Si tu aperçois Scott, appelle-moi immédiatement.

— Il n'y a pas de poste, répondis-je d'une voix blanche.

Il était de notoriété publique que le parc de Delphic n'employait pas de service de sécurité. C'était précisément pour cette raison que ma mère n'aimait pas me savoir là-bas.

— Alors sors de là, aboya-t-il. Reprends ta voiture et rentre à Coldwater. On se retrouve au commissariat. Tu peux faire ça ?

Oui, c'était possible. Vee me ramènerait. Je me dirigeais déjà vers la buvette en la cherchant des yeux.

— Tout ira bien, Nora, souffla Basso. Mais... dépêche-toi de revenir. Je vais envoyer les unités sur Delphic pour cueillir Scott. Nous le retrouverons, ajouta-t-il d'un air inquiet, qui ne me rassurait guère.

Scott était dans la nature. Mais la police était en route et tout finirait bien... à condition que je parte au plus vite. J'échafaudai un plan rapide. En premier lieu, il me fallait retrouver Vee. Et surtout que je m'éloigne de la foule. Si Scott remontait l'allée centrale, il était certain de me voir.

Je m'avançais vers le snack lorsqu'on me donna un coup de coude dans les côtes. La violence du mouvement n'avait rien d'une bousculade. Je me retournai, mais avant d'avoir pu faire demi-tour, je me figeai, comme témoin d'une apparition. D'abord, je ne perçus que le reflet sur l'anneau argenté à son oreille. Ensuite, je vis son visage tuméfié, son nez cassé et ses ecchymoses pourpres. Elles s'étendaient jusque sous ses paupières violacées.

Avant que j'aie pu réagir, Scott m'avait saisie par le bras et m'attirait le long de l'allée.

— Ne me touche pas ! m'écriai-je en me débattant.

Mais Scott était bien plus fort que moi et ne me lâcha pas.

— Bien sûr, Nora, mais d'abord tu vas me dire où elle se trouve.

— Où se trouve quoi ? répondis-je d'un ton calme mais grinçant.

Il éclata d'un rire agacé.

Je tentais de ne rien laisser paraître, tout en cherchant une issue. Si je lui avouais que la bague se trouvait chez moi, il quitterait le parc en m'emmenant probablement avec lui. À l'arrivée de la police, nous aurions tous les deux disparu. Je n'avais pas la possibilité de prévenir Basso, aussi je n'avais pas le choix : il fallait que je gagne du temps.

— Tu l'as donné au petit copain de Vee, c'est ça ? Tu pensais m'empêcher de la récupérer ? Je sais qu'il n'est pas… normal, souffla-t-il avec cette même détermination terrifiée. Je sais qu'il est capable de choses étranges.

— Comme toi, tu veux dire ?

Scott me fusilla du regard.

— Il n'est pas comme moi. Nous n'avons rien en commun. Ça, je le sais. Je ne veux pas te faire de mal, Nora. Je veux seulement cette bague. Rends-la-moi et tu ne me reverras plus.

Il mentait. Il avait bel et bien l'intention de me faire du mal. Lorsqu'on est suffisamment désespéré pour s'évader de sa cellule, rien n'est trop radical : il allait récupérer cette bague coûte que coûte. L'adrénaline semblait se propager dans tout mon corps. J'étais perdue. Mais mon instinct de survie reprit brusquement le dessus. Je devais trouver le moyen de lui fausser compagnie. N'écoutant que mon intuition, je brodai :

— J'ai la bague.

— Je suis au courant, reprit-il avec impatience. Mais où ?

— Ici. Je l'ai apportée.

Il me dévisagea quelques instants, puis il m'arracha mon sac à main avant de vider son contenu. Je secouai la tête.

— Je m'en suis débarrassée.

Scott me jeta le sac que je rattrapai maladroitement en le serrant contre moi.

— Où ? s'emporta-t-il.

— Dans une poubelle, près de l'entrée, répondis-je sans réfléchir. Dans les toilettes des femmes.

— Montre-moi.

Tandis que nous parcourions l'allée en sens inverse, je demeurai calme en réfléchissant à ce que j'allais faire ensuite. Fallait-il fuir ? Non, il me rattraperait aussitôt. Pouvais-je me cacher dans les toilettes ? Pas indéfiniment. Scott finirait par entrer pour me tirer de là et récupérer ce qu'il cherchait. Mais j'avais toujours mon portable. Une fois dans les toilettes des femmes, je pourrais appeler Basso.

— C'est là, dis-je en désignant un abri.

L'entrée des toilettes pour femmes se trouvait juste en face de nous, en contrebas d'un passage bétonné. Celles des hommes se trouvaient de l'autre côté.

Scott me saisit par les épaules et me secoua violemment.

— Ne t'avise pas de me mentir. Ils me tueront s'ils savent que je l'ai perdue. Si tu t'es moquée de moi, je...

Il se ressaisit, mais je savais parfaitement ce qu'il avait failli dire. *Si tu t'es moquée de moi, je te tue.*

— Elle est dans les toilettes, répétai-je, davantage pour me convaincre que pour le rassurer. Je vais la chercher. Et ensuite, tu me laisseras tranquille, d'accord ?

Sans me répondre, Scott tendit le bras pour me rattraper.

— Ton portable ?

Je sentis mon cœur cogner dans ma poitrine. N'ayant pas d'alternative, je sortis mon téléphone de ma poche et le lui tendis. Ma main trembla légèrement, mais je me repris. Il ne fallait pas qu'il s'aperçoive que j'avais un plan, ni qu'il venait de l'anéantir.

— Je te laisse une minute, dit-il. Ne tente rien d'idiot.

Une fois dans les toilettes, je jetai un coup d'œil aux alentours. D'un côté, cinq lavabos contre un mur, de l'autre, cinq WC. Deux jeunes femmes, sans doute des étudiantes, se lavaient les mains. Une petite fenêtre était ouverte dans le mur du fond. Sans perdre davantage de temps, je mis un pied sur le lavabo le plus proche, réalisant que j'allais avoir du mal à passer au travers de l'étroite ouverture. Je sentais tous les regards sur moi mais me hissai rapidement sur le rebord couvert de déjections d'oiseaux et de toiles d'araignées.

Lorsque je repoussai le battant, la vitre se détacha et retomba avec fracas de l'autre côté. Je retins mon souffle, craignant d'avoir alerté Scott, mais le brouhaha de la foule avait étouffé le bruit. Je basculai vers l'avant et rampai sur le rebord jusqu'à passer de l'autre côté. Je laissai finalement tomber une jambe après l'autre sur le passage, demeurant quelques instants tapie derrière un buisson pour m'assurer que Scott n'avait pas fait le tour pour me retrouver.

Je rejoignis alors l'allée centrale du parc et me fondis dans la foule.

22.

La noirceur du ciel éclipsait les derniers rayons du soleil qui disparaissaient à l'horizon. Je pressai le pas pour rejoindre la sortie et, déjà, j'apercevais les grilles. Plus que quelques mètres à parcourir. Je me faufilai entre les badauds mais m'arrêtai net. Au loin, je reconnus Scott qui allait et venait devant les caisses, scrutant la foule qui quittait le parc de Delphic. Comprenant que je lui avais faussé compagnie, il s'était précipité pour me barrer la route devant l'unique issue possible. Une haute clôture grillagée bordait tout le domaine et, Scott le savait aussi bien que moi, je n'avais aucun autre moyen de filer. Je fis aussitôt demi-tour et me mêlai aux inconnus, me retournant sans cesse pour m'assurer qu'il ne me suivait pas.

Je m'enfonçais de plus en plus loin dans le parc. Si Scott se trouvait devant les portes, il serait judicieux de m'en éloigner autant que possible. Je pourrais me cacher dans la maison hantée jusqu'à ce que la police arrive, ou monter dans le téléphérique et le surveiller depuis la cabine. Tant qu'il ne regarderait pas en l'air, je ne craignais rien. En revanche, s'il me repérait, je prenais le risque qu'il m'attende à la descente. Je préférai donc rester en mouvement, dissimulée dans la foule, jusqu'à ce que la situation se décante.

L'allée principale de Delphic se scindait en deux sous la grande roue, menant d'un côté aux manèges aquatiques, de l'autre aux montagnes russes baptisées l'Archange. C'est vers celui-ci que je me dirigeais quand j'aperçus Scott. Il m'avait vue aussi. Nous nous trouvions sur des passages parallèles, séparés uniquement par le quai du téléphérique. Lorsqu'un couple s'installa sur un télésiège, celui-ci se balança quelques secondes sur son axe, bloquant momentanément la vue. J'en profitai pour me mettre à courir.

Je me faufilai entre les passants, mais cette partie du parc était bondée, et loin de prendre de la distance, je perdais du temps. Pire, cette section de l'allée était bordée de hautes haies qui transformaient le cheminement en labyrinthe, ralentissant davantage les mouvements de la foule. Je n'osais regarder derrière moi, craignant que Scott ne m'ait déjà rattrapée. Je ne le croyais pas capable de tenter quelque chose devant tant de témoins, mais la panique s'emparait peu à peu de moi et je me concentrai pour imaginer une issue. Je n'étais pas venue dans ce parc plus de trois ou quatre fois, toujours de nuit, aussi connaissais-je mal sa disposition. Je me maudis de ne pas avoir pris de plan à l'entrée. Quelques secondes plus tôt, j'avais fui la sortie et, à présent, je ne songeais plus qu'à la rejoindre.

— Hé, attention ! me cria quelqu'un.

— Désolée, répondis-je à bout de souffle. De quel côté se trouve la sortie ?

— T'es pressée ou quoi ?

Je luttai pour dépasser les badauds.

— Excusez-moi, je dois passer… Pardon.

Au-delà de la cime des haies, les projecteurs des attractions balayaient la toile sombre de la nuit. Je m'arrêtai à une intersection, perdue. Quelle direction prendre pour regagner les portes du parc ?

— Te voilà !

Je sentis le souffle de Scott à mon oreille en même temps que sa main sur mon cou. Je fus aussitôt parcourue de frissons glacés.

— Au secours ! criai-je instinctivement. À l'aide !

— C'est ma copine, expliqua Scott aux quelques personnes qui nous dévisageaient. C'est un petit jeu entre nous.

— Je ne suis pas sa copine ! m'exclamai-je, paniquée. Lâche-moi !

— Viens là, mon cœur, siffla Scott en m'attirant contre lui pour mieux m'immobiliser. Je t'avais dit de ne pas me raconter d'histoires, ajouta-t-il dans un murmure. J'ai besoin de cet anneau. Je ne te veux pas de mal, Nora, mais je n'hésiterai pas si tu m'y obliges.

— Débarrassez-moi de ce malade ! m'écriai-je.

Il me tordit le bras et je serrai les dents pour tromper la douleur.

— Tu es dingue ? Je n'ai pas la bague : je l'ai donnée à la police, hier soir. Va donc la leur réclamer.

— Arrête de mentir !

— Appelle-les, tu verras. C'est la vérité. Je la leur ai remise et je ne l'ai plus.

Je fermai les yeux, priant pour qu'il me croie et qu'il me lâche.

— Alors tu vas m'aider à la récupérer.

— Ils ne me la rendront pas, répliquai-je. Je leur ai dit qu'elle t'appartenait et c'est une pièce à conviction.

— Oh si, ils me la rendront, répondit-il lentement, comme s'il échafaudait peu à peu son plan. Elle servira de monnaie d'échange… contre toi.

Soudain, je compris.

— Tu comptes me prendre en otage ? Tu es cinglé.

Au secours ! criai-je une nouvelle fois.

Autour de moi, personne ne réagit. Un badaud éclata de rire.

— Ça n'est pas un jeu, lançai-je, sentant l'angoisse monter. Aidez-moi à…

Scott plaqua sa main contre ma bouche. Mais aussitôt, je lui décochai un coup de pied dans le tibia. Il poussa un cri, se pencha en avant et, surpris, relâcha légèrement son étreinte. J'en profitai pour me libérer et m'éloigner à reculons. En le voyant se tordre de douleur, je détalai. Entre les groupes de passants, j'apercevais la silhouette des manèges. Il me suffisait de sortir. La police ne devait plus être bien loin. Ensuite, je serais à l'abri. Sauvée. Comme une incantation, je me répétais ces mots pour réprimer ma peur. Un dernier rayon de soleil subsistait à l'ouest et je m'en servis pour m'orienter vers le nord. Mais où se trouvait la sortie ?

Une détonation retentit à mes oreilles. Surprise, je trébuchai et tombai à genoux sur le sol. Peut-être était-ce un simple réflexe, car je constatai qu'autour de moi, plusieurs personnes avaient fait de même. Après un silence terrifiant, tout le monde se mit à crier et à courir dans tous les sens.

— Il est armé !

La voix curieusement lointaine résonna derrière moi.

En dépit de mon instinct, je me retournai lentement. Scott se tenait debout, une main sur les côtes. Une tache écarlate envahissait sa chemise. La bouche ouverte, les yeux ronds, il posa un genou sur le bitume. C'est alors que j'aperçus quelqu'un, à quelques mètres derrière lui, armé d'un revolver. Rixon. Vee était à ses côtés, pétrifiée et livide.

La scène provoqua une débandade chaotique po... tuée par des hurlements de frayeur. Je me précipit... sur le terre-plein pour ne pas être piétinée.

— Il s'enfuit ! hurla Vee. Arrêtez-le !

Rixon tira plusieurs autres coups de feu, mais cette fois, personne ne s'immobilisa. D'ailleurs, le mouvement de foule ne fit que s'amplifier. Je me remis debout et rejoignis Vee et Rixon. L'écho des détonations résonnait encore à mes oreilles et je lus les mots sur les lèvres de Rixon. *Par ici*, me disait-il en agitant son bras libre. Je remontai l'allée à contre-courant de la masse, presque au ralenti, et m'approchai de lui.

— Bon Dieu, mais qu'est-ce qui t'a pris ? lui cria Vee. Pourquoi as-tu tiré ?

— Il fallait bien intervenir. Et puis Patch m'avait demandé de le faire.

— Et si Patch te demande d'aller te jeter dans un puits, tu comptes le faire ? s'emporta Vee, le regard mauvais. Tu sais ce que tu risques ? Qu'est-ce qu'on va faire, maintenant ? gémit-elle.

— La police arrive. Ils sont au courant, pour Scott, dis-je.

— Il faut filer d'ici.

Vee paraissait hystérique et agitait furieusement les bras. Elle fit quelques pas puis revint aussitôt vers nous.

— Moi, j'emmène Nora au commissariat, dit-elle. Toi, tu rattrapes Scott, mais ne lui tire pas dessus cette fois ! Attache-le, comme hier soir.

— Nora ne peut pas passer par les portes. C'est là qu'il la retrouvera. Je connais une autre sortie. Vee, va chercher ta voiture et attends-nous à l'extrémité sud du parking, près des poubelles.

— Comment comptes-tu sortir ? demanda Vee.

— Par les tunnels souterrains.

– Il y a des tunnels sous le parc de Delphic ?

— Fais vite, ma jolie, dit-il en déposant un baiser ur son front.

La foule s'était dispersée et l'allée principale était déserte. À l'autre bout du parc, quelques cris résonnaient encore près des grilles, mais ils paraissaient de plus en plus lointains. Vee hésita quelques instants, puis hocha fermement la tête.

— Dépêchez-vous, d'accord ?

— Un local technique est situé sous la Maison de l'étrange, expliqua Rixon tandis que nous repartions en sens inverse. Là, une porte s'ouvre sur le réseau souterrain de Delphic. Même si Scott sait qu'il existe et qu'il pense à nous suivre de ce côté, il ne nous rattrapera jamais. C'est un vrai labyrinthe, là-dessous, et il s'étend sur des kilomètres. Ne t'en fais pas, ajouta-t-il avec un sourire, ce sont des archanges qui ont construit Delphic. Pas moi personnellement, mais quelques-uns de mes copains ont donné un coup de main. Je connais l'endroit comme ma poche. Enfin, presque…

23.

Le sourire hideux d'un clown nous accueillit devant la Maison de l'étrange. Les cris lointains de la foule se noyaient dans une sinistre musique d'orgue de Barbarie, qui s'échappait des entrailles du labyrinthe. Je passai sous la bouche du clown et sentis le sol bouger sous mes pieds. Je tentai de me retenir au mur, mais autour de moi, les cloisons factices s'affaissaient et roulaient sous mes doigts. Mes yeux s'habituèrent à l'obscurité, cherchant les quelques rayons de lumière qui filtraient par la tête du clown à l'entrée. Je me trouvais à l'intérieur d'un énorme tonneau rotatif qui semblait s'étendre à l'infini. L'intérieur était peint de rayures rouges et blanches qui, en mouvement, se perdaient dans un flou rose.

— Viens, dit Rixon en me guidant le long du tonneau.

Pas à pas, je progressai laborieusement. À l'autre bout, je touchai enfin le sol dur, mais un souffle froid s'échappa du plancher. L'air glacé me frappa de plein fouet et je fis un bond de côté en poussant un cri.

— C'est un mécanisme, me rassura Rixon. Il faut qu'on avance. Si Scott décidait de fouiller les tunnels, il pourrait nous rattraper.

L'atmosphère confinée et humide dégageait une odeur de rouille. La tête du clown n'était plus qu'un

...tain souvenir. À présent, la seule clarté provenait ...ampoules rouges qui s'allumaient à peine le temps ...'éclairer un squelette qui se balançait au bout d'une corde, un zombie jaillissant d'un recoin ou un vampire sorti de son cercueil.

— C'est encore loin ? demandai-je à Rixon par-dessus le brouhaha hystérique de rires et de hulule-ments morbides qui résonnaient dans le manège.

— Le local technique se situe un peu plus bas. Après cela, nous entrerons dans le souterrain. Scott perd beaucoup de sang, mais il n'en mourra pas... Patch t'a parlé des néphilims, pas vrai ? Mais il est possible qu'il perde connaissance avant même d'avoir atteint l'entrée du tunnel. Et nous aurons regagné le parking en moins de deux.

Son optimisme me semblait un peu forcé, pres-que simulé. Tandis que nous avancions, j'éprouvais l'affreuse sensation d'être suivie. Je regardai derrière moi, mais l'obscurité engouffrait tout autour de nous.

— Tu penses que Scott pourrait déjà être à nos trousses ? demandai-je à voix basse.

Rixon s'arrêta puis se retourna, tendant l'oreille. Après quelques instants, il répliqua d'une voix assu-rée :

— Il n'y a personne.

Pressant le pas, nous nous rapprochions du local technique lorsque je ressentis à nouveau une présence. J'en eus la chair de poule. En regardant par-dessus mon épaule, je distinguai cette fois le contour d'un visage. Je faillis pousser un cri, mais soudain je recon-nus des traits familiers.

Mon père.

Ses cheveux blonds tranchaient dans l'obscurité. Son regard profond exprimait une certaine tristesse. *Je t'aime.*

— Papa ? soufflai-je.

Mais je reculai aussitôt, épouvantée par le souvenir de ses précédentes apparitions. C'était un piège. Un mensonge.

Je suis navré de vous avoir laissées, ta mère et toi.

Je souhaitais qu'il disparaisse. Il n'était pas réel. Il n'était qu'une menace. Il cherchait à me faire du mal. Je me remémorai la nuit où il m'avait violemment saisi le bras par la fenêtre de ce pavillon abandonné, et avait tenté de me blesser. Et le soir où il m'avait poursuivie dans la bibliothèque…

Pourtant, cette voix douce et caressante était celle que j'avais entendue à l'extérieur de la maison. Ça n'était pas l'intonation froide et tranchante qui l'avait ensuite remplacée. Cette voix, c'était la sienne.

Je t'aime, Nora. Quoi qu'il arrive, promets-moi de t'en souvenir. Je me moque de la façon dont tu es entrée dans ma vie, l'important, c'est que tu y sois entrée. Je ne me rappelle pas toutes mes erreurs, mais je me rappelle ce que j'ai fait de bien. Je me souviens de toi. Tu as donné un sens à ma vie. Tu lui as donné de l'importance.

Je secouai la tête, cherchant à ignorer cette voix, à comprendre pourquoi Rixon ne réagissait pas. Ne voyait-il donc pas mon père ? Ne pouvait-on rien faire pour le faire disparaître ? Mais au fond de moi, je ne voulais pas que ce fantôme s'évanouisse. Je voulais qu'il devienne réel. Qu'il me serre dans ses bras et qu'il me jure que tout irait bien. Et, par-dessus tout, qu'il rentre à la maison.

Promets-moi de t'en souvenir.

Je sentis les larmes rouler sur mes joues. *Je te le promets*, pensai-je, même si je savais qu'il ne pourrait pas l'entendre.

C'est un ange de la mort qui m'a permis de venir squ'ici. Elle a arrêté le temps pour nous, Nora. C'est elle qui m'aide à te parler par la pensée. Je dois te dire quelque chose de très important, le temps presse. Bientôt, je devrai repartir et tu dois m'écouter attentivement.

— Non, soufflai-je d'une voix étranglée. Je veux rester avec toi. Ne me laisse pas ici. Tu ne peux pas m'abandonner encore une fois !

C'est impossible, ma chérie. J'appartiens à un autre monde désormais.

— Je t'en prie, ne pars pas, sanglotai-je, les poings serrés contre ma poitrine, comme pour empêcher mon cœur d'exploser.

J'étais terrifiée à l'idée qu'il me quitte. Ma peur de l'abandon surpassait toutes les autres. Car il comptait à nouveau me laisser, au milieu de ce décor hideux, plongé dans les ténèbres, avec Rixon pour seul allié.

— Tu ne peux pas m'abandonner. J'ai besoin de toi.

Touche la cicatrice de Rixon. C'est là que tu trouveras la vérité.

Le visage de mon père se fondit dans l'obscurité. Je tendis la main pour l'arrêter, mais son visage n'était plus qu'un halo qui se dissipait sous mes doigts, comme des volutes de fumée.

— Nora ?

La voix de Rixon me fit sursauter.

— Dépêchons-nous, reprit-il comme s'il n'avait rien remarqué. Il ne faudrait pas qu'on tombe sur Scott à l'entrée du souterrain, là où tous les tunnels se rejoignent.

Mon père avait disparu et, sans que je m'explique pourquoi, j'avais la certitude de l'avoir vu pour la toute dernière fois. La douleur, la tristesse devenaient insupportables. Au moment où j'avais le plus besoin de lui, il m'avait laissée seule face au danger.

— Je n'y vois plus rien ! m'écriai-je en essuyant mes yeux humides.

Je luttai pour me ressaisir et atteindre l'objectif le plus urgent : quitter cet endroit et retrouver Vee à l'autre bout du parc.

— Il faut que je me tienne à quelque chose, dis-je.

D'un geste impatient, Rixon me tendit l'ourlet de sa chemise.

— Attrape ma chemise et suis-moi. Vite ! Nous n'avons plus beaucoup de temps.

Je serrai le morceau de tissu entre mes doigts, le cœur battant. À quelques centimètres de moi, sous sa chemise, j'entraperçus sa peau. Mon père m'avait dit de toucher sa cicatrice. C'était si simple. Il me suffisait de glisser ma main sur son dos...

Me laisser happer par ce tourbillon noir...

Effleurer la cicatrice de Patch m'avait projetée dans ses souvenirs à plusieurs reprises. Je devinais sans l'ombre d'un doute qu'il en serait de même pour Rixon.

Pourtant, je n'en avais pas la moindre envie. Ce que je voulais, c'était continuer d'avancer, sortir du tunnel et quitter Delphic.

Mais mon père m'était apparu dans un but bien précis : me dire comment découvrir la vérité. Et le passé de Rixon semblait en être la clé. Même si mon père avait disparu, je devais lui faire confiance. Il avait tout fait pour m'avertir.

Je passai la main sous la chemise de Rixon. D'abord, je sentis sa peau lisse, puis la chair meurtrie. J'ouvris ma paume sur la cicatrice, redoutant d'être emportée dans un monde étrange et inconnu...

Dans ce quartier sombre et calme, les maisons désertes et délabrées se dressaient de chaque côté de la rue. Leurs cours étroites étaient toutes clôturées et leurs fenêtres, condamnées ou aveugles. Un froid glacial s'insinua sous ma peau.

Deux détonations déchirèrent le silence. Je fis volte-face. Des coups de feu ? songeai-je, terrifiée. Je fouillai mes poches pour appeler les secours, mais je réalisai alors que je me trouvais dans la mémoire de Rixon, donc dans le passé. Je ne pourrais rien changer aux événements.

Un bruit de pas pressés résonna sur le bitume et j'aperçus avec horreur mon père se faufiler par le portail de l'un des pavillons abandonnés, avant de disparaître. Sans réfléchir, je me lançai à sa poursuite.

Je hurlai malgré moi :

— Papa ! N'y va pas !

Il portait les mêmes vêtements que le soir de sa mort. Je m'engouffrai dans l'arrière-cour et le rejoignis près de la maison. Sanglotante, je me serrai contre lui.

— Papa, ne restons pas là. Il faut partir d'ici avant que quelque chose de terrible ne se produise.

Mais mon père, comme un passe-muraille, glissa au travers de mon étreinte, puis s'approcha du mur et se baissa, les yeux fixés sur la porte. Appuyée contre la grille, je me cachai le visage entre les bras et éclatai en sanglots. Je ne voulais pas voir cela. Pourquoi mon père m'avait-il demandé de toucher la cicatrice de Rixon ? Pour être témoin de cette horrible scène ? N'avais-je pas suffisamment souffert ?

— Je te laisse une dernière chance.

La voix s'échappait de l'intérieur de la maison, par la porte restée entrouverte.

— Va au diable.

Une nouvelle détonation retentit et je tombai [...]
genoux, pressant mon front contre la clôture, pria[...]
pour que ce cauchemar cesse.

— Où est-elle ?

La question siffla si faiblement, si calmement que
je pus à peine l'entendre au travers de mes pleurs.

Du coin de l'œil, je vis mon père bouger. Il se fau-
filait au travers de la cour et s'approchait de la porte.
Il avait une arme à la main et il la leva, visant sa
cible. Je me ruai vers lui pour tenter de le déstabiliser,
de lui arracher son revolver et de le pousser dans un
recoin sombre du jardin. Mais comme si j'avais voulu
saisir un spectre, mes mains se refermèrent sur du
vide.

Mon père pressa la détente. La détonation retentit
dans la nuit. Il fit feu une deuxième fois, puis encore
une autre. Malgré moi, je me tournai vers la maison,
observant la silhouette élancée du jeune homme que
mon père visait dans le dos. Devant lui, à l'intérieur,
un autre homme était affalé sur le sol, appuyé contre
un canapé. Il saignait abondamment et son expression
trahissait son atroce souffrance.

Stupéfaite, je reconnus le visage de Hank Millar.

— Sauve-toi ! cria Millar. Laisse-moi et sauve-toi !

Mais mon père ne bougea pas. Il tirait à bout portant
au travers de la porte, bien qu'aucune de ses balles
ne semblât atteindre le jeune homme à la casquette
bleue. Puis, très lentement, le jeune homme se retourna
vers mon père.

24

Rixon me saisit par le poignet.

— Dis donc, toi ! Ne fourre pas ton nez dans mes affaires, siffla-t-il, l'air mauvais. Tu fais ce que tu veux avec Patch, mais personne ne touche ma cicatrice.

Tenaillée par une affreuse douleur au ventre, je manquai de trébucher.

— J'ai vu la mort de mon père, lâchai-je, les yeux écarquillés.

— Tu as vu l'assassin ? demanda Rixon en me tirant par le bras.

Son geste me ramena pour de bon dans le présent.

— J'ai aperçu Patch, de dos, balbutiai-je. J'ai reconnu sa casquette.

Il hocha la tête, comme pour confirmer l'inévitable.

— Il ne voulait pas te mentir, mais il savait qu'il te perdrait en te disant la vérité. Tout cela s'est produit avant votre rencontre.

— Ça m'est égal, répliquai-je d'une voix stridente. Il doit payer.

— C'est impossible, Nora. Patch, c'est Patch. Tu crois vraiment qu'on peut traduire des anges devant un tribunal ?

Non. La police ne pourrait rien contre Patch. Seuls les archanges pourraient l'arrêter.

— Mais…, balbutiai-je. Il y a quelque chose bizarre… Seules trois personnes étaient présentes. M[on] père, Patch et Hank Millar. Personne d'autre ne pouva[it] savoir ce qui se tramait dans cette maison. Comment cette scène peut-elle faire partie de tes souvenirs ?

Rixon ne répondit pas, mais son expression se durcit. Une idée terrible me traversa alors l'esprit. Toutes mes certitudes concernant la mort de mon père venaient de s'écrouler. J'avais vu l'assassin de dos et, en apercevant cette casquette, j'en avais aussitôt déduit qu'il s'agissait de Patch. Mais plus j'y repensais, plus la silhouette me semblait trop fluette et les épaules trop anguleuses…

À bien y réfléchir, le tueur ressemblait étrangement à…

— Tu l'as tué…, murmurai-je. C'était toi. Tu portais sa casquette…

Au choc initial se substituèrent d'emblée le dégoût et la peur.

— Tu as assassiné mon père.

Dans le regard de Rixon, toute trace d'empathie ou de gentillesse avait disparu.

— Voilà qui est embarrassant.

— Tu portais la casquette de Patch ce soir-là. Tu la lui avais empruntée. Tu n'aurais pas pu éliminer mon père sans modifier ton apparence, sans effacer la preuve de ta présence, poursuivis-je pour le déstabiliser et gagner du temps. Non, attends, c'est pire. Tu as pris l'identité de Patch parce que tu *voulais* lui ressembler. Tu es jaloux de lui. C'est ça, hein ? Tu préférerais être lui que…

Rixon saisit fermement mon visage à deux mains.

— Ferme-la.

Je me dégageai et massai mes joues. Je me retins de me jeter sur lui, de le frapper de toutes mes forces, car il me fallait rester calme pour en savoir davantage.

...mmençais à comprendre : Rixon ne m'avait pas ...aînée dans ce tunnel pour m'aider à m'échapper. ...n'avait pas la moindre intention de me faire remon-...r à la surface.

— Jaloux ? souffla-t-il. Bien sûr que je suis jaloux. Patch n'a pas son aller simple pour l'enfer, lui. L'un comme l'autre, nous étions dans la même galère, et voilà que Monsieur a récupéré ses ailes. Et tout ça à cause de toi, cracha-t-il en me jaugeant d'un air mépri-sant.

Je secouai la tête. Je n'en croyais pas un mot.

— Tu as tué mon père bien avant de savoir qui j'étais.

Il éclata d'un rire sardonique.

— Oh, je savais que tu existais. Seulement je ne t'avais pas encore retrouvée.

— Pourquoi ?

Rixon tira son revolver de sa ceinture et fit un geste en direction du fond du manège.

— Avance.

— Où comptes-tu m'emmener ?

Il ne répondit pas.

— La police est en route.

— Je me fiche de la police, répliqua-t-il. J'en aurai terminé avant qu'ils n'arrivent.

Terminé ?

Reste calme, Nora, m'intimai-je. Gagne du temps.

— Et tu comptes m'éliminer maintenant que je sais que tu as tué mon père.

— Harrison Grey n'était pas ton père.

J'ouvris la bouche, mais la repartie cinglante que j'attendais ne vint pas. Je revoyais tout à coup Marcie, devant sa grande maison, m'apprenant que Hank Millar pouvait être mon père. J'en eus soudain la nau-sée. Marcie avait-elle dit vrai ? Pendant seize ans, on m'avait caché mes origines. Je me demandais si père, mon vrai père, savait. Harrison Grey. L'hom qui m'avait élevée, aimée comme sa fille. Pas mon pè. biologique, qui m'avait abandonnée. Pas Hank Millar, qui pouvait aller au diable.

— Ton père est un néphil du nom de Barnabas, poursuivit Rixon. Mais plus récemment, il s'est fait appeler Hank Millar.

Non.

Je m'adossai au mur, chancelante. Le rêve. Le rêve de Patch. C'était bien un souvenir. Il n'avait pas menti. Barnabas – ou Hank Millar – était un néphilim.

Et c'était mon père.

Tout mon monde s'écroulait et pourtant, je ne pouvais pas flancher maintenant. Je cherchais à me remémorer quelque chose... Le nom de Barnabas m'était familier. Je ne parvenais pas à le situer, mais j'étais certaine de l'avoir déjà entendu. Il était trop singulier pour que je l'oublie. *Barnabas, Barnabas, Barnabas...*

Comment remettre en place les pièces de ce puzzle ? Et pourquoi Rixon me disait-il tout cela ? Comment pouvait-il connaître l'identité de mon père naturel ? En quoi cela le concernait-il ? Et tout d'un coup, la réponse me sauta aux yeux. Un jour, en touchant la cicatrice de Patch, j'avais surpris un souvenir où il faisait allusion à son vassal néphil, Chauncey Langeais. Il avait aussi été question de celui de Rixon, Barnabas...

— Non..., lâchai-je sans m'en rendre compte.

— Eh oui.

Je voulus fuir, mais mes jambes étaient raides comme du bois.

— Lorsque ta mère est tombée enceinte, ce cher Hank avait déjà entendu parler du Livre d'Énoch et en savait suffisamment pour craindre que je ne m'en e à l'enfant, surtout s'il s'agissait d'une fille.

s il a fait la seule chose qui était en son pouvoir.

'a cachée. Quand Hank a raconté à son ami que

mère avait des ennuis, Harrison a accepté de l'épou-
ser et de reconnaître l'enfant.

Non, non, non.

— Mais je suis une descendante de Chauncey ! Du
côté de mon père. Du côté d'Harrison Grey. La
marque sur mon poignet le prouve.

— En effet. Bien des siècles plus tôt, Chauncey
s'est entiché d'une petite paysanne trop naïve. Elle
a eu un fils. On n'a pas fait grand cas de lui, ni des
fils qu'il a eus plus tard, jusqu'à ce que l'un de ses
descendants ait un enfant illégitime, et transmette ainsi
le sang de son aïeul de noble lignage, celui du duc
de Langeais, à une autre famille. C'est de cette bran-
che qu'est issu Barnabas, ou Hank, puisqu'il semble
préférer ce nom depuis peu.

D'un geste impatient, il me fit signe de réfléchir.
C'était déjà fait.

— Tu sous-entends qu'Harrison et Hank Millar des-
cendent tous les deux de Chauncey ?

Millar, un néphil de première génération, était
immortel, tandis que mon père, après des siècles de
brassage, ne l'était pas plus que moi. Hank, cet homme
que je connaissais peu et respectais encore moins, était
invincible.

Tandis que mon père, lui, avait été assassiné.

— En effet, ma jolie.

— Ne m'appelle pas « ma jolie ».

— Tu préfères « mon ange » ?

Il se moquait de moi. Ou plutôt, il s'amusait avec
moi, maintenant qu'il m'avait attirée droit dans son
piège. J'avais déjà vécu cela avec Patch, et je savais
ce qui m'attendait. Si Hank Millar était mon père bio-

logique et le vassal néphil de Rixon, ce dernier ava
l'intention de me sacrifier pour éliminer Barnabas e
obtenir ainsi une apparence humaine.

— Tu comptes tout de même répondre à mes questions ? demandai-je d'un air de défi en dépit de ma peur.

— Pourquoi pas ? dit-il en haussant les épaules.

— Je croyais que seul un néphil de première génération pouvait jurer allégeance. Or le père de Hank Millar n'était pas un déchu, puisque c'était l'un des descendants de Chauncey.

— Tu omets la possibilité qu'un humain ait un enfant avec une déchue.

— Mais l'enveloppe charnelle des déchus n'est pas comparable à la nôtre. Les déchues ne peuvent donner naissance à des enfants. Patch me l'a expliqué.

— À moins qu'elle ne possède le corps d'une humaine durant Heshvan. Même si l'enfant naît bien plus tard, il sera marqué puisqu'il a été conçu par une déchue.

— C'est répugnant.

— Je te le concède, ajouta-t-il avec un petit sourire.

— Rien que pour satisfaire ma curiosité morbide, lorsque tu m'auras sacrifiée, deviendras-tu humain sous ton apparence actuelle, ou te faudra-t-il posséder le corps d'un humain pour toujours ?

— Je conserverai mon apparence. Donc, si tu as l'intention de revenir me hanter, tu me retrouveras toujours aussi charmant.

— Patch pourrait arriver d'une minute à l'autre pour t'en empêcher, tu sais, répliquai-je, cherchant à dissimuler mes tremblements.

Je vis son regard moqueur se poser sur moi.

— J'avoue que tu m'as facilité la tâche, mais je me targue de vous avoir séparés. Tu as ouvert la voie en rompant avec lui – je n'aurais pas pu rêver mieux.

...is il y a eu les disputes incessantes, ta jalousie
...vers Marcie et la carte de Patch, sur laquelle j'ai
ajouté le narcotique pour accroître ta méfiance.
Quand j'ai dérobé l'anneau de Barnabas et te l'ai fait
apporter dans cette boulangerie, j'étais convaincu que
Patch serait la dernière personne à qui tu te confierais.
Imagine : ravaler ta fierté et lui demander son aide ?
Alors que tu le pensais dans les bras de Marcie ? Jamais !
Tu es tombée tout droit dans mon piège lorsque tu
m'as parlé de la Main noire. Je t'ai donné la preuve
qu'il te manquait en te confirmant que c'était lui. Puis
j'en ai profité pour te glisser l'adresse de l'une des
cachettes de Barnabas, car je savais pertinemment que
tu irais la fouiller et que tu y découvrirais quelques
objets appartenant à la Main noire. C'est moi qui ai
annulé le cinéma hier soir, et non Patch. Pas question
de bloquer ma soirée alors que tu te trouverais seule
dans cet appartement. Il fallait que je te suive. Alors,
une fois à l'intérieur, j'ai installé la dynamite, pensant
pouvoir te sacrifier, mais tu t'es échappée...

— Vraiment, Rixon, je suis touchée. Une bombe ?
Comme c'est subtil ! Pourquoi ne pas avoir opté pour
la méthode la plus simple et t'introduire la nuit dans
ma chambre pour me mettre une balle entre les deux
yeux ?

Rixon leva les mains et répondit :

— Voyons, Nora, c'est mon heure de gloire. Tu ne
peux quand même pas me reprocher d'avoir voulu
faire les choses en grand. J'ai même essayé de prendre
l'apparence de ton père pour t'attirer dans un piège.
Imagine un peu, comme il aurait été grandiose de t'ache-
ver en te faisant croire que ton propre père t'avait
supprimée... mais tu n'as pas mordu à l'hameçon. Tu
ne cessais de me fuir, ajouta-t-il en fronçant les sourcils.

— Tu es un psychopathe.

— Disons que je suis créatif.

— Sur quoi d'autre as-tu menti ? À la plage, t. m'avais dit que Patch était encore mon gardien…

— Pour te persuader que tu étais toujours en sécurité.

— Et le pacte de sang ?

— L'inspiration du moment. Histoire de créer du sensationnel.

— Alors, rien de ce que tu m'as raconté n'était vrai ?

— Sauf en ce qui concernait le sacrifice. Là, j'étais parfaitement sérieux. Bon, assez bavardé. Finissons-en.

Il pointa son arme vers moi et me fit avancer. Lorsqu'il me poussa, je perdis l'équilibre et trébuchai de côté. Le sol mouvant de la Maison de l'étrange ondula sous mes pas, et je vis Rixon tendre le bras pour me rattraper. Mais quelque chose me parut bizarre. Sa main effleura la mienne et je perçus un léger choc semblant provenir d'un faux plancher, juste sous mes pieds. Venait-il de tomber dans l'une des trappes qui, selon la rumeur, jalonnaient le parcours de l'attraction ? Je ne m'attardai pas suffisamment pour en avoir le cœur net.

Je fis demi-tour en direction de la tête de clown, à l'entrée. Sur le côté, une silhouette bondit. Une ampoule éclaira furtivement une hache ensanglantée dans le crâne d'un pirate barbu. Un rire sinistre résonna autour de moi avant que le mannequin, les yeux révulsés, ne disparaisse dans le noir.

Tout en reprenant mon souffle, je me répétais qu'il ne s'agissait que de marionnettes, mais j'avais du mal à garder l'équilibre sur ce sol instable. Toute la pièce tournait. Prise de vertige, je me laissai tomber par terre et rampai dans la poussière et les gravillons qui m'entaillaient les mains. Je progressais laborieusement,

,nant que Rixon n'ait déjà retrouvé la sortie de la
,pe.

— Nora !

Son cri rauque se propagea dans le tunnel.

Je me redressai pour chercher un appui, mais les
cloisons étaient recouvertes d'une substance vis-
queuse. Au-dessus de moi, un rire sonore puis strident
retentit. Je tapotai mes mains pour me débarrasser de
cette matière gluante avant de m'enfoncer dans le noir
le plus complet. J'étais perdue, complètement perdue.

Je parcourus le couloir au pas de course et bifurquai
au coin du passage. J'aperçus une faible lueur orangée,
une dizaine de mètres plus loin. Ce n'était pas la tête
du clown, mais une lumière réconfortante qui m'attirait à elle comme un insecte. Peu à peu, je distinguai
une lanterne lugubre qui illuminait un panneau. « Le
Tunnel de l'angoisse. » Je débouchai sur un embarca-
dère, où des canots en plastique se succédaient le long
d'un canal artificiel.

Des bruits de pas résonnèrent dans le couloir derrière moi. Sans perdre une seconde, je bondis sur le
bateau le plus proche. À peine retrouvai-je l'équilibre
qu'il se mit en mouvement. Je basculai sur la planche
en bois qui faisait office de siège. Dans le cliquettement
des rails, le mécanisme entraînait les barques en file
indienne. Deux portes battantes s'ouvrirent et je
m'engouffrai dans le tunnel.

Dans le noir, je cherchai à tâtons l'extrémité de la
coque afin de passer sur le bateau suivant. Il me manquait quelques centimètres pour réussir à l'atteindre.
J'allais devoir sauter. Je m'avançai aussi loin que
je le pus sur la coque et bondis. Je repris mon souffle
avant de poursuivre ma progression le long des canots
pour regagner la sortie. La seule chance de m'en sortir
était d'avancer et de distancer Rixon.

Je me préparais à sauter une nouvelle fois lorsqu'. ▮ sirène retentit. Une lumière rouge m'aveugla et, ▮ même instant, un squelette suspendu au plafond m▮ heurta de plein fouet. Je me sentis basculer dans le vide, avant qu'une eau glacée n'imprègne mes vêtements. Je remontai aussitôt à la surface et pataugeai, de l'eau jusqu'à la poitrine, pour regagner la barque. J'avais si froid que je claquais des dents. Agrippée à la barre métallique, je me hissai tant bien que mal dans le canot.

L'écho de plusieurs coups de feu retentit dans le tunnel et l'une des balles me siffla aux oreilles. Je me jetai à plat ventre au fond du canot, tandis que le rire de Rixon résonnait derrière moi.

— C'est juste une question de temps ! cria-t-il.

Plusieurs spots s'allumaient par intermittence au plafond. J'apercevais la silhouette de Rixon se faufiler entre les embarcations. Un peu plus loin, un grondement montait dans le tunnel. Le canal bouillonnait à l'autre extrémité et mon cœur bondit dans ma poitrine en apercevant la cascade.

Je me cramponnai à la barre. Le canot pencha en avant, emporté par le courant. La chute m'aspergea abondamment. J'étais de toute façon trempée et frigorifiée. J'essuyai mes yeux et remarquai alors un escalier de service sur la droite. Une porte indiquait : « DANGER DE MORT. »

Je me retournai vers la chute d'eau. Le canot de Rixon ne l'avait pas encore franchie. Sur un coup de tête, je tentai le tout pour le tout. Je bondis pour gravir les quelques marches aussi vite que possible. De l'autre côté de la porte, le sifflement et le martèlement des machines étaient assourdissants. Des centaines de mécanismes cliquetaient de concert. Je venais de pénétrer dans le cœur de la Maison de l'étrange.

repoussai la porte en la laissant légèrement entrebâillée pour mieux surveiller la cascade. Je vis Rixon sur le bateau qui passait la chute d'eau. Appuyé sur la barre métallique, il scrutait le fond du canal. M'avait-il vue ? Me cherchait-il ? Il sauta du bateau et, relevant d'une main ses cheveux mouillés, il observa plus attentivement les alentours. Je réalisai alors qu'il avait les mains vides. Ça n'était pas moi qu'il cherchait. C'était son revolver, qui avait dû lui échapper.

Dans la pénombre, il aurait du mal à le localiser. Je disposais donc d'un peu de temps. Mais ce dont j'avais vraiment besoin, c'était d'un coup de chance. La police ratissait probablement le parc, mais songeraient-ils à s'engouffrer dans ce manège avant qu'il ne soit trop tard ?

Avec une infinie précaution, je refermai la porte, qui n'avait pas de verrou. Pourquoi n'avais-je pas quitté le manège au lieu de m'enfermer dans ce local ? Si Rixon le fouillait, j'étais perdue.

C'est alors que je perçus un souffle rauque et irrégulier derrière un boîtier électrique.

— Qui est là ? soufflai-je en me retournant brusquement.

— À ton avis ?

Je clignai plusieurs fois des yeux.

— Scott ? dis-je en reculant instinctivement.

— Je me suis perdu dans le souterrain. J'ai ouvert une porte et j'ai atterri ici.

— Tu saignes toujours ?

— Curieusement, oui. Étonnant que je ne me sois pas encore complètement vidé.

Ses phrases paraissaient laborieuses. Le simple fait de parler lui demandait un effort considérable.

— Il te faut un médecin.

— C'est la bague qu'il me faut.

J'ignorais jusqu'où il pourrait aller pour reprendre. Mais la douleur l'avait épuisé et nous savions tous les deux qu'il n'aurait pas la force de me traîner hors du parc. Cependant, même si sa blessure l'avait affaibli, il survivrait puisqu'il était néphilim. En nous aidant mutuellement, nous avions une chance de fuir. Mais avant de le convaincre de me sauver des griffes de Rixon, je devais le persuader de me faire confiance.

Je m'approchai du boîtier électrique et m'agenouillai près de lui. Il tenait sa main pressée contre ses côtes pour contenir le sang. Il était pâle comme un fantôme et son regard perdu ne fit que confirmer mes soupçons : il souffrait atrocement.

— Je ne pense pas que tu te serves de cet anneau pour enrôler de nouvelles recrues. Tu n'obligeras personne d'autre à rejoindre cette société secrète, n'est-ce pas ?

Scott secoua la tête.

— Il faut que je t'avoue quelque chose. Tu te rappelles quand je t'ai dit que je travaillais, le soir de la mort de ton père ?

Il avait vaguement mentionné son lieu de travail, où il avait appris la nouvelle.

— Où veux-tu en venir ? dis-je après une hésitation.

— Je travaillais chez Quickies, une supérette qui se trouvait seulement à quelques rues du lieu du crime.

Il marqua une pause, comme s'il attendait que j'en tire une conclusion évidente.

— J'étais censé suivre ton père cette nuit-là, reprit-il. La Main noire me l'avait ordonné. Il disait que ton père allait à un rendez-vous et que je devais le protéger.

— Qu'est-ce que tu veux dire ? demandai-je d'une voix tremblante.

— Je ne l'ai pas fait, murmura Scott en cachant son visage dans ses mains. J'ai décidé de désobéir à la Main noire, de lui montrer que je n'avais rien à faire de ses ordres. Lui prouver que je ne faisais pas partie de son organisation. Alors j'ai passé la soirée au boulot. Je n'ai pas sauvé ton père. Et il est mort. Il est mort par ma faute.

Je glissai sur le sol, incapable de prononcer le moindre mot.

— Tu me hais, pas vrai ?

— Tu n'as pas tué mon père, répondis-je enfin d'un air absent. Tu n'étais pas responsable.

— Je savais qu'il était en danger. Pour quelle autre raison la Main noire m'aurait-il demandé de le suivre jusqu'à ce rendez-vous ? J'aurais dû y aller. Si j'avais écouté la Main noire, il serait encore en vie.

— C'est le passé, murmurai-je, tâchant de ne pas l'incriminer davantage.

J'avais besoin de son aide. Ensemble, nous avions une chance de nous en sortir. Je ne pouvais pas me permettre de le haïr. Nous devions nous faire confiance.

— C'est peut-être le passé, mais ça n'est pas facile à accepter. J'étais censé le surveiller et, moins d'une heure plus tard, mon père m'appelait pour m'annoncer sa mort.

Malgré moi, je poussai un gémissement.

— La Main noire est revenu me voir au boulot. Il portait ses lunettes de ski, mais j'ai reconnu sa voix, poursuivit-il en réprimant un frisson. Je ne l'oublierai jamais. Il m'a remis un revolver en me demandant de faire en sorte que jamais personne ne le retrouve. Ton père devait passer pour la victime innocente d'un crime crapuleux. La Main noire préférait épargner à ta famille la douleur et les questions qui résulteraient des événements de cette nuit-là. Il refusait que ton père soit associé à des criminels dans son genre, alors il a maquillé la scène. J'étais censé jeter l'arme dans la rivière, mais je l'ai gardée. Puisque je voulais quitter cette société secrète, je ne voyais qu'un seul moyen : menacer la Main noire. Voilà pourquoi j'ai conservé le revolver. Lorsque ma mère et moi sommes revenus à Coldwater, je lui ai laissé un dernier message : s'il tentait de me retrouver, je m'arrangerais pour que l'arme d'Harrison Grey finisse entre les mains de la police et qu'on sache qu'il était lié à la Main noire. J'ai juré de salir le nom de ton père s'il le fallait pour qu'il me laisse tranquille. J'ai toujours cette arme.

Il ouvrit la main et le revolver tomba par terre avec un bruit mat.

— Je l'ai toujours.

Une douleur sourde s'emparait peu à peu de moi.

— C'était dur de te voir si souvent, reprit Scott d'une voix blanche. J'ai tout fait pour que tu me haïsses. Autant que je me hais moi-même. Chaque fois que tu étais près de moi, je repensais à cette soirée. J'aurais pu sauver la vie de ton père. Je suis désolé, ajouta-t-il d'une voix brisée.

— Ça va aller, répondis-je, tant pour me réconforter que pour le calmer. Tout ira bien.

Mais mes mots sonnaient creux.

Scott ramassa l'arme. Avant que j'aie pu prendre conscience de son geste, je le vis placer le canon sur sa tempe.

— Je ne mérite pas de vivre, gémit-il.

L'effroi me glaça.

— Scott, balbutiai-je.

— C'est mieux pour ta famille. Je ne peux plus te garder en face. Je ne peux même plus *me* regarder en face.

Son doigt glissa sur la détente et je n'eus pas le temps de réfléchir.

— Tu n'as pas tué mon père, lui dis-je. C'est Rixon, que tu as vu avec Vee. C'est un déchu. C'est vrai, Scott. Tout est vrai. Tu es un néphilim. Tu ne peux pas mettre fin à tes jours. Du moins, pas de cette façon, parce que tu es immortel. Si tu penses vraiment avoir quelque chose à te faire pardonner, aide-moi à sortir d'ici. Rixon se trouve derrière cette porte et il veut me tuer. Ma seule chance de m'en tirer, c'est d'obtenir ton aide.

Scott me dévisagea, bouche bée. Avant qu'il ait pu articuler un mot, la porte du local grinça. Rixon apparut dans l'entrebâillement. Il passa une main dans ses cheveux tout en balayant la pièce du regard. Poussée par l'instinct de survie, je me rapprochai de Scott. Rixon nous observa tous les deux.

— Tu ne la toucheras pas avant de t'être débarrassé de moi, siffla Scott en écartant le bras et en se plaçant devant moi, le souffle court.

— Aucun souci.

Rixon pointa son arme sur lui et fit feu plusieurs fois. Scott s'effondra sur moi comme un poids mort.

— Arrête, soufflai-je d'une voix étranglée, des larmes plein les yeux.

— Ne pleure pas, ma jolie. Il n'est pas mort. Attention, je ne dis pas qu'il ne souffrira pas le martyre en revenant à lui, mais c'est le prix à payer lorsqu'on possède un véritable corps. Maintenant, arrive ici.

— Tu peux toujours courir ! criai-je.

J'ignorais d'où me venait cette hargne, mais je ne comptais pas abandonner aussi facilement.

— Tu as tué mon père. Je n'ai pas l'intention de faciliter la tâche. Si tu me veux, tu n'as qu'à ven. me chercher.

Amusé, Rixon passa distraitement un doigt sur ses lèvres.

— Je ne vois pas pourquoi tu prends les choses tellement à cœur. Techniquement, Harrison n'était pas ton père.

— Tu as tué mon père, répétai-je en le regardant droit dans les yeux.

La colère montait en moi comme de la bile.

— Harrison Grey s'est lui-même condamné à mort. Il aurait dû se mêler de ses affaires.

— Il essayait de sauver la vie d'un autre homme !

— Un homme ? ricana Rixon en relevant ses manches. Hank Millar est tout sauf un homme. C'est un néphilim. Autant dire un animal.

Sans comprendre pourquoi, j'éclatai d'un rire étouffé.

— Tu sais quoi ? Tu me fais presque pitié, crachai-je.

— C'est drôle, j'allais te dire la même chose.

— Et maintenant, tu vas me tuer, n'est-ce pas ?

Ma réaction me surprit. Ma peur aurait dû décupler, mais j'étais tout à coup très calme. Je pensais que le temps se figerait, ou s'accélérerait, peut-être, mais il poursuivait simplement sa course, aussi froid et précis que Rixon, qui me mettait en joue.

— Oh non, pas te tuer. Te sacrifier. Il y a une énorme différence, ajouta-t-il avec un sourire en coin.

Je tentai une échappée mais une douleur fulgurante me dévora de l'intérieur, si violente que mon corps se heurta au mur. La douleur était omniprésente, insoutenable. J'ouvris la bouche pour crier, mais il était trop tard. J'étais engloutie, happée tout entière par cette agonie insupportable. Le rictus hideux de

on flottait devant mes yeux tandis que je me débat-
.s vainement contre une emprise invisible. Mes pou-
.ons se comprimaient, sur le point d'éclater, et alors
que la douleur menaçait de m'emporter, ma poitrine
s'abaissa. Par-dessus l'épaule de Rixon, je vis Patch
se glisser au travers de la porte.

Je voulus l'appeler, mais soudain, le manque d'air
avait disparu.

Tout était fini.

25.

— Nora ?

Je tentai vainement d'ouvrir les yeux. Mon cerveau répondait à l'appel, mais mon corps demeurait inerte. Un brouhaha me parvenait par intermittence. Dans un recoin de ma tête, je me rappelais la chaleur de la soirée, mais j'étais trempée de sueur et aussi... de sang.

Mon propre sang.

— Tu vas t'en tirer, Nora, me dit l'inspecteur Basso alors que je poussais un gémissement étouffé. Je suis là, je reste avec toi. Nora, tu m'entends ? Tout ira bien.

Je voulus hocher la tête, mais mon esprit semblait déconnecté du reste de mon corps.

— Les secours t'emmènent aux urgences. Nous allons quitter Delphic dans une ambulance.

Je sentis les larmes rouler sur mes joues et, enfin, je clignai des yeux.

— Rixon, soufflai-je, d'une voix à peine distincte. Où est Rixon ?

Les lèvres pincées, Basso répondit :

— Ne parle pas. Tu as pris une balle dans le bras, mais tu as eu beaucoup de chance. La plaie est superficielle. Tout ira bien, tu verras.

— Scott ? demandai-je, songeant brusquement à lui.

Je tentai de me redresser, mais découvris que j'étais sanglée sur la civière.

— Est-ce que vous avez sorti Scott du souterrain ?

— Scott était avec toi ?

— Derrière le boîtier électrique. Il est blessé. Rixon lui a aussi tiré dessus.

L'inspecteur Basso héla l'un de ses agents en uniforme qui accourut aussitôt.

— Oui, inspecteur ?

— Elle dit que Scott Parnell se trouvait dans le local technique.

Le policer secoua la tête.

— On a fouillé toute la pièce. Il n'y avait personne d'autre.

— Eh bien, cherchez encore ! cria Basso avec un geste en direction des grilles de Delphic. Et qui est ce Rixon, nom d'un chien ? demanda-t-il en se tournant vers moi.

Rixon. Si la police n'avait rien retrouvé dans le local, cela signifiait qu'il s'était enfui. Il devait rôder quelque part, à proximité, m'épiant sans doute à distance, attendant son heure pour en finir avec moi. J'agrippai mollement la main de Basso.

— Ne me laissez pas seule.

— Personne ne te laissera seule. Que peux-tu me dire de ce Rixon ?

Je sentis le brancard cahoter sur le bitume du parking, puis les pompiers me hisser dans l'ambulance. L'inspecteur Basso grimpa à l'arrière et s'installa sur le siège à côté de moi. J'y fis à peine attention, car une seule chose m'obsédait à présent. Je devais contacter Patch. L'avertir, pour Rixon...

— À quoi ressemble-t-il ?

La voix de Basso chassa mes pensées.

— Il était avec moi. Hier soir, il avait ligoté Sc
dans son pick-up.

— C'est lui qui t'a tiré dessus ? s'exclama Basso
en s'emparant de sa radio. Le principal suspect
s'appelle Rixon. Il est brun, grand et maigre. Nez bus-
qué. Il doit avoir une vingtaine d'années.

— Comment m'avez-vous retrouvée ?

Le puzzle de ma mémoire se remettait peu à peu
en place et je revis la silhouette de Patch se dresser
derrière Rixon par la porte du local. L'image était
brève, mais j'étais certaine de l'avoir vu. Où était-il
à présent ? Et où était Rixon ?

— Coup de fil anonyme, répondit Basso. Le type
m'a dit que je te trouverais dans un local, au fond du
tunnel. J'ai d'abord cru à un canular, mais il fallait
que je vérifie. Il prétendait s'être chargé de celui qui
t'avait tiré dessus. Je pensais qu'il faisait allusion à
Scott, mais puisque tu as identifié Rixon comme ton
agresseur... J'aimerais quand même que tu
m'expliques toute cette histoire. Et commence par le
nom de celui qui t'a sauvé la mise.

Quelques heures plus tard, l'inspecteur Basso
s'arrêta devant chez moi. Il était près de deux heures
du matin et les fenêtres de la ferme reflétaient un ciel
sans étoiles.

À l'hôpital, on m'avait soignée, puis j'avais pu sortir. Le personnel avait prévenu ma mère, mais j'avais
refusé de lui parler. Tôt ou tard, il faudrait que nous
ayons une explication, mais dans la confusion et l'agi-
tation des urgences, le moment paraissait mal choisi.
L'infirmière m'avait tendu le téléphone et j'avais
décliné d'un signe de tête.

J'avais aussi fait ma déposition. Basso pensait sans
doute que j'avais halluciné lorsque j'avais prétendu

...ver Scott dans le local technique. Et il se rendait en compte que je ne lui avais pas tout expliqué concernant Rixon. Mais quand bien même lui aurais-je dit la vérité, il aurait été incapable de le retrouver. Patch, en revanche, semblait s'en être chargé – ou du moins, il en avait l'intention. Je n'en savais pas davantage. Et depuis que j'avais quitté Delphic, je n'avais cessé d'y songer. Où pouvait bien être Patch et que s'était-il passé après que j'ai perdu connaissance ?

Basso coupa le moteur de son véhicule et me raccompagna jusqu'à la porte.

— Merci encore, lui dis-je. Pour tout.

— Appelle-moi si tu as besoin de quelque chose.

Une fois à l'intérieur, j'allumai les lampes et montai à la salle de bains. De mon bras valide, je me débarrassai de mes vêtements humides qui exhalaient encore l'odeur de la peur. Je protégeai mon bandage et me glissai sous la douche, espérant noyer cette soirée cauchemardesque sous l'eau tiède. Tout était enfin terminé. Il restait cependant un mystère non élucidé : la Main noire.

Puisqu'il ne s'agissait pas de Patch, qui donc pouvait se cacher derrière cette identité mystérieuse ? Et comment Rixon, un déchu, en savait-il aussi long à son sujet ?

Vingt minutes plus tard, enveloppée dans une serviette, j'écoutai les messages sur le répondeur du téléphone fixe. Le restaurant avait appelé pour demander si j'étais disponible ce soir. Ensuite Vee, paniquée, voulait savoir où j'étais. Apparemment, la police l'avait délogée du parking de Delphic avant de fermer les portes du parc, mais lui avait assuré que j'étais saine et sauve. On lui avait ordonné de rentrer chez

elle et de ne plus en bouger. Elle terminait son m
sage par un épique :

— Si j'ai raté quelque chose de croustillant, tu me
le paieras !

Le troisième et dernier appel était anonyme, mais
je reconnus immédiatement la voix de Scott.

— Si tu parles de ce message à la police, j'aurai
mis les voiles avant qu'ils aient pu me rattraper. Je
voulais simplement te dire une nouvelle fois combien
j'étais désolé.

Il marqua une pause, et je devinai son sourire, à
l'autre bout du fil.

— J'imagine que tu dois te faire un sang d'encre
pour moi, alors tu seras rassurée de savoir que je me
remets et que je serai à nouveau sur pied d'ici peu.
Merci pour l'information concernant ma euh... santé
de fer.

Je venais d'obtenir l'une de mes réponses et esquissai un sourire.

— J'ai été content de te connaître, Nora Grey. Et
qui sait, nos chemins se recroiseront peut-être. Une
dernière chose, ajouta-t-il après un silence. J'ai vendu
la Mustang. Trop voyante. Ne t'emballe pas, mais j'en
ai profité pour t'acheter une bricole. J'ai entendu dire
que tu lorgnais sur un cabriolet. La propriétaire doit
te l'amener demain. Et j'ai payé pour un plein, donc
pense à vérifier le niveau du réservoir.

Le répondeur signala la fin du message, mais je
gardai les yeux rivés sur le combiné. Le cabriolet ?
Pour moi ? J'étais aussi stupéfaite que ravie. Une voiture. Scott m'avait offert une voiture. N'ayant d'autre
moyen de le remercier, j'effaçai son message et la
trace de son appel. Si la police mettait la main sur
lui, ce ne serait pas par ma faute. Et d'ailleurs, je doutais qu'ils parviennent à le retrouver.

e téléphone toujours en main, je résolus d'appeler
mère. Je ne pouvais plus reculer. Après avoir frôlé
mort, j'étais décidée à repartir de zéro, et ce, dès
ce soir. Cet appel était le dernier rempart à franchir
pour entamer une nouvelle vie.

— Nora ? répondit-elle d'une voix paniquée. J'ai eu
le message de l'inspecteur. Je suis en route vers la
maison. Est-ce que tu vas bien ? Dis-moi que tu vas
bien !

Je pris une grande inspiration.

— Maintenant, oui.

— Oh, mon trésor, je t'aime tellement. Tu le sais,
n'est-ce pas ?

— Je sais tout.

Ma mère ne dit rien.

— Je sais ce qui s'est passé il y a seize ans, repris-je
d'un ton plus ferme.

— Mais enfin de quoi parles-tu ? Je suis presque
arrivée. Depuis le coup de fil de ce policier, je n'ai pas
cessé de trembler. Je suis une loque, une vraie loque.
Savent-ils qui est ce type... ce Rixon ? Qu'est-ce qu'il
te voulait ? Comment t'es-tu retrouvée mêlée à cette
histoire ?

— Pourquoi ne m'as-tu pas dit la vérité ? murmurai-
je, les yeux pleins de larmes.

— Trésor ?

— Nora.

Je ne suis plus une gamine.

— Pendant toutes ces années, tu m'as menti. Toutes
ces fois où j'ai critiqué Marcie. Toutes ces fois où
nous nous sommes moqués des Millar, de leur argent,
leur arrogance et leur bêtise...

Ma voix s'était brisée. Jusque-là, la colère m'avait
guidée, mais à présent, je ne savais plus comment
réagir. Fallait-il être outrée ? Blasée ? Perdue et mal-

heureuse ? À l'origine, mes parents avaient rendu un se̶r̶-
vice à Hank Millar. Mais ils avaient fini par s'aime̶r̶
et par m'aimer, moi aussi. Nous avions réussi à forme̶r̶
une famille. Nous étions heureux. Mon père nous avait
quittées, mais il ne m'avait pas oubliée. Il se souciait
toujours de moi. Il aurait voulu que ce qu'il restait de
notre famille soit préservé, et non que j'abandonne
ma mère.

C'était ce que je voulais, moi aussi.

— Quand tu rentreras, repris-je avec un soupir, il
faudra que nous parlions. De Hank Millar.

Je me préparai une tasse de chocolat et la montai
dans ma chambre. D'abord, j'avais redouté de me
retrouver seule dans la vieille ferme alors que Rixon
était peut-être encore en liberté. Puis une sorte de séré-
nité tranquille m'avait gagnée. Je n'aurais su dire
pourquoi, mais au fond, j'étais certaine d'être en sécurité. Je tentai de me remémorer les derniers instants
dans ce local avant que je ne perde connaissance.
Patch était entré dans la pièce…

Puis tout devenait noir. C'était frustrant, car je sentais que le reste de la vision pouvait me revenir. Elle
se promenait autour de moi, insaisissable, et pourtant
son contenu était crucial.

Après quelques minutes de réflexion, je renonçai,
prenant soudain conscience de quelque chose de terrifiant. Mon père, mon père biologique était en vie.
Hank Millar m'avait donné la vie, puis m'avait abandonnée dans le but de me protéger. Pour l'instant, je
ne souhaitais avoir aucun contact avec cet homme.
Songer à l'aborder était une idée trop douloureuse. C'eût
été admettre qu'il était bien mon père, et cela, il n'en
était pas question. J'avais déjà suffisamment de mal
à garder intact le souvenir de mon vrai père. Je refusais de le remplacer, ou de l'altérer en faisant entrer

qu'un d'autre dans ma vie. Non, je préférais lais-
Hank Millar là où il était : à distance. Pourrait-il
n jour m'arriver de changer d'avis ? Cette perspective
était effrayante. J'avais l'impression d'avoir découvert
une facette cachée de ma vie, et une fois que je l'aurais
dévoilée, celle-ci modifierait mon existence pour
toujours.

Je ne voulais pas m'attarder sur Hank Millar, mais
quelque chose dans toute cette histoire clochait. S'il
avait pris la précaution de me cacher pour me protéger
de Rixon alors que je n'étais qu'un bébé, pourquoi
n'avoir pas fait la même chose pour Marcie ? Ma...
sœur. Elle aussi partageait le même sang, alors pourquoi ne pas l'avoir mise à l'abri ? J'avais beau y réfléchir, je n'avais pas de réponse.

Je venais de me glisser dans mon lit lorsqu'on
frappa à la porte. Je reposai ma tasse de chocolat sur
la table de nuit. Peu de monde serait passé chez moi
à une heure pareille. Je descendis sur la pointe des
pieds et jetai un regard par le judas. Mais je savais
déjà qui était derrière la porte. Aux battements irréguliers de mon cœur, j'avais deviné qu'il s'agissait de
Patch.

J'ouvris la porte.

— C'est toi qui as dit à l'inspecteur Basso où me
trouver. Tu as empêché Rixon de me tuer.

Son regard sombre se posa sur moi. L'espace d'un
instant, je vis toute une gamme d'émotions s'y suc-
céder. La fatigue, l'angoisse, le soulagement. Ses vêtements portaient une odeur humide de rouille et de
barbe à papa, et je compris qu'il ne devait pas être
loin lorsque Basso m'avait secourue. Il était resté avec
moi jusqu'au bout.

Il m'enveloppa de ses bras et me serra contre lui.

— J'ai cru que j'étais arrivé trop tard. J'ai cru que tu étais morte.

J'agrippai sa chemise et appuyai mon front contre sa poitrine. Je pleurais, mais cela m'était égal. J'étais sauve et Patch était avec moi. Rien d'autre n'avait d'importance.

— Comment m'as-tu retrouvée ?

— Je suspectais Rixon depuis un moment, répondit-il à voix basse. Mais je devais en avoir le cœur net.

— Tu savais qu'il cherchait à me tuer ? dis-je en levant la tête.

— Les preuves s'accumulaient, mais je refusais d'y croire. Rixon était mon ami…, souffla-t-il d'une voix brisée. Je ne voulais pas admettre qu'il se dresserait contre moi. J'étais ton gardien et je sentais que quelqu'un te voulait du mal. J'ignorais qui, car il se montrait prudent. Il ne se concentrait pas sur un moyen de t'éliminer, il m'était donc difficile d'avoir une vision claire de la situation. Je savais qu'un humain serait incapable de dissimuler ses plans aussi minutieusement, car les humains ne se doutent pas que leurs pensées transmettent toutes sortes d'informations aux anges. De temps à autre, je percevais une idée fugace. Des petites choses qui incriminaient Rixon, mais je n'y ai pas accordé d'importance au début. Je me suis tout de même arrangé pour qu'il fréquente Vee afin de garder un œil sur lui. Et aussi parce que je ne voulais pas éveiller ses soupçons. Il n'avait qu'une seule raison de te tuer : devenir humain. Alors j'ai fouillé dans le passé de Barnabas. C'est là que j'ai compris. Rixon avait quelques longueurs d'avance sur moi, mais il n'avait pas dû l'apprendre avant que je ne te retrouve au lycée, l'an dernier. Lui aussi cherchait à te sacrifier et il craignait que je ne le fasse avant lui. Il a donc son possible pour me persuader de ne pas croire Livre d'Énoch.

— Pourquoi ne m'as-tu pas avertie ?

— Je ne pouvais pas. Tu m'avais renvoyé et, n'étant plus ton gardien, j'étais physiquement incapable d'intervenir en ce qui concernait ta sécurité. Les archanges m'en empêchaient dès que je tentais une parade. Mais j'ai trouvé le moyen de les contourner. J'ai réussi à te faire voir des choses dans ton sommeil. J'ai essayé de te donner les clés pour comprendre que Hank Millar était ton père naturel et le vassal néphil de Rixon. Tu pensais que je t'avais abandonnée, mais je n'ai jamais renoncé…

Je vis un coin de sa bouche se redresser, mais son sourire semblait las.

— Même si tu me bloquais continuellement.

— Où est Rixon, à présent ? demandai-je, reprenant finalement mon souffle.

— Je l'ai envoyé en enfer. Il ne reviendra pas.

Patch regardait droit devant lui. Il semblait résolu, mais pas furieux. Déçu, peut-être. Il regrettait sans doute que les choses ne se soient pas terminées différemment. Mais sous des airs indifférents, j'imaginais qu'il souffrait plus qu'il ne le laissait paraître. Il avait condamné son ami le plus proche, avec qui il avait tout partagé, à une éternité de ténèbres.

— Je suis tellement désolée, murmurai-je.

Demeurant quelques instants silencieux, nous songions tous deux au destin de Rixon. Je n'avais pas été témoin de la scène, mais l'idée que je m'en faisais était suffisamment atroce pour me donner des frissons.

Enfin, Patch me parla par la pensée.

Je me suis rebellé, Nora. Dès que les archanges s'en apercevront, ils se lanceront à ma poursuite. Tu avais raison. Je me fiche pas mal de briser les règles.

Je réprimai l'envie de le repousser vers la po
Ses mots résonnaient dans ma tête. Rebellé ? L
archanges viendraient immédiatement le chercher che
moi ! Se montrait-il délibérément imprudent ?

— Tu es devenu fou ?

— Fou de toi, oui.

— Patch !

— Ne t'en fais pas. Nous avons un peu de temps.

— Comment peux-tu en être certain ?

Il recula de quelques pas, une main sur la poitrine.

— Vraiment, Nora, ton manque de confiance en moi
me blesse.

Je lui jetai un regard furibond.

— Depuis quand ? Quand t'es-tu rebellé ?

*Ce soir. J'étais passé chez toi pour m'assurer que
tu allais bien. Je savais que Rixon serait à Delphic
et, lorsque j'ai vu le mot adressé à ta mère sur la
table de la cuisine, j'ai compris qu'il en profiterait
pour agir. J'ai renié l'autorité des archanges pour te
rejoindre. Si je ne l'avais pas fait, mon ange, je
n'aurais pas pu intervenir. Rixon aurait gagné.*

— Merci, murmurai-je.

Patch me serra plus fort contre lui. Je voulais rester
là, ne penser à rien d'autre qu'à sa présence puissante
et rassurante, mais certaines questions ne pouvaient
attendre.

— Ça signifie que tu n'es plus le gardien de
Marcie ?

Je le sentis sourire.

— Je suis à mon compte. Désormais, c'est moi qui
choisis mes propres clients et non l'inverse.

— Pourquoi Hank m'a-t-il cachée et pas Marcie ?

J'enfouis mon visage contre sa chemise pour qu'il
ne surprenne pas mon regard. Je me moquais de Hank.
Je ne souhaitais rien savoir de lui. Il ne représentait

pour moi et, pourtant, malgré moi, je désirais ...rètement qu'il m'aime autant qu'il aimait Marcie. ...étais moi aussi sa fille. Mais il avait préféré Marcie ...a moi. Il m'avait éloignée et l'avait choyée.

— Je l'ignore.

Tout était si calme que je pouvais l'entendre respirer.

— Marcie ne possède pas la même marque que toi. Celle de Chauncey, dont Hank a également hérité. À mon avis, ça n'est pas une coïncidence, mon ange.

Mon regard se posa au creux de mon poignet, sur la marque brune qu'on prenait souvent pour une cicatrice. C'était une tache de naissance que j'avais longtemps crue unique, jusqu'à ce que je rencontre Chauncey. Et aujourd'hui, j'apprenais que Hank avait la même. J'eus le sentiment que cette tache avait un sens qui dépassait celui de l'héritage génétique de Chauncey, et cette idée me terrifia.

— Tu ne crains rien avec moi, me souffla Patch en caressant mes bras.

Après un instant de silence, je repris :

— Ce qui nous mène où ?

— Ensemble, répondit-il en croisant les doigts avec un regard interrogatif.

— On se dispute souvent.

— Mais on se réconcilie souvent.

Saisissant ma main, il déposa la bague offerte par mon père au creux de ma paume. Il embrassa mes doigts en la refermant.

— J'avais l'intention de te la rendre plus tôt, mais elle n'était pas terminée.

J'examinai la bague. À l'intérieur, je reconnus le cœur gravé, mais de part et d'autre du symbole, deux noms avaient été ajoutés. NORA et JEV.

Je levai les yeux vers lui.

— Jev ? C'est ton vrai nom ?

— On ne m'a plus appelé comme ça depuis longtemps, murmura-t-il en caressant mes lèvres du bout du doigt.

Le désir se fondit en moi, pressant et brûlant.

Patch semblait éprouver la même chose, car il referma la porte et poussa le verrou. Il appuya sur l'interrupteur et la pièce fut plongée dans la pénombre, traversée seulement par un rayon de lune qui filtrait à travers le rideau. En même temps, nos deux regards convergèrent vers le canapé.

— Ma mère ne va pas tarder, dis-je. Nous ferions mieux d'aller chez toi.

Patch passa une main le long de sa mâchoire ombrée d'une barbe naissante.

— Je n'ai pas l'habitude d'amener des gens là-bas.

Cette réponse commençait à me fatiguer.

— C'est un secret d'État, c'est ça ? répliquai-je, luttant pour réprimer mon agacement. Ou alors, une fois que j'y serai, je ne pourrais plus jamais ressortir ?

Patch me dévisagea quelques instants puis plongea la main dans sa poche. Il enleva une clé de son trousseau et la glissa dans la poche de mon pyjama.

— Une fois que tu y seras, il faudra revenir.

Quarante minutes plus tard, je découvris la mystérieuse porte qu'ouvrait la clé. Patch gara le 4 × 4 sur le parking désert du parc d'attractions de Delphic. Nous traversâmes le parking main dans la main tandis que la brise estivale jouait avec mes cheveux. Patch entrouvrit la grille et je me faufilai à l'intérieur.

Débarrassée des bruits assourdissants de la foule et de ses néons, l'atmosphère de Delphic changeait du tout au tout. Le parc devenait un lieu paisible, hanté et magique à la fois. Une canette de soda vide raclait le macadam, poussée par le vent. Suivant

...ée, je gardais les yeux rivés sur l'ossature sombre ...l'Archange qui se dressait dans la nuit noire. L'air ...ntait la pluie et au loin grondait la rumeur du ...onnerre.

Au nord de l'Archange, Patch m'attira hors du cheminement principal. Nous gravîmes quelques marches qui menaient à un abri de service. Il ouvrit la porte au moment même où un déluge s'abattait sur nous en ricochant sur le bitume. La porte se referma, nous plongeant dans l'obscurité électrique de l'orage. Le parc était curieusement silencieux, à l'exception du battement régulier des gouttes sur le toit de fortune. Patch s'avança derrière moi, ses mains autour de ma taille et sa voix à mon oreille.

— Ce sont des déchus qui ont construit Delphic et c'est le seul endroit dont les archanges ne s'approchent pas. Ce soir, il n'y a que toi et moi, mon ange.

Je me retournai, sentant la chaleur de son corps envahir le mien. Patch releva mon menton et m'embrassa. Son baiser brûlant me fit frissonner de plaisir. Ses cheveux trempés exhalaient un vague parfum de savon. Mes lèvres mouillées glissèrent sur les siennes, et je frémis sous les gouttes glacées qui s'échappaient du plafond. Patch me serra contre lui avec une force qui ne fit qu'accroître l'envie de me laisser aller dans ses bras.

Il aspira une goutte de pluie sur ma lèvre et je perçus son sourire tout contre ma bouche. Ses doigts écartèrent mes cheveux et il déposa un baiser juste au-dessus de ma clavicule. Il promena ses lèvres sur mon oreille avant de descendre vers mon épaule, qu'il mordilla.

Je passai mes doigts dans sa ceinture pour l'attirer plus près encore.

Patch enfouit son visage au creux de mon co..
ses mains glissèrent au bas de mon dos. Il poussa
profond soupir.

— Je t'aime, souffla-t-il dans mes cheveux. Je ne
me rappelle pas avoir été plus heureux qu'aujourd'hui.

— Comme c'est touchant.

Une forte voix s'éleva du recoin le plus sombre de
l'abri, près du mur.

— Emparez-vous de l'ange.

Une poignée de jeunes hommes aux silhouettes de
géants, sans doute des néphilims, sortirent de l'ombre
et entourèrent Patch. Ils l'empoignèrent en lui tordant
le bras. Stupéfaite, je le regardai se laisser faire sans
opposer la moindre résistance.

Quand je commencerai à me battre, cours.

Je compris alors qu'il n'avait pas réagi pour me parler, pour me permettre de fuir.

*Je les retiendrai. Toi, va-t'en. Prends le 4 × 4. Tu
te rappelles comment le faire démarrer avec les fils ?
Ne rentre pas chez toi. Attends dans la voiture jusqu'à
ce que je t'aie retrouvée...*

Le meneur, qui était resté à l'écart, s'avança vers
nous, éclairé par l'un des faisceaux lumineux qui
s'infiltraient par les fentes du mur. Grand, élancé, beau
et anormalement jeune pour son âge, il était impecca-
blement vêtu d'un polo et d'un pantalon blanc.

— Monsieur Millar, soufflai-je.

J'ignorais comment l'appeler. « Hank » paraissait
trop familier et « Papa » d'une intimité répugnante.

— Laisse-moi me présenter, déclara-t-il. Je suis la
Main noire. J'ai bien connu ton père Harrison. Je suis
heureux qu'il ne soit plus là pour te voir te compro-
mettre avec l'un de ces rejetons du diable, siffla-t-il
en agitant son index. Tu n'es pas la jeune fille que
j'espérais te voir devenir, Nora. Tu fraternises avec

...emi, tu bafoues tes origines. Je crois que tu as ...ne réduit en cendres l'un de mes repaires, hier soir. ...ais peu importe. Je peux pardonner tout cela, ajouta- -il avant de marquer un silence entendu. Dis-moi, Nora, est-ce toi qui as tué mon cher ami, Chauncey Langeais ?

ÉVÉNEMENT !

Après HUSH, HUSH et CRESCENDO,
retrouvez vite la suite des aventures de Nora et Patch
dans SILENCE,
aux éditions du Masque, collection MsK.

En librairie le 7 mars 2012

Composé par Nord Compo
à Villeneuve-d'Ascq (Nord)

Achevé d'imprimer
sur les presses de GGP Media GmbH
à Pößneck (Allemagne)
en février 2012

POCKET – 12, avenue d'Italie – 75627 Paris cedex 13

Dépôt légal : mars 2012
S22221/01